Manfred Görtemaker

Die Berliner Republik

Wiedervereinigung und Neuorientierung

bpb:
Bundeszentrale für politische Bildung

Manfred Görtemaker, geboren 1951, ist Professor für Neuere und Neueste Geschichte an der Universität Potsdam mit dem Schwerpunkt Zeitgeschichte.

Abbildungsnachweis:
Archiv des Verlages: 7, 26 (Foto: Christian Adam), 129 (Foto: Paul Morse), 179 (Foto: Norbert Aepli)
Bundesarchiv: 11 (Bild 183-1989-1007-402, Foto: Klaus Franke)
ullsteinbild: 46, 58, 85, 106

Die Originalausgabe erscheint in der Reihe »Deutsche Geschichte im 20. Jahrhundert«, herausgegeben von Manfred Görtemaker, Frank-Lothar Kroll und Sönke Neitzel.

Bonn 2009
Lizenzausgabe für die Bundeszentrale für politische Bildung
Adenauerallee 86, 53113 Bonn

Lektorat: Matthias Zimmermann
Gesamtgestaltung: hawemannundmosch, Berlin
Umschlaggestaltung: Michael Rechl, Kassel
Umschlagfoto: © ullstein Bild – JOKER / Allgöwer.
Eisenskulptur „Berlin" von Eduardo Chillida.
Satz: typegerecht, Berlin
Druck und Bindung: GGP Media GmbH, Pößneck
ISBN 978-3-89331-973-2
www.bpb.de

Inhaltsverzeichnis

1 Einleitung

Das Reichstagsgebäude in Berlin verlor nach 1945 seinen Status als Sitz des deutschen Parlaments.

Die Wiedervereinigung Deutschlands am 3. Oktober 1990 bedeutete zugleich die Geburtsstunde der »Berliner Republik«. Allerdings war dies nicht sofort erkennbar. Denn mit dem Beitritt der fünf ostdeutschen Länder zum Geltungsbereich des Grundgesetzes nach Artikel 23 GG endete zwar die Existenz der DDR, doch es blieb zunächst unklar, wie stark die »alte« Bundesrepublik von dieser Zäsur betroffen sein würde. Nicht zuletzt galt dies für die Bundeshauptstadt Bonn, die am 10. Mai 1949 vom Parlamentarischen Rat zum provisorischen Sitz der »obersten Bundesorgane« bestimmt worden war.

Tatsächlich war zwischen 1949 und 1990 aus dem »Provisorium Bundesrepublik« – einschließlich seines politischen Zentrums am Rhein – etwas so Dauerhaftes geworden, dass man sich seine Auflösung nur noch schwer vorstellen konnte. Berlin dagegen hatte immer mehr an Bedeutung verloren; seine alte Hauptstadtfunktion schien ohne Perspektive für die Zukunft, wie wohl auch viele derjenigen insgeheim dachten, die während des Kalten Krieges den unrealistisch erscheinenden Anspruch auf ein vereintes Deutschland mit einer gemeinsamen Hauptstadt Berlin aufrechterhalten hatten. Doch jetzt war das Unwahrscheinliche Wirklichkeit geworden, und Berlin war wieder im Gespräch.

Gut acht Monate später, am 20. Juni 1991, beschloss der Deutsche Bundestag nach einer denkwürdigen, emotional aufgeladenen Debatte, Parlament und Regierung des wiedervereinigten Deutschlands von Bonn nach Berlin zu verlegen. Zwar blieben einige Ministerien und nachgeordnete Behörden am Rhein. Der Kern der Regierung jedoch kehrte nach Berlin zurück, das auf diese Weise seine traditionelle Funktion als deutsche Hauptstadt wiedergewann: Aus der »Bonner Republik« wurde die »Berliner Republik«.

Natürlich lässt sich darüber streiten, ob Benennungen, die mit dem eigentlichen Namen des Staates, für den sie stehen, nichts zu tun haben, überhaupt sinnvoll sind. Im Falle der »Weimarer Republik« wurde damit eine Phase der Geschichte des Deutschen Reiches von 1871 bis 1945 bezeichnet, die weder mit dem vorangegangenen Kaiserreich noch mit dem nachfolgenden »Dritten Reich« gleichgesetzt werden sollte. Die »Berliner Republik« dagegen steht in einem so hohen Maße in der Kontinuität der »Bonner Republik«, dass von einem Bruch nicht die Rede sein kann. Dennoch erscheint die Bezeichnung »Berliner Republik« gerechtfertigt, weil sich die innen- und außenpolitischen Rahmenbedingungen seit der Epochenzäsur 1989/90 grundlegend verändert haben. Der Wandel betrifft nahezu alle Bereiche von Politik, Wirtschaft und Gesellschaft. Im Innern zählen dazu die Verwerfungen in der Ökonomie durch Globalisierung und einigungsbedingte Sonderlasten, die Erweiterung des traditionellen Parteiensystems und neue Bedingungen des Regierens durch eine veränderte Öffentlichkeit und eine neue

Medienlandschaft. Nach außen ließen das Ende des Kommunismus und der Zerfall des sowjetischen Imperiums in Osteuropa ein Vakuum entstehen, das nur langsam, teilweise erst nach Krieg und Bürgerkrieg, durch eine neue Architektur Europas gefüllt wurde, an deren Mitgestaltung Deutschland ein hohes Eigeninteresse besaß. Hinzu kommt eine gewachsene internationale Verantwortung, die auch Militäreinsätze einschließt.

Der Unterschied zwischen der »Berliner Republik« und der »Bonner Republik« wird also weniger durch den Sitz von Parlament und Regierung bestimmt – zumal der eigentliche Umzug erst 1999 erfolgte –, als vielmehr durch die Neuartigkeit des politischen, ökonomischen, gesellschaftlichen und kulturellen Umfeldes, in dem die Bundesrepublik seit 1989/90 agiert. Das ist auch der Grund, weshalb der 3. Oktober 1990 als eigentliches Entstehungsdatum der »Berliner Republik« anzusehen ist.

Die deutsche Geschichtswissenschaft, auch die Zeitgeschichtsforschung, hat sich bisher schwer getan, die Entwicklung nach 1989/90 zu beschreiben. Einerseits mangelt es an der persönlichen Distanz. Andererseits ist die Materiallage kompliziert. Die Sperrfrist der Archive, die in der Regel 30 Jahre beträgt, lässt einen umfassenden Zugang zu den Quellen, die das Handeln der jeweiligen Akteure dokumentieren, noch nicht zu. Demgegenüber ist das öffentliche Material umfangreich, aber noch weitgehend unsortiert. Die Erforschung der »Berliner Republik« steht deshalb noch am Anfang.

Dieser Band, der den Abschluss der Reihe »Deutsche Geschichte im 20. Jahrhundert« bildet, beschreibt die Geschichte der Wiedervereinigung und die Neuorientierung nach 1990. Angesichts des knapp bemessenen Raumes, den die Konzeption der Reihe mit sich bringt, können dabei nur Grundlinien nachgezeichnet werden: Mauerfall und Wiedervereinigung, die Entstehung der »Berliner Republik«, die Schritte zu einer neuen Außenpolitik, die inneren Probleme der Vereinigung, der Machtwechsel zu Rot-Grün 1998 und die Herausforderung des internationalen Terrorismus sowie die Krise des Sozialstaates und der Übergang zur Großen Koalition 2005. Es bleibt zu hoffen, dass durch diesen Überblick detaillierte Untersuchungen zu Einzelaspekten angeregt werden, die das hier gezeigte Bild präzisieren, vervollständigen oder verändern.

Die Reihe »Deutsche Geschichte im 20. Jahrhundert« verfolgt die Absicht, die verschiedenen Abschnitte der Entwicklung Deutschlands im vergangenen Jahrhundert darzustellen und sie in den größeren Zusammenhang der deutschen und internationalen Geschichte einzuordnen, um Kontinuitäten ebenso wie Brüche zu verdeutlichen. Dies gilt nicht zuletzt auch für die Geschichte der »Berliner Republik«, die das Ergebnis einer Epochenzäsur ist, aber dennoch Teil der deutschen Gesamtgeschichte des 20. Jahrhunderts – im Übergang zum 21. Jahrhundert – bleibt.

Ich danke meinem Mitarbeiter Björn Grötzner für seine umsichtigen Recherchen bei der Suche nach Material sowie Matthias Zimmermann und Dr. Robert Zagolla für ihre Geduld und Mühe beim Lektorat. Vor allem aber schulde ich Dank und Respekt dem Verleger Ulrich Hopp, der großen unternehmerischen Mut bewies, als er dieses Reihenwerk auf den Weg brachte, und darüber hinaus die Waghalsigkeit besaß, so unterschiedliche Temperamente wie Frank-Lothar Kroll, Sönke Neitzel und mich mit der Herausgeberschaft der Reihe zu betrauen.

Potsdam, im März 2009
Manfred Görtemaker

2 Die »friedliche Revolution« 1989

Im Herbst 1989 ignorierte die DDR-Führung alle Probleme und zelebrierte ein pompöses Fest zum 40. Jahrestag der Staatsgründung.

Die »friedliche Revolution«, die sich im Herbst 1989 in der DDR vollzog und am Ende zur Wiedervereinigung Deutschlands führte, kam für die meisten Zeitgenossen überraschend.[1] Seit dem Bau der Berliner Mauer am 13. August 1961 war eine Wiedervereinigung für unwahrscheinlich, ja unmöglich gehalten worden. Der politische, militärische und ideologische Gegensatz zwischen Ost und West hatte eine grundlegende Veränderung des Status quo nicht zugelassen. Sogar die Deutschen selbst hatten sich allmählich an den Zustand der Teilung gewöhnt. Die jüngere Generation besaß keine persönliche Erinnerung an ein gemeinsames Deutschland mehr. Und die Tatsache, dass die beiden deutschen Staaten seit Beginn der 1970er Jahre »normale gutnachbarliche Beziehungen zueinander auf der Grundlage der Gleichberechtigung«[2] unterhielten, wie es im Grundlagenvertrag zwischen der Bundesrepublik und der DDR vom 21. Dezember 1972 hieß, wurde weithin als eine Selbstverständlichkeit betrachtet.

Der innere Zerfall der DDR

Die Stabilität der DDR, die jetzt auch durch die internationale Anerkennung zum Ausdruck kam, bestand allerdings nur vordergründig. So willkommen die Tatsache war, dass innerhalb eines Jahres nach Abschluss des Grundlagenvertrages 68 Länder diplomatische Beziehungen mit der DDR aufnahmen, die außerdem gemeinsam mit der Bundesrepublik die Mitgliedschaft in der UNO erlangte, so problematisch erschienen die innenpolitischen Folgen der Entspannungspolitik: Während 1970 nur etwa zwei Millionen Bürger der Bundesrepublik und West-Berlins die DDR und Ost-Berlin besucht hatten, stieg diese Zahl 1973 bereits auf über acht Millionen an. Und die Zahl der Telefongespräche zwischen Ost und West, die 1970 lediglich 700 000 betragen hatte, explodierte förmlich auf über 23 Millionen jährlich bis 1980. In der DDR-Führung wuchs daher die Sorge, dass die Zunahme der persönlichen Kontakte sich negativ auf den inneren Zusammenhalt der DDR auswirken könnte, zumal die ostdeutsche Bevölkerung bereits durch westliche Medien – vor allem das westdeutsche Fernsehen, das außer im Raum Dresden und im nordöstlichen Teil von Mecklenburg-Vorpommern überall in der DDR empfangen werden konnte – starker Beeinflussung ausgesetzt war.

Die DDR leitete deshalb eine Politik der »Abgrenzung« ein, um die Folgen der Entspannungspolitik zu mindern. Schlüsselgruppen, wie Partei- und Staatsfunktionären sowie Wehrpflichtigen, war es künftig untersagt, Kontakte zu Ausländern zu unterhalten. In neu eingeführten »Besucherbüchern« waren die Namen aller ausländischen Besucher in den Wohnungen von DDR-Bürgern zu notieren. Auf der Grundlage der von Erich Honecker bereits auf dem VIII. Parteitag der SED im Juni 1971 vertretenen

Auffassung, dass sich in Deutschland zwei getrennte Nationen entwickelten, rückte die SED-Führung in den folgenden Jahren die gesamtdeutschen Bezüge ihrer Politik immer weiter in den Hintergrund.[3] In der revidierten Verfassung von 1974 war von der DDR nur mehr als »sozialistischer Staat der Arbeiter und Bauern« und nicht, wie noch in der Verfassung von 1968, als »sozialistischer Staat deutscher Nation« die Rede.

Überdies wurde der Staatssicherheitsapparat zu einem Instrument der flächendeckenden Kontrolle der DDR-Bevölkerung entwickelt. Der Etat des Ministeriums für Staatssicherheit (MfS), der 1968 noch eine Summe von 1,029 Milliarden Mark aufgewiesen hatte, stieg bis 1989 um etwa 400 Prozent auf 4,292 Milliarden. Die Zahl der hauptamtlichen Mitarbeiter des MfS, die Mitte der 1950er Jahre bei rund 15 000 gelegen hatte, wuchs bis 1989 auf über 91 000 an, wobei sie sich allein in den Jahren der Entspannung von 1971 bis 1989 praktisch verdoppelte – mit den größten Zuwachsraten in der zweiten Hälfte der 1970er Jahre.[4] Hinzu kamen die »Inoffiziellen Mitarbeiter«, die ebenfalls einen wesentlichen Beitrag zur Bespitzelung der DDR-Bevölkerung leisteten. Ihre Zahl stieg von etwa 100 000 im Jahre 1968 auf über 170 000 in den 1980er Jahren an.[5]

Alle Anstrengungen der Stasi konnten indessen nicht verhindern, dass die Bürger der DDR das Klima der Entspannung zum Anlass nahmen, auch im eigenen Lande eine Lockerung der strengen Zensur und Überwachung zu fordern. Die engen Grenzen der Autonomie für Intellektuelle, Schriftsteller und Künstler wurden sichtbar, als der kritische Liedermacher Wolf Biermann 1976 nach einer Konzerttournee in der Bundesrepublik nicht wieder in die DDR zurückkehren durfte. Freunde und Bekannte, die gegen diese Maßnahme protestierten, wurden ebenfalls verfolgt. Zahlreiche prominente DDR-Schriftsteller, Schauspieler und Musiker wurden entweder ausgebürgert oder erhielten langfristige Ausreiseerlaubnisse. Ihr Exodus bedeutete nicht nur einen schweren intellektuellen Verlust für die DDR, sondern war auch ein bezeichnender Ausdruck für die Hilflosigkeit der

SED-Führung, die sich angesichts der Entspannungsfolgen nicht anders zu helfen wusste, als unliebsame Geister abzuschieben, um die Stabilität des Regimes zu sichern.

Unruhe gab es in den 1970er Jahren in der DDR aber auch in anderen Bereichen. Vor allem die evangelischen Kirchen wurden ein wichtiger Sammelpunkt der Opposition. In ihrem Umfeld sammelten sich Friedens- und Umweltgruppen, die unter anderem den Einmarsch sowjetischer Truppen in Afghanistan im Dezember 1979 kritisierten und, wie die Umweltbibliothek in Berlin, die Umweltzerstörung in der DDR dokumentierten und anprangerten. Ein Symbol dieser wachsenden Oppositionskultur wurde die Nikolaikirche in Leipzig. Seit 1980 gewann auch die westliche Friedensbewegung, die sich gegen die Stationierung neuer Raketen in Europa richtete, in der DDR an Bedeutung. So sandte der Ost-Berliner Pastor Rainer Eppelmann im Januar 1982 einen von mehreren Hundert Ostdeutschen unterzeichneten »Berliner Appell – Frieden schaffen ohne Waffen« an den SED-Generalsekretär Erich Honecker, in dem nicht nur die Militarisierung der Kindererziehung in der DDR bemängelt wurde, sondern auch Forderungen nach einem Abzug der »Besatzungstruppen« aus beiden Teilen Deutschlands und der Verwirklichung des Selbstbestimmungsrechts der Deutschen enthalten waren. Damit wurden – im Sinne der Vorstellungen von Robert Havemann über ein neutrales vereintes Deutschland – sowohl das Machtmonopol der SED als auch indirekt das Existenzrecht der DDR in Frage gestellt.[6]

Friedensgruppen agierten nun in zahlreichen Städten der DDR. Beispiele dafür waren die »Friedensgemeinschaft Jena« mit Roland Jahn und die in Berlin unter Beteiligung von Bärbel Bohley und Ulrike Poppe gegründete Gruppe »Frauen für den Frieden«. Zehntausende von zumeist jungen Ostdeutschen nahmen unter dem Slogan »Schwerter zu Pflugscharen« an einer Vielzahl von Veranstaltungen teil, ehe die SED-Führung 1983 auch gegen die Friedensbewegung in der DDR vorging und Ausweisungen und Verhaftungen vornehmen ließ. Das Ministerium für Staatssicherheit bemerkte dazu 1989 rückblickend in einer Analyse: »Ende der siebziger, Anfang der achtziger Jahre intensivierten äußere und innere Feinde ihre Bestrebungen, unter dem Deckmantel des Eintretens für Frieden und Abrüstung [...] in der DDR eine alternative, pseudopazifistisch ausgerichtete, sogenannte staatlich unabhängige Friedensbewegung zu etablieren. Sie sollte als Basis und als Sammelbecken für feindliche, oppositionelle und andere negative Kräfte dienen.«[7]

Dass sich die Stimmungslage in der DDR grundsätzlich zu ändern begann, zeigte sich schließlich auch daran, dass die Zahl der DDR-Bürger, die trotz massiver Diskriminierung und Kriminalisierung einen Antrag auf Ausreise stellten, dramatisch anstieg. Im Juli 1984 kam es sogar zur ersten »Botschaftsbesetzung«, als 50 Ostdeutsche in der Ständigen Vertretung der Bundesrepublik in Ost-Berlin Zuflucht suchten, um die Genehmigung zu erhalten, die DDR verlassen zu dürfen. Offenbar hatten viele Ostdeutsche die Hoffnung, dass sich die Lebensbedingungen in der DDR in absehbarer Zeit bessern würden, verloren. Die Zuversicht, die zu Beginn der Honecker-Ära 1971 mit Blick auf äußere Entspannung und innere Reformen noch geherrscht hatte, war verflogen.

Die äußeren Rahmenbedingungen

Die Frustration der ostdeutschen Bevölkerung wurde noch vergrößert durch Beispiele des Wandels in Polen, Ungarn, der Tschechoslowakei und der Sowjetunion. In Polen hatten Arbeiter im September 1980 die unabhängige Gewerkschaftsbewegung »Solidarność« gegründet, deren Registrierung vom Obersten Gericht Polens bereits im Oktober 1980 akzeptiert wurde und die binnen kurzer Zeit nahezu zehn Millionen Mitglieder gewann. Als Unruhen auf den Werften von Danzig und Gdingen eskalierten und die Solidarność begann, die Herrschaft der kommunistischen Partei herauszufordern, schien auch die innere Stabilität der DDR bedroht. Streiks und Arbeiterproteste, die Polen erschütterten, waren in der DDR nicht in gleicher Weise wahrscheinlich, aber auch nicht, wie die Erinnerung an den 17. Juni 1953 zeigte, unmöglich.

Manche SED-Funktionäre begannen sich deshalb zu fragen, ob die innere Ruhe, die trotz der Anzeichen einer gewissen Opposition bisher hatte gewahrt werden können, auch weiterhin aufrecht zu erhalten sei. Naheliegend war der Vergleich zur Entwicklung in der Tschechoslowakei 1968. SED-Politbüromitglied Joachim Herrmann, ZK-Sekretär für Agitation und Propaganda, erklärte dazu im Oktober 1980 gegenüber dem sowjetischen ZK-Sekretär Michail Zimjanin: »Unsere Meinung ist: Die Lage in Polen ist schlimmer als 1968 in der CSSR, schlimmer als unter Dubček.«[8] Der Minister für Staatssicherheit, Erich Mielke, bemerkte am 2. Oktober in einer MfS-Dienstbesprechung: »Was in Polen geschieht, das ist auch für uns in der DDR eine Kernfrage, eine Lebensfrage.«[9]

Die Regierung in Ost-Berlin entschied sich deshalb am 30. Oktober 1980 zu einer ersten Vorsichtsmaßnahme, indem sie den visafreien Verkehr zwischen der DDR und Polen aufhob und für den Reiseverkehr zwischen den beiden Staaten strenge Auflagen erließ. Die Abgrenzung gegenüber dem Westen wurde nun ergänzt durch die Abschirmung gegenüber dem Osten. Der Prozess der Selbstisolierung der DDR begann. Zugleich drängte die ostdeutsche Führung darauf, »kollektive Hilfemaßnahmen für die polnischen Freunde bei der Überwindung der Krise auszuarbeiten«[10], wie Erich Honecker in einem Brief an den sowjetischen Staats- und Parteichef Leonid Breschnew schrieb. Dies konnte nur eines bedeuten: eine Niederschlagung der polnischen Reformbewegung durch Streitkräfte des Warschauer Paktes nach dem Muster der Tschechoslowakei im August 1968. Dementsprechend bereitete sich die Nationale Volksarmee der DDR durch den Befehl Nr. 118/80 des Ministers für Nationale Verteidigung darauf vor, an »einer gemeinsamen Ausbildungsmaßnahme der vereinten Streitkräfte der Teilnehmerstaaten des Warschauer Vertrages auf dem Territorium der Volksrepublik Polen«[11] teilzunehmen. Aber auch im Innern der DDR wurden die Sicherheitsmaßnahmen nochmals verschärft, um, wie Mielke mit Blick auf Polen erklärte, die »inhumanen und antisozialistischen Pläne und Machenschaften«[12] der Kräfte der Konterrevolution zu bekämpfen.

In Wirklichkeit waren die Auswirkungen der polnischen Ereignisse auf die DDR geringer als erwartet. Bis zum Sommer 1981 hatten die Ostdeutschen sich als vergleichsweise unempfänglich für den polnischen Reformvirus erwiesen. Es gab sogar Anzeichen für Ressentiments gegenüber den Polen, wobei alte Vorurteile neu aufbrachen. Zudem schien mit der Verhängung des Kriegsrechts in Polen am 13. Dezember 1981 die Solidarność-Bewegung endgültig zum Scheitern verurteilt. Aber die Erleichterung, die sich daraus für die SED-Führung ergab, war nur von kurzer Dauer. Denn General Wojciech Jaruzelski, der das Kriegsrecht verhängt hatte, erwies sich als weit weniger konsequent im Sinne der kommunistischen Orthodoxie, als die DDR-Führung gehofft hatte. Und nach der Aufhebung des Kriegsrechts im Juli 1983 überließ Jaruzelski den Polen – einschließlich der Solidarność-Bewegung – ohne viel Aufhebens ein Maß an Freiheit und politischem Pluralismus, das in anderen kommunistischen Ländern noch unbekannt war.[13]

Ein Jahr später war das Übergreifen der polnischen Reformen auf andere Länder des Ostblocks nicht mehr zu übersehen und wurde auch von der DDR-Führung wahrgenommen. In der Tschechoslowakei hatte bereits die Verabschiedung der Charta 77 zur Gründung einer mutigen Bürgerrechtsbewegung unter Václav Havel geführt. Jetzt machte diese immer mehr von sich reden. In Ungarn begann 1982 eine intensive Diskussion über die Ziele der wirtschaftlichen und politischen Zukunft des Landes, nachdem der seit 1956 praktizierte »Gulasch-Kommunismus« von Janos Kádár – das heißt, die Strategie, ökonomische Reformen von politischer Liberalisierung zu trennen – nicht länger zu funktionieren schien. Mátyás Szürös, Sekretär im Zentralkomitee der Ungarischen Sozialistischen Arbeiterpartei (MSzMP) und früherer Botschafter Ungarns in der Sowjetunion, plädierte im Januar 1984 sogar für größere Bewegungsfreiheit in der Gestaltung der Außenpolitik Ungarns, um neue Partner zur Sanierung der ungarischen Wirtschaft im westlichen Ausland zu gewinnen.[14]

Besorgniserregend für die DDR wurde es allerdings erst, als der osteuropäische Reformprozess im Frühjahr 1985 die Sowjetunion erreichte. 40 Jahre lang hatte Übereinstimmung zwischen Moskau und Ost-Berlin bestanden, dass die sowjetische Rückendeckung ein grundlegendes Element der inneren Stabilität der DDR darstellte. Die 380 000 Sowjet-Soldaten, die in Ostdeutschland stationiert waren, dienten ebenso sehr dazu, die SED an der Macht zu halten, wie die äußere Sicherheit der DDR zu garantieren. Solange die disziplinierende Funktion der sowjetischen Präsenz nicht bezweifelt werden konnte, waren weder die Stabilität der DDR noch der Zusammenhalt des sowjetischen Imperiums in Osteuropa ernstlich bedroht.

Doch genau diese Gefahr zeichnete sich ab – wenn auch nicht über Nacht –, als Michail Gorbatschow am 10. März 1985 zum Ersten Sekretär der KPdSU ernannt wurde. Der neue sowjetische Partei- und Staatschef besaß zwar kein Gesamtkonzept für Reformen, aber seine Politik der »Öffnung« (*glasnost*) und »Umgestaltung« (*perestroika*) ließ frühzeitig auf weitreichende Veränderungen schließen. Durch Öffnung und Umgestaltung sollte die bisherige Inflexibilität der sowjetischen Ökonomie und Gesellschaft beseitigt werden, um eine Rationalisierung der Entscheidungen und Handlungsabläufe zu erreichen, die Kooperation mit dem Westen wiederzubeleben und die UdSSR auf die Herausforderungen des 21. Jahrhunderts vorzubereiten.

Aus Sicht der DDR war diese Politik, die Gorbatschow selbst als »zweite russische Revolution«[15] bezeichnete, in hohem Maße bedrohlich, weil sie auf eine Schwächung der repressiven Macht des Partei- und Staatsapparates hinauslief und spätestens seit 1987 auch zu einer Revision der Breschnew-Doktrin führte, mit der die sowjetische Führung nach der Niederschlagung des »Prager Frühlings« 1968 noch einmal eine ausdrückliche Bestandsgarantie für die sozialistischen Systeme in den osteuropäischen Ländern abgegeben hatte. Mit der Rücknahme dieser Bestandsgarantie war auch die Existenz der DDR, die sich noch nie auf politische Legitimität durch freie Wahlen hatte stützen können, im Kern gefährdet.

Gorbatschow war sich dieses Zusammenhangs offensichtlich nicht bewusst, als er am 10. April 1987 in einer Rede in Prag feststellte, niemand habe das Recht, »einen Sonderstatus in der sozialistischen Welt für sich zu beanspruchen«[16], und in einer Rede vor dem Europarat in Straßburg am 7. Juli 1989 hinzufügte, die »Philosophie des gemeinsamen europäischen Hauses« schließe »die Anwendung von Gewalt, vor allem militärischer Gewalt, zwischen den Bündnissen, innerhalb der Bündnisse oder wo auch immer« aus. Unter direkter Bezugnahme auf die Breschnew-Doktrin (ohne sie allerdings beim Namen zu nennen) bezeichnete er nun sogar ausdrücklich »jede Einmischung in innere Angelegenheiten, alle Versuche, die Souveränität von Staaten – sowohl von Freunden und Verbündeten als auch von jedem sonst – zu beeinträchtigen«, als »unzulässig«.[17]

In der DDR riefen diese Aussagen große Besorgnis hervor. Zwar war die Regierung in Ost-Berlin mehr als ein Jahrzehnt lang in der Lage gewesen, die Auswirkungen der Entspannungspolitik auf das eigene Regime zu minimieren und die Kontakte der DDR-Bürger mit dem Westen durch Abgrenzung, Kontrolle und Disziplinierung zu begrenzen. Aber nachdem andere Ostblockstaaten, wie Polen, Ungarn und die Tschechoslowakei, bereits Auflösungserscheinungen zeigten und die Sowjetunion nun selbst Reformen forderte, wurde die Lage für die DDR kritisch.

Die SED-Führung reagierte auf diese »reformistische Einkreisung« indes nicht mit eigenen Reformen, sondern mit weiterer Selbstisolierung. Kurt Hager, Mitglied des Politbüros, erklärte in einem Interview, das am 9. April 1987 in der Hamburger Zeitschrift *Stern* erschien, auf die Frage, ob sich nun auch die DDR im Sinne von *glasnost* und *perestroika* wandeln werde: »Es scheint, dass westliche Medien an diesem Thema vom ›Kopieren‹ interessiert sind, weil es in ihr Trugbild von der ›Hand Moskaus‹ oder von der angeblichen Einförmigkeit und Eintönigkeit des Sozialismus passt. Würden Sie, nebenbei gesagt, wenn Ihr Nachbar seine Wohnung neu tapeziert, sich verpflichtet fühlen, Ihre Wohnung ebenfalls neu zu tapezieren?«[18] Die SED-Führung jedenfalls verspürte eine derartige Verpflichtung zu inneren Reformen offenbar nicht, hielt diese sogar für überflüssig und schädlich, ja gefährlich. Aus der begrenzten Sicht einer kommunistischen Kaderpartei war die Einschätzung sogar zutreffend. Tatsächlich ließ sich die innere Stabilität der DDR jedoch immer weniger aufrechterhalten.

Fluchtbewegung und Demonstrationen

Im Dezember 1987 wurde in der Tschechoslowakei Staats- und Parteichef Gustáv Husák durch den jüngeren und flexibleren Milós Jakés ersetzt, der sich schon bald mit einer Beschleunigung und Radikalisierung des Reformprozesses konfrontiert sah. Im April und Mai 1988 kam es in Polen zu neuen Streiks der Stahl- und Werftarbeiter, die im Februar 1989 Gespräche zwischen Regierung und Opposition am »Runden Tisch« erzwangen, die im April 1989 zu einer Verfassungsreform und im Juni 1989 zu ersten Parlamentswahlen mit freier Kandidatenaufstellung führten. In Ungarn wurde Ministerpräsident Károly Grosz am 22. Mai 1988 als Verfechter weitreichender politischer und wirtschaftlicher Reformen zum neuen Generalsekretär der MSzMP ernannt.

An der SED-Führung schienen diese Ereignisse spurlos abzuprallen. Sie hielt stur an ihrer bisherigen Linie fest und verbot im November 1988 sogar zahlreiche sowjetische Zeitungen und Filme in der DDR, darunter einzelne Ausgaben der *Neuen Zeit,* fünf antistalinistische Filme und die Monatszeitschrift *Sputnik,* die von vielen reformorientierten Ostdeutschen als Ausdruck der neuen Offenheit von *glasnost* und *perestroika* gern gelesen wurde. Vor diesem Hintergrund fassten offenbar immer mehr DDR-Bürger den Entschluss, ihrem Land den Rücken zu kehren. Allein im Sommer 1989 stellten 120 000 einen Antrag auf Ausreise in die Bundesrepublik. Im Juli und August versuchten darüber hinaus Hunderte, die mit ihrer Geduld am Ende waren, ihre Ausreise durch die Besetzung westlicher – vor allem westdeutscher – diplomatischer Vertretungen in Budapest, Warschau, Ost-Berlin und Prag zu erzwingen. Die Prager Botschaft der Bundesrepublik musste sogar binnen zwei Wochen wegen Überfüllung geschlossen werden.

Einen ersten spektakulären Höhepunkt erreichte die Fluchtbewegung am 19. August während eines »Paneuropäischen Picknicks« bei Sopron an der ungarisch-österreichischen Grenze. Dabei sollte an der alten Pressburger Landstraße zwischen Sankt Margarethen im österreichischen Burgenland und Sopronköhida in Ungarn ein Grenztor symbolisch für drei Stunden geöffnet werden. An gleicher Stelle hatten am 27. Juni 1989 der österreichische Außenminister Alois Mock und sein ungarischer Amtskollege Gyula Horn gemeinsam den Grenzzaun durchtrennt, um den am 2. Mai 1989 begonnenen Abbau der Überwachungsanlagen durch Ungarn zu unterstreichen. Etwa 600 DDR-Urlauber nutzten nun die Veranstaltung der Paneuropa-Union zur Flucht nach Österreich, während die ungarischen Grenzposten sie zwar beobachteten, aber trotz des noch geltenden Schießbefehls nicht einschritten.

Der »Eiserne Vorhang« hatte damit praktisch seine Funktion verloren. Der Flüchtlingsstrom, der sich über Ungarn und Österreich in die Bundesrepublik ergoss, schwoll nun immer mehr an. Täglich trafen zwischen 100 und 200 Ostdeutsche in Aufnahmelagern in Bayern ein, bis die DDR-Regierung am 5. September von der ungarischen Regierung informiert wurde, dass es vom 11. September an DDR-Bürgern erlaubt sein werde, die Grenze nach Österreich legal zu überschreiten. Jetzt flohen nicht nur Hunderte, sondern Tausende täglich. Bis Ende September waren es insgesamt bereits 32 500.

Zugleich nahm der Umfang der Proteste und Demonstrationen innerhalb der DDR zu. Seit Juni wurden am 7. jeden Monats Protestaktionen veranstaltet, um an die Manipulation der Kommunalwahl vom 7. Mai 1989 zu erinnern, die von Wahlbeobachtern aufgedeckt worden war. Darüber hinaus begannen am 4. September in Leipzig nach einem Friedensgebet in der Nikolaikirche rund 1200 Menschen mit den »Montagsdemonstrationen«, auf denen Forderungen nach Reise- und Versammlungsfreiheit laut wurden. Bis zum 25. September stieg ihre Teilnehmerzahl auf etwa 5000 an. Am 2. Oktober waren es bereits mehr als 20000 Menschen. Ermutigt durch die Demonstrationen und die schwächliche Reaktion der Staatsmacht wurden nun auch politische Organisationen gegründet, die sich zum Teil als Parteien, zum Teil als Bürgerbewegungen verstanden.

Eine erste bedeutende DDR-Oppositionsgruppe war bereits zur Jahreswende 1985/86 in Gestalt der »Initiative Frieden und Menschenrechte« (IFM) entstanden, jedoch schon bald vom MfS wieder zerschlagen worden. Die etwa 160 »feindlich-negativen Zusammenschlüsse« mit rund 2500 Personen, von denen das MfS in einer zusammenfassenden Information an die Parteiführung am 1. Juni 1989 sprach, waren demgegenüber politisch weniger bedrohlich. Sie existierten größtenteils seit 1985 und waren nahezu ausschließlich in kirchlichen Basisgruppen organisiert. Ihr harter Kern »fanatischer, von sogenanntem Sendungsbewusstsein, persönlichem Geltungsdrang und politischer Profilierungssucht getriebener, vielfach unbelehrbarer Feinde des Sozialismus«[19], so das MfS, umfasste letztlich kaum mehr als 60 Personen.

Alles änderte sich mit dem offensichtlichen Wahlbetrug bei den Kommunalwahlen im Mai 1989 und der einsetzenden Fluchtbewegung. Erst jetzt entstanden von Juli bis Oktober jene mehr als 50 Parteien und Bürgerbewegungen, die wesentlich die Herrschaft der SED erschütterten und somit den Niedergang der DDR beschleunigten. Die Organisationen waren in Profil und Programmatik teilweise stark voneinander unterschieden und spiegelten eine beachtliche soziale und kulturelle Pluralität wider. Die Gründungswelle begann am 24. Juli 1989 in Schwante bei Oranienburg, von wo eine Initiative zur Konstituierung der Sozialdemokratischen Partei (SDP) ausging, die am 7. Oktober formell ihr Gründungsprogramm beschloss. In kurzer Folge entstanden zahlreiche weitere Gruppen mit unterschiedlicher Bedeutung. Die wichtigsten unter ihnen waren das »Neue Forum« (9./10. September), »Demokratie jetzt« (12. September) und der »Demokratische Aufbruch« (2. Oktober). Mit der »Vereinigten Linken« bildete sich darüber hinaus ein Aktionsbündnis traditioneller Marxisten, das auf die weitere Entwicklung in der DDR allerdings nur geringen Einfluss auszuüben vermochte.

Die SED-Führung sah sich jetzt nicht nur den Liberalisierungstendenzen in Osteuropa und der Fluchtbewegung aus der DDR, sondern auch einer wachsenden inneren Opposition gegenüber. Dennoch hielt die SED-Führung weiter an ihrem starren Kurs der Reformverweigerung fest. Mit ihrer Manipulation der Kommunalwahlen vom 7. Mai 1989 sowie der demonstrativen Unterstützung der chinesischen Regierung nach dem Massaker auf dem Tiananmen-Platz in Peking am 4. Juni 1989 wollte sie offenbar der DDR-Bevölkerung ihre Entschlossenheit beweisen, die Macht zu behaupten – notfalls auch mit Waffengewalt. Doch diesmal ließen sich die Menschen nicht mehr einschüchtern wie in der Vergangenheit. Die wichtigsten Verbündeten der DDR befanden sich auf Reformkurs, und die meisten DDR-Bürger hielten ihre Regierung inzwischen nicht mehr nur für reformunwillig, sondern auch für reformunfähig. Die SED-Führung war deshalb weithin isoliert; ihr Verhalten stieß nahezu überall auf Kritik, ja Verständnislosigkeit.

Die Feiern zum 40. Jahrestag der DDR

In dieser Situation kam das festliche Ereignis des 40. Jahrestages der DDR am 7. Oktober 1989 durchaus ungelegen. Die öffentlichen Demonstrationen und Aktivitäten der Oppositionsgruppen erreichten am Vorabend dieses Tages einen neuen Höhepunkt. Besonders Dresden, wo die Durchfahrt eines Zuges mit DDR-Flüchtlingen aus der Bonner Botschaft in Prag am 4. Oktober Unruhen ausgelöst hatte, die immer noch andauerten, war Schauplatz schwerer Auseinandersetzungen. Aber auch aus zahlreichen anderen Orten wurden Demonstrationen gemeldet. Die Proteste, die zunächst auf Berlin, Leipzig und Dresden konzentriert gewesen waren, breiteten sich rasch aus.

Währenddessen war Erich Honecker in Ost-Berlin im Begriff, mehr als 4000 geladene Gäste aus der DDR und über 70 ausländische Delegationen zu empfangen, unter ihnen eine sowjetische Abordnung mit Michail Gorbatschow an der Spitze, von dessen Glanz die SED-Führung zu profitieren hoffte. Doch Gorbatschow war auch ein Hoffnungsträger für die ostdeutschen Dissidenten, die fühlten, dass nur er dem Reformprozess in der DDR zum Erfolg verhelfen konnte.

Honeckers Festrede am Nachmittag des ersten Tages der Feierlichkeiten, dem 6. Oktober, im Palast der Republik zeichnete sich durch seichte Oberflächlichkeit aus: kein Wort über die Flüchtlinge, kein Satz über die internen Probleme. Am Abend gab es allerdings bei einem Fackelzug Unter den Linden spontane öffentliche Ovationen für Gorbatschow. Lautstarke »Gorbi, Gorbi«-Rufe ließen keinen Zweifel aufkommen, wem die Sympathien der Menschen galten. Doch erst am folgenden Tag wurde Gorbatschow bei einem persönlichen Gespräch mit Honecker und in einer Unterredung mit den Mitgliedern des SED-Politbüros im Schloss Niederschönhausen deutlicher: »Kühne Entscheidungen« seien notwendig, jede Verzögerung werde zur Niederlage führen. Wörtlich erklärte Gorbatschow vor den Politbüromitgliedern: »Ich halte es für sehr wichtig, den Zeitpunkt nicht zu verpassen und keine Chance zu vertun. [...] Wenn wir zurückbleiben, bestraft uns das Leben sofort. [...] Wenn die Partei nicht auf das Leben reagiert, ist sie verurteilt. [...] Wir haben nur eine Wahl: entschieden voranzugehen, sonst werden wir vom Leben selbst geschlagen.«[20]

Nachdem Gorbatschow mit seinem Plädoyer für politische und ökonomische Reformen geendet hatte, pries Honecker aufs Neue den Erfolg des Sozialismus in der DDR. Wiederum erwähnte er die Krise in seinem Land, die er gar nicht wahrzunehmen schien, und die Flüchtlinge mit keinem Wort. Danach erhob sich der sowjetische Generalsekretär abrupt, um anzudeuten, dass man das Treffen beenden möge. Offenbar gab es nichts mehr zu sagen.

Der Tag klang aus mit einem Empfang im Palast der Republik. Honeckers Stellvertreter, Egon Krenz, und der Erste Sekretär der Berliner SED, Günter Schabowski, bekundeten dabei gegenüber Valentin Falin, Moskaus Botschafter in Bonn von 1971 bis 1978 und inzwischen Mitglied des Zentralkomitees der KPdSU, ihre Meinung, dass Honeckers Äußerungen entmutigend gewesen seien. Die sowjetischen Genossen könnten sicher sein, dass bald etwas geschehen werde. Währenddessen hatten sich auf dem Alexanderplatz, unweit des Palastes der Republik, etwa 15 000 bis 20 000 Menschen versammelt, wo sie von »Agitatoren« der Partei in Diskussionen verwickelt wurden. Die Strategie der SED-Bezirksleitung war erfolgreich: Niemand wurde geschlagen oder musste verhaftet werden. Doch als die Menge sich zu zerstreuen begann, starteten einige Demonstranten am Ufer der Spree erneut mit »Gorbi, Gorbi«-Rufen und dem Slogan »Wir sind das Volk«. Kurze Zeit später war die Situation völlig verändert: Einheiten der Polizei und der Staatssicherheit, die auf dem Alexanderplatz noch Zurückhaltung geübt hatten, erwarteten die auf dem Heimweg befindlichen Demonstranten in den Straßen auf dem Prenzlauer Berg. Die Gewalt, die in der Stadtmitte vermieden worden war, wurde nun angewandt.

3 Maueröffnung und Wiedervereinigung

Nach dem 9. November 1989 gab es kein Halten mehr: Tausende DDR-Bürger strömten zu den Grenzen, um ihre neue Freiheit wahrzunehmen.

Für die SED-Führung waren die Ereignisse im Umfeld der Feierlichkeiten zum 40. Jahrestag der DDR ein weiterer Rückschlag. Egon Krenz erörterte deshalb am 8. Oktober mit Günter Schabowski ein fünfseitiges Papier, das vom Politbüro verabschiedet und als Proklamation der Parteiführung veröffentlicht werden sollte. Das Papier enthielt keine Sensationen, aber immerhin einen Anflug von Selbstkritik.

Da nur der Generalsekretär das Recht hatte, Vorlagen im Politbüro zur Diskussion einzubringen, musste Honecker jedoch zustimmen, ehe der Text überhaupt zur Sprache kommen konnte. Wie nicht anders zu erwarten, lehnte Honecker zunächst ab. Doch diesmal beharrte Krenz auf seiner Meinung, dass die Parteiführung nicht länger schweigen dürfe, und erreichte am folgenden Tag sein Ziel, die Proklamation im Politbüro beraten zu lassen. Zugleich bestärkte ihn die unwirsche Reaktion Honeckers in der Überzeugung, dass dessen baldige Ablösung unvermeidlich sei.

Der 9. November 1989

Die Proklamation, die am 12. Oktober im *Neuen Deutschland* veröffentlicht wurde, blieb indessen ohne große Resonanz. So leicht war die Glaubwürdigkeit des Regimes nicht wiederherzustellen. In der folgenden Politbürositzung am 17. Oktober forderte Ministerpräsident Willi Stoph daher nach Absprache mit Krenz, Schabowski und dem Vorsitzenden des Freien Deutschen Gewerkschaftsbundes (FDGB), Harry Tisch, den Rücktritt Honeckers. Dieser leistete kaum Widerstand. Bei der anschließenden Abstimmung war das Ergebnis einstimmig.[1]

Bereits am folgenden Tag wurde Egon Krenz auf Vorschlag des Politbüros vom Zentralkomitee der SED zum neuen Generalsekretär der Partei gewählt. Doch als er daraufhin am Abend im Fernsehen auftrat, vermittelte er das typische Negativ-Image des humorlosen, steifen Parteifunktionärs der alten SED-Elite: dunkler Anzug, plumpe Bewegungen, monotone Rhetorik. Die Wirkung war entsprechend, und die Proteste gegen das SED-Regime gingen unvermindert weiter.[2] Am Montag nach der Ernennung von Krenz gingen allein in Leipzig mehr als 300 000 Menschen auf die Straße, viele von ihnen mit Anti-Krenz-Parolen unter den Stichworten »Demokratie unbekrenzt« und »Sozialismus krenzenlos«. Obwohl sich manches änderte – die Tolerierung von Demonstrationen als Teil der politischen Kultur der DDR, der Erlass neuer Reisegesetze, eine Verbesserung der Berichterstattung in den Medien, die Ankündigung freier Wahlen und nicht zuletzt eine Amnestie für Ausgereiste beziehungsweise Flüchtlinge und Demonstranten –, hatte Krenz keine Chance, die Menschen zu erreichen.

Auch die Fluchtbewegung schwoll sogleich wieder an, als in der Nacht zum 1. November die Anfang Oktober von den DDR-

Behörden verhängten Beschränkungen im Reiseverkehr mit der Tschechoslowakei aufgehoben wurden. Innerhalb einer Woche machten nicht weniger als 48 177 DDR-Bürger von der Möglichkeit Gebrauch, die DDR zu verlassen. Der Massen-Exodus, der nach der ungarischen Grenzöffnung im Sommer 1989 begonnen hatte, setzte sich nun mit immer neuen Rekordzahlen fort. Bis zum Ende der ersten Novemberwoche hatten allein im Jahr 1989 über 225 000 Ostdeutsche ihren Weg in die Bundesrepublik gefunden.

Am 7. November trat daraufhin zunächst der gesamte Ministerrat (die Regierung der DDR) zurück, am 8. November folgte auch das Politbüro. Neuer Ministerpräsident wurde Hans Modrow, der, anders als Krenz, eine glaubwürdige Alternative zur alten Garde der Partei repräsentierte, auch wenn er seit vier Jahrzehnten Mitglied der SED war und keinesfalls als Dissident oder gar als Oppositioneller bezeichnet werden konnte. Als Bezirkssekretär in Dresden hatte Modrow sich jedoch durch seinen unideologischen Pragmatismus Achtung und Popularität verschafft. Manche glaubten, er habe das Zeug, der »Gorbatschow der DDR« zu werden. Im Übrigen war es ein offenes Geheimnis, dass er das Vertrauen Moskaus besaß.[3]

Ehe Modrow am 13. November formell zum neuen Ministerpräsidenten gewählt werden konnte, überstürzten sich indessen die Ereignisse. Die Zahl der Flüchtlinge aus der DDR schwoll am Ende der ersten Novemberwoche auf nicht weniger als 500 pro Stunde an. Innerhalb eines Tages, von Mittwochmorgen, dem 8. November, bis Donnerstagmorgen, dem 9. November, flohen mehr als 11 000 Ostdeutsche über die Tschechoslowakei in die Bundesrepublik.

Krenz und die neue SED-Führung waren sich von Anfang an darüber im Klaren gewesen, dass die Frage der Reisefreiheit entscheidend für die Erneuerung des Regimes sein würde. Ministerpräsident Stoph hatte deshalb Innenminister Friedrich Dickel bereits am 19. Oktober – zwei Tage nach Honeckers Sturz – beauftragt, ein neues Reisegesetz zu erarbeiten, dessen erster

Entwurf am 31. Oktober vorlag und am 6. November schließlich veröffentlicht wurde. Alle Bürger der DDR sollten demnach das Recht haben, ohne harte Währung für einen Monat im Jahr ins Ausland zu reisen, sofern sie einen gültigen Reisepass und ein Visum besaßen, das von der Polizei innerhalb von 30 Tagen nach Antragstellung zu erteilen sei. Die Regierung erwartete, dass die Diskussion darüber bis Ende November abgeschlossen sein werde, so dass die neuen Verfahren im Dezember in Kraft treten könnten.

Doch der Entwurf stieß auf massive Kritik. Noch am Tage seiner Veröffentlichung forderten Demonstranten bei Versammlungen, die jetzt in allen Bezirken der DDR stattfanden und auch die Marktplätze der kleineren Städte füllten, »ein Reisegesetz ohne Einschränkungen«. Vertretern der SED wurde es, wie in Leipzig, oft nicht mehr erlaubt, auf den Veranstaltungen zu sprechen. »Zu spät, zu spät«, scholl es aus der Menge. Und: »Wir brauchen keine Gesetze, die Mauer muss weg!« Schließlich: »Die SED muss weg!«[4] Sogar das zensierte Fernsehen brachte kritische Stimmen von DDR-Bürgern. In den Fabriken kam es zu spontanen Warnstreiks von Arbeitern, die sich durch das geplante Gesetz diskriminiert fühlten, weil es ihnen die Devisen vorenthielt, die für Reisen ins Ausland unabdingbar waren.

Der Entwurf wurde daraufhin vom Rechtsausschuss der Volkskammer als »unzureichend« verworfen und am 7. November im Politbüro erneut diskutiert. Ministerpräsident Stoph, der an diesem Tag zurücktrat, aber noch im Amt blieb, bis das neue Kabinett unter Hans Modrow am 17. November gebildet war, wurde beauftragt, eine Entscheidung der Regierung herbeizuführen, mit der die ersehnte Reisefreiheit in einem Schritt vorab gewährt wurde, und das erforderliche Reisegesetz später vom Parlament nachträglich beschließen zu lassen. Am Nachmittag des 9. November informierte Krenz das Zentralkomitee der SED – eher beiläufig, wie Sitzungsteilnehmer sich später erinnerten, um das immer noch als »orthodox« eingeschätzte Gremium nicht zu provozieren –, dass die Regierung soeben eine

Entscheidung über die neuen Reisebestimmungen getroffen habe. Gegen 18 Uhr übergab Krenz dem neuen ZK-Sekretär für Information, Günter Schabowski, der gerade auf dem Weg war, die im Internationalen Pressezentrum in der Mohrenstraße versammelten Journalisten über die Ergebnisse der ZK-Tagung zu unterrichten, ein zweiseitiges Papier, das die neuen Bestimmungen enthielt. Dieses war indes nur eine Vorlage der Regierung, kein gültiger Beschluss, da der Ministerrat noch zustimmen musste (was Schabowski aber, wie er heute behauptet, damals nicht wusste). Gleichwohl bemerkte Krenz bei der Aushändigung des Textes nach eigener Erinnerung gegenüber Schabowski, das sei »die Weltnachricht«[5]. Schabowski meinte, von Krenz im Ohr behalten zu haben: »Gib das bekannt. Das wird ein Knüller für uns.«[6] Natürlich hoffte Krenz, das Einlenken der neuen DDR-Führung in dieser wichtigen Frage werde die Lage innenpolitisch entspannen.

Entsprechend groß war die Aufregung, als Schabowski wenig später – auf die Frage von Riccardo Ehrman, eines Vertreters der italienischen Nachrichtenagentur ANSA, ob die Vorlage des (alten) Reisegesetzes ein Fehler gewesen sei – nach längeren, gewundenen Ausführungen erklärte, dass man sich entschlossen habe, »heute (äh) eine Regelung zu treffen, die es jedem Bürger der DDR möglich macht (äh), über Grenzübergangspunkte der DDR (äh) auszureisen«. Auf Nachfragen kratzte sich Schabowski am Kopf und zitierte dann aus dem Text, der ihm mitgegeben worden war und den er bis dahin offenbar selbst noch gar nicht gelesen hatte: dass »Privatreisen nach dem Ausland [...] ohne Vorliegen von Voraussetzungen [...] beantragt« werden könnten; dass die zuständigen Abteilungen Pass- und Meldewesen angewiesen seien, »Visa zur Ausreise unverzüglich zu erteilen«; und dass Ausreisen »über alle Grenzübergangsstellen der DDR zur BRD erfolgen« könnten. Auf die weitere Frage, wann die Regelung in Kraft trete, blätterte Schabowski erneut in seinen Papieren und antwortete schließlich stockend: »Das tritt nach meiner Kenntnis [...] ist das sofort, unverzüglich.«[7]

Diese Äußerungen, vor allem Schabowskis Feststellung, dass die Regelung »sofort, unverzüglich« in Kraft trete, wirkten wie ein Signal. Noch in der Nacht machten sich Tausende von DDR-Bürgern auf den Weg, um sich an den Grenzen persönlich einen Eindruck von der neuen Lage zu verschaffen. Dort war die Verwirrung allerdings groß, denn die Grenzposten hatten von der angeblichen Grenzöffnung ebenfalls erst aus den Medien erfahren. Da es noch gar keinen Beschluss, sondern nur eine Regierungsvorlage über die vorgezogene Grenzregelung gab, die Krenz von Innenminister Dickel während der ZK-Tagung erhalten hatte, um sie zu begutachten und gegebenenfalls zu billigen, konnten entsprechende Ausführungsbestimmungen auch noch gar nicht vorliegen. Ihre Erarbeitung brauchte Zeit, die nun nicht mehr zur Verfügung stand, weil die auf Öffentlichkeitswirkung angelegte Aktion von Krenz den Terminplan durchkreuzt hatte.

Die Grenzposten waren deshalb ratlos. Als der Druck um Mitternacht zu groß wurde, entschieden sie spontan, die Grenzen aufzumachen. Auch Krenz, der gegen 21 Uhr von Mielke telefonisch unterrichtet wurde, dass mehrere Hundert Menschen an der Grenze die sofortige Ausreise verlangten, plädierte für die Öffnung, die ohnehin nicht mehr zu vermeiden war.

Als die Schranken an den Grenzen gehoben wurden, herrschten Jubel und Chaos. Die Menschen strömten durch die Mauer, die für sie so lange unüberwindlich gewesen war. Für eine nüchterne Bestandsaufnahme blieb unter diesen Umständen kein Raum. Erst am Abend des 10. November erklärte der frühere Bundeskanzler Willy Brandt, der zur Zeit des Mauerbaus 1961 Regierender Bürgermeister von Berlin gewesen war und später durch seine Neue Ostpolitik entscheidend dazu beigetragen hatte, die Spannungen zwischen Ost und West zu mindern und den Weg für Reformen in Osteuropa zu bahnen, in einer kurzfristig anberaumten Versammlung vor dem Rathaus Schöneberg in West-Berlin zu den politischen Folgen der Maueröffnung, nun sei eine neue Beziehung zwischen den beiden deutschen Staaten entstanden. Die Zusammenführung der Deutschen in Ost und West sei auf Dauer nicht mehr aufzuhalten. »Jetzt«, so Brandt wörtlich, »wächst zusammen, was zusammengehört«.[8] Bundeskanzler Kohl mahnte auf der gleichen Veranstaltung, »besonnen zu bleiben und klug zu handeln«[9].

Helmut Kohls Zehn-Punkte-Plan

Mit der Maueröffnung war jedoch kaum mehr als ein erster Schritt getan. Als Hans Modrow am 13. November 1989 zum neuen Ministerpräsidenten der DDR gewählt wurde, übernahm er ein schweres Erbe. Seit Beginn der Krise im Sommer hatte er wiederholt erklärt, dass er hoffe, während der unsicheren Zeit des Übergangs der DDR zu einer »sozialistischen Demokratie« ein stabilisierender Faktor zu werden. Sein Ziel war es, das SED-Regime umfassend zu reformieren, um es nicht nur als Eckpfeiler des sowjetischen Imperiums in Osteuropa zu erhalten, sondern auch die Wettbewerbsfähigkeit der DDR gegenüber dem Westen zu erhöhen.

Grundvoraussetzung dafür war die Verbesserung der wirtschaftlichen und finanziellen Lage. Denn die DDR-Wirtschaft war, wie der scheidende Finanzminister Ernst Höfner am Tag der Amtsübernahme Modrows enthüllte, praktisch bankrott. Neben einem Haushaltsdefizit von 120 Milliarden DM und einer Auslandsverschuldung von 20 Milliarden Dollar war vor allem die Tatsache besorgniserregend, dass die Produktivität der ostdeutschen Betriebe seit 1980 um etwa 50 Prozent gesunken und ein Ende der Talfahrt nicht in Sicht war. Modrow schlug deshalb in seiner Regierungserklärung am 17. November 1989 eine »Vertragsgemeinschaft« zwischen den beiden deutschen Staaten vor und sprach in einem Interview mit dem *Spiegel* am 4. Dezember sogar von der Möglichkeit einer »deutschen Konföderation«. Er hoffte, massive wirtschaftliche Unterstützung durch die Bundesrepublik und die Europäische Gemeinschaft (EG) zu erhalten, ohne sich vom Westen politisch absorbieren zu lassen. Die DDR sollte zu einer »sozialistischen Marktwirtschaft« umgestaltet werden, in der es nicht nur gemischte Besitzverhältnisse, sondern auch ein »sozialistisches Unternehmertum« geben werde.[10]

Doch Modrow fehlte die Zeit, seine weitreichenden Reformpläne in die Tat umzusetzen. Die Situation verschlechterte sich zunehmend: Der Massen-Exodus von DDR-Bürgern mit über 2000 Flüchtlingen beziehungsweise Übersiedlern pro Tag hielt an, und die neuen politischen Kräfte in der DDR versammelten sich mit anderen Befürwortern von Reformen nach polnischem Vorbild zu Gesprächen am »Runden Tisch« und bildeten damit eine Art Nebenregierung.[11] Am 3. Dezember 1989 wurden schließlich das gesamte Politbüro und das Zentralkomitee der SED aufgelöst. Modrow blieb zwar Ministerpräsident, doch Egon Krenz verlor nicht nur seinen Posten als Generalsekretär der SED, sondern trat am 6. Dezember auch als Vorsitzender des Staatsrates und Vorsitzender des Nationalen Verteidigungsrates zurück. Neuer Generalsekretär der SED, die sich nun »Sozialistische Einheitspartei Deutschlands – Partei des Demokratischen Sozialismus« (SED-PDS) nannte, wurde der Rechtsanwalt Gregor Gysi, der sich als Verteidiger von Regime-Gegnern – darunter auch Bärbel Bohley – einen Namen gemacht hatte und sich nun als loyaler Parteigänger Modrows erwies.

In der Bundesrepublik wurden die Entwicklungen in der DDR mit großer Aufmerksamkeit registriert. Die Bundesregierung hielt sich aber zunächst zurück, um die komplizierte Situation nicht durch unbedachte eigene Schritte zusätzlich zu verwirren. Zudem versicherte Außenminister Hans-Dietrich Genscher seinen Amtskollegen in der Westeuropäischen Union (WEU) in Brüssel, dass die Bundesrepublik keinen »nationalen Alleingang in der Außenpolitik« unternehmen werde. Bundeskanzler Kohl bekräftigte bei seinem Besuch in Polen am 14. November »die Buchstaben und den Geist« des Warschauer Vertrages von 1970 und unterzeichnete eine Gemeinsame Erklärung mit Ministerpräsident Tadeusz Mazowiecki, in der Bonn ein weiteres Mal seine Garantie der polnischen Westgrenze erneuerte.[12]

Als jedoch in Bonn bekannt wurde, dass Gorbatschow in einer Rede vor Studenten in Moskau am 15. November von einer »Wiedervereinigung« Deutschlands gesprochen hatte – wenn auch nur mit dem beiläufigen Hinweis, dass sie eine »interne Angelegenheit« der Bundesrepublik und der DDR sei –, merkte man auf. Und als vier Tage später ein führender sowjetischer Deutschlandexperte, Nikolai Portugalow, im Kanzleramt erschien, um die Haltung der Bundesregierung zur Entwicklung in der DDR zu erkunden, und dabei auch die Möglichkeit andeutete, dass die Sowjetunion mittelfristig einer deutschen Konföderation »grünes Licht« geben könne, kam man nicht länger umhin, sich mit dem Thema Wiedervereinigung zu befassen.[13]

In einer nächtlichen Runde im Kanzleramt am 23. November und einer weiteren Sitzung am folgenden Morgen wurden in aller Eile Antworten auf einen Fragenkatalog erarbeitet, den Portugalow hinterlassen hatte: Fragen zur Kooperation zwischen den beiden deutschen Staaten und besonders zur Wiedervereinigung, zur Aufnahme der DDR in die Europäische Gemeinschaft, zur Mitgliedschaft in NATO und Warschauer Pakt sowie zur Möglichkeit des Abschlusses eines Friedensvertrages. Die Antworten, in zehn Punkten zusammengefasst, trug der Kanzler in der Haushaltsdebatte am 28. November im Bundestag vor. Nur die amerikanische Regierung wurde vorab über die Ausführungen Kohls unterrichtet. Der sowjetische Botschafter in Bonn, Julij Kwitsinky, erhielt den Text der Rede, während Kohl sprach.

Die Vorschläge Kohls, die in der Öffentlichkeit rasch zum »Zehn-Punkte-Plan« der Bundesregierung zur Wiedervereinigung Deutschlands hochstilisiert wurden, sahen eine Reihe von Maßnahmen vor, die von »sofortiger konkreter Hilfe« für die DDR über die Errichtung der von Modrow vorgeschlagenen »Vertragsgemeinschaft« bis zur Einführung »konföderativer Strukturen« zwischen den beiden deutschen Staaten »mit dem Ziel der Schaffung einer Föderation, einer föderativen staatlichen Ordnung in Deutschland« reichten. Niemand wisse, wie ein wiedervereinigtes Deutschland aussehen werde. Er sei jedoch sicher, dass die Einheit kommen werde, wenn die deutsche Nation dies wünsche: »Wiedervereinigung, die Wiedererlangung der deutschen staatlichen Einheit«, so Kohl, bleibe »das politische Ziel der Bundesregierung«.[14]

Die Reaktion auf Kohls Vorschläge war bei allen Parteien des Bundestages mit Ausnahme der Grünen positiv. Die Sozialdemokraten glaubten im Zehn-Punkte-Plan sogar viele eigene Ideen wiederzuentdecken, die sie über die Jahre hinweg zur Deutschlandpolitik geäußert hatten. Allerdings vermochten sie sich den Vorschlägen des Kanzlers nicht vorbehaltlos anzuschließen, weil die DDR-Bürger nicht nur das Recht, sondern auch den Freiraum haben müssten, über ihre Zukunft selber zu entscheiden. Sogar das Wort »Wiedervereinigung« wurde in den Stellungnahmen der SPD vermieden und durch Begriffe wie »Einheit« oder »Einigung« ersetzt.[15]

Auch in den USA stimmte man den Ausführungen des Kanzlers weithin zu. Sowohl Präsident George Bush als auch Außenminister James Baker erklärten sich mit den von Kohl angeregten Schritten zur Wiedervereinigung Deutschlands prinzipiell einverstanden. Allerdings knüpften sie ihre Zustimmung an die Bedingung, dass die fortgesetzte Einbindung Deutschlands in die westliche Allianz gesichert blieb. Bei einem Besuch Bakers in Berlin am 12. Dezember verwies der amerikanische Außenminister vorsorglich noch einmal auf die alliierten Vorbehaltsrechte in der Deutschlandpolitik, um Bonn von einem Alleingang abzuhalten. In Paris und London hingegen stand man einer Wiedervereinigung skeptisch bis ablehnend gegenüber. Und in Moskau, von wo aus vielleicht ungewollt die Initialzündung für den Zehn-Punkte-Plan erfolgt war, brachte Gorbatschow am 10. Dezember in einem Telefonat mit dem Vorsitzenden der SED-PDS, Gregor Gysi, sein Missfallen über Kohls Vorschläge zum Ausdruck. Jeder Versuch des Westens, die »Souveränität der DDR« einzuschränken, werde von der Sowjetunion zurückgewiesen; zwischen der Stabilität der DDR und dem Gleichgewicht auf dem europäischen Kontinent bestehe ein enger Zusammenhang.[16]

Die Wirtschafts-, Währungs- und Sozialunion

Über die Zukunft der DDR wurde inzwischen jedoch kaum noch von außen, sondern vor allem in Ostdeutschland selber entschieden. So zogen am 11. Dezember nicht weniger als 300 000 Menschen durch die Straßen Leipzigs, viele von ihnen mit schwarz-rot-goldenen Fahnen, darunter einige mit dem Bundesadler, »Deutschland! Deutschland!« skandierend. Einer Umfrage der *Leipziger Volkszeitung* vom selben Tag zufolge sprachen sich etwa drei Viertel der 547 000 Einwohner der Stadt für die Wiedervereinigung aus. In Dresden hatte der Ministerpräsident Baden-Württembergs, Lothar Späth, bei einem Kurzbesuch am Vortag gleichfalls die Erfahrung gemacht, dass die Wucht der Wiedervereinigungsforderungen zunahm. Bundeskanzler Kohl, der eine Woche darauf, am 19. Dezember, zu einem Treffen mit Ministerpräsident Modrow nach Dresden reiste, erging es ähnlich. Auch sein Besuch wurde zu einer emotionalen Erfahrung für die Wiedervereinigung.

Die Verhandlungen mit Modrow im Hotel Bellevue waren demgegenüber nur von mäßiger Bedeutung. Kohl wurde dabei erstmals mit der Forderung Modrows konfrontiert, dass die Bundesrepublik die DDR-Wirtschaft im Jahre 1990 mit »einer Art Lastenausgleich« in Höhe von 15 Milliarden DM stützen solle. Der Kanzler sah sich jedoch nicht in der Lage, konkrete Zusagen zu geben. Bundesinnenminister Wolfgang Schäuble hatte zwar einige Tage zuvor, bei der Vorbereitung des Dresden-Besuchs, angeregt, Modrow die sofortige Errichtung einer Wirtschafts- und Währungsunion zwischen den beiden deutschen Staaten anzubieten. Aber den meisten Beratern Kohls war dieser Vorschlag zu weit gegangen: Die Zeit dafür schien noch nicht reif. Der Kanzler war deshalb ohne präzise Vorstellungen nach Dresden gereist und konnte auf Modrows Forderung nur ausweichend reagieren.[17]

Tatsächlich verlor Kohl nach Dresden jegliches Interesse an Verhandlungen mit Modrow, der als Repräsentant des alten, nicht durch freie Wahlen legitimierten SED-Regimes erschien.

Im selben Maße, in dem die DDR durch den anhaltenden Massen-Exodus ihrer Bürger, die Zunahme der wirtschaftlichen Schwierigkeiten und das Anwachsen der inneren Opposition unter Druck geriet, setzte der Kanzler nun auf die Triebkräfte der Volksbewegung, die ihm am Nachmittag des 19. Dezember in Dresden während einer Großveranstaltung vor der Ruine der Dresdner Frauenkirche zehntausendfach vor Augen geführt worden waren. In einem Meer schwarz-rot-goldener Fahnen, die meisten inzwischen ohne DDR-Emblem, hatten die »Deutschland! Deutschland!«-Rufe der Dresdner Bürger unmissverständlich deutlich gemacht, was sie von der Zukunft erwarteten.

Das konkrete Nachdenken über die Wiedervereinigung und die Planung der ersten dafür notwendigen Schritte begannen Ende Januar und Anfang Februar 1990. Wieder war es Nikolai Portugalow, der dem Wandel Sprache und Ausdruck verlieh. In einem in Bonn als sensationell empfundenen Interview mit der *Bild*-Zeitung erklärte er am 24. Januar: Wenn die Menschen in der DDR die Wiedervereinigung wollten, werde sie auch kommen. Die Sowjetunion werde sich einer solchen Entscheidung nicht widersetzen. Wörtlich bemerkte er: »Wir werden nicht intervenieren.«[18] Zugleich malte DDR-Ministerpräsident Modrow bei einem Besuch von Kanzleramtsminister Rudolf Seiters am 27. Januar in Ost-Berlin ein düsteres Bild von der Situation in seinem Land: Die staatliche Autorität sei in rascher Auflösung begriffen, Streiks weiteten sich aus, und das öffentliche Klima sei zunehmend aggressiv. Die Verhandlungen über die Errichtung einer Vertragsgemeinschaft müssten deshalb unverzüglich beginnen, massive Finanzhilfe und industrielle Kooperation seien unbedingt notwendig, um den bevorstehenden Zusammenbruch abzuwenden.[19]

Am 29. Januar trat Modrow vor die Abgeordneten der Volkskammer und wiederholte auch öffentlich, was er zuvor Seiters unter vier Augen mitgeteilt hatte. Unmittelbar danach reiste er nach Moskau zu einem Treffen mit Generalsekretär Gorbatschow. In der Tasche trug er ein Papier, das er in mehreren Unterredungen mit dem sowjetischen Botschafter in Ost-Berlin, Wjatscheslaw Kotschemassow, vorbereitet hatte und das den beziehungsreichen Titel »Für Deutschland, einig Vaterland« trug. Der Entwurf sah eine stufenweise Vereinigung Deutschlands mit Berlin als Hauptstadt vor.[20] Die sowjetische Führung stimmte zu. Allerdings müssten bald Verhandlungen mit den USA, Großbritannien und Frankreich beginnen, um einen Vier-Mächte-Rahmen für die eintretenden Veränderungen zu entwickeln und eine Lösung zu finden, die auch die Interessen der DDR berücksichtige.

In Bonn stellte Bundeskanzler Kohl in einer Kabinettssitzung am 31. Januar fest, nun könne »die staatliche Einheit noch schneller kommen, als wir alle bisher angenommen hatten«. Deshalb sollten unverzüglich Arbeitsstäbe eingerichtet werden, um Vorschläge für die praktische Umsetzung der Wiedervereinigung zu formulieren. Eine »Arbeitsgruppe Deutschlandpolitik«, die sich unmittelbar nach der Kabinettssitzung im Kanzleramt konstituierte, sollte die Aktivitäten der verschiedenen Bereiche der Regierung bei der Ausarbeitung der Wiedervereinigungsvorschläge koordinieren.[21]

Tatsächlich war die Lage der DDR inzwischen verzweifelt. Bei einem Zusammentreffen mit Kohl auf dem »World Economic Forum« im schweizerischen Davos am 2. Februar informierte Modrow den Kanzler, dass der Zerfall der DDR sich täglich beschleunige. Die DDR benötige sofort 15 Milliarden DM, um eine finanzielle Katastrophe im März abzuwenden. Darüber hinaus sei es möglich, die D-Mark zur alleinigen Währung der DDR zu machen.[22]

Das bedeutete die Errichtung einer Währungsunion zwischen der Bundesrepublik und der DDR. Bundeskanzler Kohl beriet darüber in den folgenden Tagen mit seinen Fachleuten, die ihre Bedenken nicht verhehlten. Üblicherweise stellte eine Währungsunion den letzten Schritt einer politischen und wirtschaftlichen Integration dar. Die Währungsunion vorzuziehen, hieß, »den ökonomischen Karren vor das politische Pferd zu spannen«[23]. Der Direktor der Bundesbank, Karl Otto Pöhl, erklärte daher am 5. Februar 1990 folgerichtig, eine sofortige Währungsunion sei »ungeeignet und unmöglich«[24], und sprach sich für einen schrittweisen Prozess aus, der Jahre in Anspruch nehmen könne. Doch Kohl wischte die Bedenken vom Tisch. Angesichts der weiterhin hohen Zahl von 2000 Übersiedlern täglich und den sich verdichtenden Anzeichen eines finanziellen Zusammenbruchs der DDR kündigte er am 6. Februar Gespräche zur Einführung der D-Mark in der DDR an. Kohl bot an, die Verantwortung für die DDR-Wirtschaft, die Währungsstabilität, Beschäftigung, Renten, das Sozialwesen und die Infrastruktur zu übernehmen. Zugleich forderte er, dass die westdeutsche Wirtschaftsordnung in Ostdeutschland eingeführt werden müsse. Die Anpassung der DDR an das bundesdeutsche System sollte in einem Staatsvertrag verankert werden, der von den beiden deutschen Staaten abzuschließen sei.[25]

Die Entscheidung zur Wirtschafts- und Währungsunion war eine politische Entscheidung, die in erster Linie aus praktischen Gründen erfolgte. Außerdem, so sah es Kohl, war eine gemeinsame Währung »ein entscheidender Schritt auf dem Weg zur deutschen Einheit«[26]. Diese Signalwirkung erschien umso bedeutsamer, als am 18. März Wahlen zur Volkskammer der DDR bevorstanden. Zusätzlich zur Ankündigung der Währungsunion sagte der Kanzler deshalb am 13. März zu, die Mark der DDR zu einem Kurs von 1:1 in D-Mark umzutauschen. Fünf Tage vor der Wahl war dies ein Geschenk, das die DDR-Bürger zu honorieren wussten: Nachdem Meinungsumfragen bis dahin die SPD als Sieger der Wahl vorhergesagt hatten, fiel das Ergebnis nun erdrutschartig zugunsten der CDU aus, die sich mit dem Demokratischen Aufbruch (DA) und der Deutschen Sozialen Union (DSU) zum Wahlbündnis »Allianz für Deutschland« zusammengeschlossen hatte. 48,1 Prozent der Wähler stimmten für dieses Bündnis, nur 21,8 Prozent für die SPD, 16,3 Prozent für die PDS und 5,3 Prozent für die Allianz Freier Demokraten. Das Bündnis 90 (eine Vereinigung von Neues Forum, Demokratie Jetzt und der Initiative für Frieden und Menschenrechte) musste sich mit 2,9 Prozent der Stimmen begnügen. Das Ergebnis war ein eindeutiges Votum für eine schnelle Wiedervereinigung und eine Zurückweisung jeglicher Überlegungen zu einer bloßen Reform der DDR, wie sie nicht zuletzt die meisten Bürgerbewegungen anstrebten. Dies musste auch die SPD erfahren: Durch unkluge Äußerungen ihres Vorsitzenden Hans-Jochen Vogel und des saarländischen Ministerpräsidenten Oskar Lafontaine hatte sie vor der Wahl den Eindruck erweckt, gegen eine rasche Vereinigung zu sein, und sich damit selbst um einen möglichen Sieg gebracht.

Nachdem Lothar de Maizière (CDU) am 12. April 1990 als Nachfolger Modrows zum neuen Ministerpräsidenten der DDR gewählt worden war, wurden die Gespräche über die Einführung der Wirtschafts-, Währungs- und Sozialunion zügig fortgesetzt. Bereits am 18. Mai konnten Bundesfinanzminister Theo Waigel und DDR-Finanzminister Walter Romberg den fertigen Vertrag in Bonn unterzeichnen. Kernstück war die Errichtung einer sozialen Marktwirtschaft in der DDR und die Umstellung der DDR-Währung auf D-Mark zum 1. Juli 1990. Die ostdeutsche Wirtschaft sollte durch Privateigentum, freie Preisbildung und die Abschaffung staatlicher Monopole gekennzeichnet sein. Die DDR würde außerdem das westdeutsche Sozialsystem übernehmen, während die Bundesrepublik umgekehrt für eine Übergangszeit den defizitären Staatshaushalt der DDR ausgleichen und die Kosten für die Finanzierung der ostdeutschen Sozialausgaben tragen würde.[27]

Die Auswirkungen des Vertrages wurden von Anfang an zwiespältig beurteilt. Einerseits waren die darin enthaltenen Regelungen ein unvermeidlicher Beitrag zur deutschen Einigung, zu der es keine Alternative gab. Andererseits sagten Ökonomen angesichts der »Schocktherapie«, die man der ostdeutschen Wirtschaft damit zumutete, den Zusammenbruch vieler Unternehmen voraus, die dem freien Wettbewerb nicht gewachsen waren. Die Zahl der Arbeitslosen in der DDR, die innerhalb eines

Monats, von März bis April 1990, bereits von 38 313 auf 64 948 gestiegen war, würde danach bis Ende 1991 auf eine Größenordnung zwischen 500 000 und 2 Millionen anwachsen. DDR-Arbeitsministerin Regine Hildebrandt (SPD) erklärte deshalb am 17. Mai 1990 in einem Interview mit dem *Stern*, sie »rechne mit dem Schlimmsten«[28].

Die Zwei-plus-Vier-Verhandlungen

Während die ökonomischen und innenpolitischen Aspekte der Wiedervereinigung im Wesentlichen von den Deutschen allein entschieden werden konnten[29], bedurfte es zur Bewältigung der außenpolitischen Fragen eines Verhandlungsrahmens, der nicht nur die beiden deutschen Staaten, sondern auch die Vier Mächte – die USA, Großbritannien, Frankreich und die Sowjetunion – einschloss. Diese besaßen immer noch Rechte und Verantwortlichkeiten, die auf die »Übernahme der obersten Regierungsgewalt hinsichtlich Deutschlands« in der Berliner Erklärung vom 5. Juni 1945 zurückgingen und »Deutschland als Ganzes einschließlich der Wiedervereinigung Deutschlands und einer friedensvertraglichen Regelung« betrafen.[30]

Die Beteiligung der Vier Mächte war jedoch nicht nur juristisch notwendig, sondern auch politisch geboten. Denn eine Wiedervereinigung Deutschlands bedeutete mehr als die bloße Zusammenführung der beiden deutschen Teilstaaten. Die gesamte europäische Ordnung wurde dadurch zur Disposition gestellt. So musste die Sowjetunion damit rechnen, dass ihr Imperium in Osteuropa mit unabsehbaren Folgewirkungen konfrontiert werden würde. Aber auch Frankreich und Großbritannien besaßen ein historisch begründetes Interesse an der »deutschen Frage«, die Europas Schicksal im 19. und 20. Jahrhundert so sehr geprägt hatte.

Zur Beteiligung der Vier Mächte an den Verhandlungen über die deutsche Wiedervereinigung entwickelte der Politische Planungsstab im amerikanischen Außenministerium unter Dennis

Ross die Idee, die sich später als »Zwei-plus-Vier«-Konzept durchsetzte: Zunächst sollten die beiden deutschen Staaten die ökonomischen, politischen und rechtlichen Fragen der Einigung behandeln. Danach würden die Vier Mächte zusammen mit der Bundesrepublik und der DDR die außenpolitischen Aspekte des Einigungsprozesses klären, vor allem die Garantie der Grenzen, den Umfang der deutschen Armee, die Mitgliedschaft des wiedervereinigten Deutschlands in Bündnissen und Sicherheitsvorkehrungen für die Nachbarn.[31]

Das Konzept wurde am Rande einer gemeinsamen Konferenz der NATO und des Warschauer Paktes in Ottawa im Februar 1990 von den beiden deutschen Staaten und den Vier Mächten grundsätzlich gebilligt und anschließend von den politischen Direktoren der beteiligten Außenministerien während zweier Treffen in Bonn und Berlin am 14. März und 16. April näher ausgearbeitet. Die erste Runde der Verhandlungen auf Außenministerebene fand am 5. Mai 1990 in Bonn statt. Danach traf man sich erneut im Juni in Berlin, im Juli in erweiterter Runde gemeinsam mit einer polnischen Delegation zur Beratung der Oder-Neiße-Frage in Paris und ein letztes Mal Anfang September in Moskau. In der sowjetischen Hauptstadt wurde am 12. September 1990 auch der »Vertrag über die abschließende Regelung in bezug auf Deutschland« unterzeichnet. Eine entscheidende Rolle spielten bei den Erörterungen allerdings nur die Bundesrepublik, die USA und die Sowjetunion, während Großbritannien und auch Frankreich, vor allem jedoch die DDR, meist am Rande blieben und kaum Einfluss erhielten.

Die Zwei-plus-Vier-Verhandlungen wurden durch bilaterale Gespräche zwischen der Bundesrepublik und der Sowjetunion ergänzt, die im Juli 1990 mit Treffen zwischen Bundeskanzler Kohl und Präsident Gorbatschow in Moskau und im Kaukasus ihren Höhepunkt erreichten. Bei diesen Gesprächen ging es vor allem darum, sowjetische Zugeständnisse durch deutsche Kreditzusagen zu erkaufen. Der sowjetische Außenminister Eduard Schewardnadse hatte bereits am 4. und 5. Mai, als er zur ersten

Runde der Zwei-plus-Vier-Verhandlungen nach Bonn kam, in Hintergrundgesprächen den Wunsch nach deutschen Krediten für die UdSSR geäußert und war damit bei der Bundesregierung auf großes Verständnis gestoßen. Da die Gefahr bestand, dass Gorbatschow auf dem im Juli 1990 bevorstehenden Parteitag der KPdSU gestürzt wurde, wenn die Sowjetunion nicht zusätzliche Finanzmittel aus dem Westen erhielt, bestand Einvernehmen, dass den Kreditwünschen entsprochen werden sollte. In einem Brief an Gorbatschow bot Kohl der Sowjetunion daher am 22. Mai einen ungebundenen Finanzkredit bis zur Höhe von fünf Milliarden DM an, verband damit allerdings die Erwartung, »dass die Regierung der UdSSR im Rahmen des Zwei-plus-Vier-Prozesses im gleichen Geiste alles unternimmt, um die erforderlichen Entscheidungen herbeizuführen, die eine konstruktive Lösung der anstehenden Fragen noch in diesem Jahr ermöglichen«[32].

Die Finanzhilfe trug wesentlich dazu bei, dass Gorbatschow am 10. Juli auf dem XXVIII. Parteitag der KPdSU mit klarer Mehrheit in seinem Amt als Generalsekretär bestätigt wurde. Außenminister Schewardnadse berichtete später, auf dem Parteitag seien besonders die Deutschlandpolitik und die Vereinigung der DDR mit der Bundesrepublik umkämpft gewesen. »Generale und Parteibürokraten, angeführt von Jegor Ligatschow«, so Schewardnadse 1991 im *Spiegel*, hätten »gegen den Verlust der westlichen Bastion des sozialistischen Lagers erbittert Widerstand geleistet«.[33] Der Milliardenkredit aus Bonn, der genau zu diesem Zeitpunkt von der Sowjetunion in Anspruch genommen werden konnte, und die Perspektive einer langfristigen Zusammenarbeit mit der Bundesrepublik verhalfen Gorbatschow dazu, den Widerstand gegen seine Politik zu überwinden.

Für Deutschland war diese Entwicklung mitentscheidend für das weitere Schicksal des Wiedervereinigungsprozesses. Denn unmittelbar nach seiner Wiederwahl lud ein dankbarer Gorbatschow Bundeskanzler Kohl für den 15./16. Juli in seinen Heimatort Stavropol im Kaukasus ein. Die persönliche Einladung war ein Ausdruck des Vertrauens und ein Hinweis auf mögliche weitere Fortschritte in den deutsch-sowjetischen Beziehungen. Die positiven Vorzeichen trogen nicht: Im Jagdhaus Gorbatschows im engen Flusstal des Selemtschuk im Kaukasus, oberhalb von Stavropol, herrschte eine gelöste Stimmung. Die Bilder gingen um die Welt: Gorbatschow kletterte eine steile Böschung zum kristallklaren Wasser des Flusses hinunter, streckte Kohl seine Hand entgegen, um ihn aufzufordern, ihm zu folgen – Deutsche und Russen vereint. Bereits am Vortag hatte Gorbatschow bei einem Treffen in kleinem Kreis im Gästehaus des sowjetischen Außenministeriums in Moskau zugestanden, dass die Zwei-plus-Vier-Verhandlungen mit einem völkerrechtlich verbindlichen Vertrag abgeschlossen werden sollten. Das geeinte Deutschland würde die Bundesrepublik, die DDR und Berlin umfassen und Mitglied der NATO sein können. Bedingung war lediglich der Verzicht auf ABC-Waffen und die Nichtausdehnung der militärischen Strukturen der NATO auf das Gebiet der bisherigen DDR, solange dort noch sowjetische Truppen standen. Aus deutscher Sicht waren damit alle wesentlichen Ziele erreicht.[34]

Der Abschluss der Zwei-plus-Vier-Verhandlungen war nach dieser Einigung nur noch Formsache. Am 17. Juli fand in Paris die dritte Runde der Außenministergespräche mit zeitweiliger polnischer Beteiligung statt. Die polnische Forderung nach einer endgültigen Anerkennung der Oder-Neiße-Linie als polnische Westgrenze wurde durch die Festlegung erfüllt, die Angelegenheit in das Abschlussdokument der Verhandlungen aufzunehmen, das völkerrechtlich verbindlich sein würde.[35] Danach handelten die Bundesrepublik und die Sowjetunion die bilateralen Verträge aus, vor allem den sogenannten »Generalvertrag« über eine umfassende Kooperation zwischen Deutschland und der Sowjetunion sowie den »Überleitungsvertrag« über die Stationierung sowjetischer Truppen auf dem bisherigen Territorium der DDR für weitere drei bis vier Jahre und ihre anschließende Rückführung in die UdSSR. Dabei forderte die Sowjetunion, dass die Bundesrepublik sowohl für die Transportkosten des Truppenabzugs als auch für den Bau neuer Unterkünfte für die zurückkehrenden Soldaten in der Sowjetunion aufkommen müsse. Bundeskanzler Kohl, der mit Außenminister Genscher, Finanzminister Theo Waigel und Wirtschaftsminister Helmut Haussmann übereingekommen war, auch in diesem Fall Großzügigkeit zu beweisen, bot Gorbatschow in einem Telefongespräch am 7. September zunächst einen Gesamtbetrag von acht Milliarden DM an, der schließlich auf zwölf Milliarden DM und einen zinslosen Kredit in Höhe von drei Milliarden DM erhöht wurde.

Zwei Tage darauf, am 12. September, endeten die Zwei-plus-Vier-Verhandlungen der Außenminister mit einem Treffen in Moskau und der Unterzeichnung des »Vertrages über die abschließende Regelung in bezug auf Deutschland«[36]. Da der Vertrag erst nach Hinterlegung der letzten Ratifikations- bzw. Annahmeurkunde in Kraft trat (als letzte Vertragspartei ratifizierte die Sowjetunion den Vertrag am 3. März 1991), wurden die Vorbehaltsrechte der Alliierten durch Erklärung der Außenminister der Vier Mächte bei ihrem Treffen in Moskau am 12. September 1990 vom Tag der Vereinigung Deutschlands bis zum Inkrafttreten des Vertrages ausgesetzt. Deutschland wurde daher schon am 3. Oktober 1990 ohne Einschränkungen wieder ein souveräner Staat, nachdem am Vortag der deutschen Einheit auch die alliierte Kommandantur in Berlin ihre Arbeit beendet hatte und alle auf Besatzungsrecht beruhenden innerdeutschen Bestimmungen – etwa die Bindung des Flugverkehrs nach Berlin an Luftkorridore – entfallen waren. Die 35 Mitgliedsstaaten der Konferenz über Sicherheit und Zusammenarbeit in Europa (KSZE) wurden von den Vereinbarungen am 2. Oktober 1990 in New York offiziell in Kenntnis gesetzt. Die deutsche Einigung, die sich am 3. Oktober durch den Beitritt der DDR zum Geltungsbereich des Grundgesetzes vollzog, kam daher nicht nur mit dem verbrieften Einverständnis der Vier Mächte, sondern auch mit Zustimmung aller Staaten, die in der KSZE vertreten waren, zustande.

4 Die Entstehung der Berliner Republik

Am 21. Juni 1991 entschied der Bundestag nach einer denkwürdigen Debatte über seinen künftigen Sitz: Berlin war (wieder) die Hauptstadt Deutschlands.

Mit der Wiedervereinigung Deutschlands am 3. Oktober 1990 endete auch die Geschichte der »Bonner Republik«, die sich seit 1949 durch eine bemerkenswerte innere Stabilität sowie durch wirtschaftliche Prosperität und außenpolitische Berechenbarkeit ausgezeichnet hatte. Dabei war nicht von Anfang an absehbar, wie groß der Einschnitt sein würde, der sich durch die »Wende« von 1989/90 ergab. Schon der Fortbestand der Verfassung und die Kontinuität der Westbindung ließen den Bruch als bedeutungsvoll, aber nicht als dramatisch erscheinen. Diesen Eindruck konnte man ebenfalls gewinnen, wenn man die Wirtschaftsordnung, das Parteiensystem und die politische Kultur der alten Bundesrepublik betrachtete. Alles, was die Bonner Republik so attraktiv gemacht hatte, war mit dem Beitritt der ostdeutschen Länder zum Geltungsbereich des Grundgesetzes nach Artikel 23 auf das Gebiet der ehemaligen DDR übertragen worden, ohne selbst größere Veränderungen zu erfahren – so schien es jedenfalls. Erst im Rückblick wird deutlich, dass die Zäsur tiefer war als zunächst angenommen.

Die Bundestagsdebatte vom 20. Juni 1991

Ein erstes Zeichen für den Wandel war die Debatte über die Frage, wo Parlament und Regierung im wiedervereinigten Deutschland ihren Sitz haben sollten. Am 10. Mai 1949 hatte der Parlamentarische Rat Bonn zum »vorläufigen Sitz der Bundesorgane« bestimmt. Der erste Deutsche Bundestag hatte die Entscheidung am 3. November 1949 bestätigt, seinen Beschluss jedoch mit dem Zusatz versehen: »Die leitenden Bundesorgane verlegen ihren Sitz in die Hauptstadt Deutschlands, Berlin, sobald allgemeine, freie, gleiche, geheime und direkte Wahlen in ganz Berlin und in der Sowjetischen Besatzungszone durchgeführt sind. Der Bundestag versammelt sich alsdann in Berlin.«[1]

Dieses Bekenntnis zu Berlin war allerdings schon damals keineswegs selbstverständlich. Denn nicht nur die alliierten Siegermächte, sondern auch viele Deutsche hegten nach 1945 große Bedenken, ob das ehemalige Machtzentrum des »Dritten Reiches« als politischer Kristallisationspunkt eines neuen demokratischen Deutschlands geeignet sei.[2] Jetzt, vier Jahrzehnte später, hatte Bonn seinen Status als provisorischer »Bundessitz« längst verloren und wurde im In- und Ausland weithin mit der zweiten deutschen Republik identifiziert. Es fiel daher schwer, sich mit dem Gedanken zu befreunden, dass die Hauptstadtfunktion wieder uneingeschränkt auf Berlin übertragen werden würde.[3] Orte standen dabei für Inhalte: Bonn für Bescheidenheit und demokratische Verlässlichkeit, Berlin für Größenwahn und eine obrigkeitshörige Staatsauffassung.[4]

Es verwundert somit kaum, dass vor dem Hintergrund der sich abzeichnenden Wiedervereinigung eine Diskussion um die Hauptstadtfrage begann. Als Bundespräsident Richard von

Weizsäcker am 3. Juli 1990 anlässlich seiner Verleihung der Ehrenbürgerwürde durch die Stadt, in der er von 1981 bis 1984 Regierender Bürgermeister gewesen war, erklärte, hier sei »der Platz für die politisch verantwortliche Führung Deutschlands«, hielt ihm Horst Ehmke entgegen: »Was soll der Satz eigentlich bedeuten: einen Präsidialerlass, eine Beschwörung oder eine Tatsachen-Behauptung? Wann ist denn Deutschland von Berlin aus politisch verantwortlich regiert worden? Die Antwort muss leider lauten: selten oder nie.«[5]

Die damit ausgelöste Debatte fand sogleich eine breite publizistische Resonanz. Nationale Symbolik und historische Befindlichkeiten mischten sich dabei mit provinzieller Eitelkeit und finanziellen Interessen. Allerdings war die Diskussion nicht zu vermeiden. In dem Maße, in dem die deutsch-deutschen Verhandlungen voranschritten und die Wiedervereinigung näher rückte, bedurfte auch die Hauptstadtfrage einer Klärung. In Nordrhein-Westfalen befürchtete man, eine Regelung könne bereits bei den Verhandlungen über den Einheitsvertrag im Sinne Berlins getroffen werden. Dann hätte sich der Abschied von Bonn nicht mehr vermeiden lassen. Der Chef der Staatskanzlei in Düsseldorf, Wolfgang Clement, erinnerte Kanzleramtsminister Rudolf Seiters deshalb am 30. Juni 1990 vorsorglich an die Zusicherung des Bundeskanzlers, dass die Frage des Sitzes von Regierung und Parlament erst »nach Herstellung der Einheit« von den zuständigen Verfassungsorganen entschieden werde. Nordrhein-Westfalen verlasse sich darauf, so Clement, »dass dieses klare Wort des Bundeskanzlers und der Bundesregierung gilt«.[6]

Tatsächlich vertraten DDR-Ministerpräsident Lothar de Maizière und sein Parlamentarischer Staatssekretär Günther Krause bei den Verhandlungen mit Bundesinnenminister Wolfgang Schäuble über den Einigungsvertrag die Auffassung, dass »Berlin als Hauptstadt des geeinten Deutschlands«[7] in den Vertrag aufgenommen werden sollte, um den Einigungsprozess nicht zu gefährden. Schäuble hielt sich jedoch an die von Clement angemahnte Linie und erklärte schon in der ersten Verhandlungsrunde am 6. Juli 1990, »dass die Entscheidung über die Hauptstadt des geeinten Deutschlands dem künftigen gesamtdeutschen Gesetzgeber vorbehalten bleiben müsse«. Sie solle »nicht durch einen Vertrag der beiden Regierungen geregelt werden, der nur einheitlich angenommen oder abgelehnt werden könne«.[8] Da de Maizière und Krause hartnäckig blieben, schlug Schäuble schließlich als Kompromiss vor, nur das in den Vertrag aufzunehmen, was ohnehin »unbestritten« sei: dass Berlin die »Hauptstadt« sei und bleibe; alles andere möge man später entscheiden.[9] In Artikel 2 des Einigungsvertrages vom 31. August 1990 hieß es dementsprechend: »Hauptstadt Deutschlands ist Berlin. Die Frage des Sitzes von Parlament und Regierung wird nach der Herstellung der Einheit Deutschlands entschieden.«[10]

Die eigentliche Entscheidung war damit vertagt. Und wiederum war es der Bundespräsident, der die Diskussion neu entfachte. In einem an die Partei- und Fraktionsvorsitzenden des Bundestages gerichteten Memorandum vom 24. Februar 1991 setzte er sich nochmals für Berlin ein. Zugleich ermahnte er die Parteien und die Regierung, ihre Pflicht zur politischen Führung auch in dieser Frage ernst zu nehmen, da er nicht gedenke, allein nach Berlin zu ziehen.[11] Bereits am 27. Februar beschloss daraufhin das Bundestagspräsidium, eine Entscheidung noch vor der Sommerpause herbeizuführen und die Angelegenheit in einem Gesetz zu regeln. Am 23. April trafen sich die Repräsentanten aller Verfassungsorgane sowie die Vorsitzenden der Bundestagsfraktionen und einigten sich auf den 20. Juni 1991 als Tag der Entscheidung. Der Bundesrat sollte einen Tag später, am 21. Juni, über die Frage seines künftigen Sitzes beraten.[12]

Nun legte sich auch Bundeskanzler Kohl fest. Vor der CDU/CSU-Bundestagsfraktion am 23. April im Berliner Reichstagsgebäude kündigte er an, für Berlin als Sitz von Parlament und Regierung stimmen zu wollen.[13] Auch Willy Brandt und Hans-Jochen Vogel erklärten sich für Berlin. Dennoch sprach alles für Bonn. Vier Tage vor der Debatte erbrachte eine Umfrage unter allen 662 Bundestagsabgeordneten das eindeutige Ergebnis, dass nur 267 Abgeordnete für Berlin votieren wollten, aber 343 für die bestehende Hauptstadt; das war die absolute Mehrheit.[14] Bonn war somit siegesgewiss und ging als klarer Favorit ins Rennen.[15]

Doch als nach einer elfstündigen, »von Würde und hohem Ernst« geprägten Debatte[16] mit 107 gehaltenen und zahlreichen zu Protokoll gegebenen Reden die Stimmzettel ausgezählt wurden, hatten von den 660 Abgeordneten 337 für den Berlin-Antrag gestimmt, der mit »Vollendung der Einheit Deutschlands« überschrieben war, und nur 320 für den konkurrierenden Bonn-Antrag (»Bundesstaatslösung«). Zwei Abgeordnete hatten sich der Stimme enthalten; eine Stimme war ungültig.[17] Damit war die Entscheidung für Berlin gefallen: denkbar knapp, aber unmissverständlich. Dagegen beschloss der Bundesrat am 5. Juli 1991, seinen Sitz vorerst in Bonn zu belassen, diese Entscheidung aber später »im Lichte der noch zu gewinnenden Erfahrungen sowie der tatsächlichen Entwicklung der föderativen Struktur«[18] zu überprüfen.

Eine Erklärung für das überraschende Ergebnis der Abstimmung im Bundestag liegt wohl darin, dass vielen Abgeordneten erst während der Debatte das ganze Ausmaß der historischen Dimension ihrer Entscheidung bewusst geworden war. Wolfgang Schäuble hatte diesen Aspekt in seiner Rede besonders hervorgehoben: »Für mich ist es – bei allem Respekt – nicht ein Wettkampf zwischen zwei Städten, zwischen Bonn und Berlin. Es geht auch nicht um Arbeitsplätze, Umzugs- oder Reisekosten, um Regionalpolitik oder Strukturpolitik. Das alles ist zwar wichtig, aber in Wahrheit geht es um die Zukunft Deutschlands, [...] unser aller Zukunft, um unsere Zukunft in unserem vereinten Deutschland, das seine innere Einheit erst noch finden muss, und um unsere Zukunft in einem Europa, das seine Einheit verwirklichen muss, wenn es seiner Verantwortung für Frieden, Freiheit und soziale Gerechtigkeit gerecht werden will.«[19] Ein weiterer Grund für die Tatsache, dass sich die Berlin-Befürworter durchsetzten, dürfte darin bestehen, dass sie ihren Erfolg nicht für möglich gehalten hatten und deshalb zu zahlreichen Modifizierungen ihres Antrages bereit gewesen waren, um schwankenden Abgeordneten die Zustimmung zu erlauben. Insbesondere das Versprechen einer »fairen Arbeitsteilung« zwischen Berlin und Bonn sowie die Zusage eines finanziellen Ausgleichs für die alte Hauptstadt und ihre Region nach den »Funktionsänderungen«, aber auch die Empfehlung, den Sitz des Bundesrates in Bonn zu belassen, dürften das Ergebnis maßgeblich zugunsten Berlins beeinflusst haben.[20] Die Bonn-Befürworter hatten sich dagegen – in Erwartung eines sicheren Sieges – weniger kompromissbereit gezeigt und waren damit am Ende unterlegen.[21]

Die Entscheidung ließ jedoch einen gespaltenen Bundestag zurück und blieb die Antwort auf viele Fragen schuldig. »Eine wunderbare Katastrophe«, urteilte deshalb das Nachrichtenmagazin *Der Spiegel*: »Weinende Verlierer, weinende Sieger: Seit dem gescheiterten Misstrauensvotum gegen [...] Willy Brandt hat keine Entscheidung des Parlaments so viele Emotionen geweckt, doch anders als 1972 und wie noch nie zuvor ging der Riss quer durch die Fraktionen.«[22] In der Tat hatte die Gespaltenheit der Abstimmung deutlich gemacht, dass die Deutschen von der inneren Wiedervereinigung noch weit entfernt waren. »Noch nicht daheim im deutschen Haus« seien die Deutschen, meinte daher der Chefredakteur der Hamburger Wochenzeitung *Die Zeit*, Theo Sommer. Der Hauptstadtstreit sei eigentlich ein »Stellvertreterkrieg«, in dem sich die Orientierungsprobleme der Westdeutschen nach der Einheit ausdrückten: »Sie ahnen, dass die Bundesrepublik nicht nur größer geworden ist, sondern dass sich auch zwangsläufig die Gesellschaft verändern wird. Wie viel wird von dem alten Bonner Staat Bestand haben? Welchen Wandel wird das Zusammenleben im vereinten Staat den Westdeutschen abzwingen?«[23]

Im Ausland wurde dagegen vor allem die historische Dimension der Entscheidung gewürdigt. In Frankreich kommentierte *Le Monde*, die Wahl Berlins müsse nicht als »die leidenschaftliche

Rückkehr eines deutschen Nationalismus« interpretiert werden. Die geopolitischen Erschütterungen des Jahres 1989 in Mittel- und Osteuropa hätten den Deutschen vielmehr »das Bewusstsein ihrer Scharnier-Lage in Europa« zurückgegeben.[24] Der britische *Guardian* bemerkte, es sei »eine glückliche Lösung«, dass Berlin jetzt in einem »ausgesprochen demokratischen Umfeld« wieder Hauptstadt geworden sei. Noch wichtiger sei aber, »dass die Deutschen es später einmal zumindest bedauert hätten, wenn dieser Schritt jetzt nicht gemacht worden wäre«. Die Einheit, nach der sie fast ein halbes Jahrhundert gestrebt hätten, sei nun »so komplett, wie sie nur sein kann«.[25]

Aus deutscher Sicht ging es indessen erst einmal darum, die Entscheidung in die Wirklichkeit zu übersetzen. Unklar war vor allem, was unter der versprochenen »fairen Arbeitsteilung« zu verstehen war und in welchen zeitlichen Dimensionen sich der Umzug vollziehen sollte. In dem vom Bundestag angenommenen Antrag hieß es dazu widersprüchlich, dass die Arbeitsfähigkeit von Parlament und Regierung in Berlin »in vier Jahren hergestellt« sein solle und dass man anstrebe, »in spätestens 10 bis 12 Jahren« die »volle Funktionsfähigkeit Berlins als Parlaments- und Regierungssitz« zu erreichen. Schon bei der Erarbeitung des ersten Umzugskonzepts – dem zahlreiche weitere folgen sollten – wurde aber deutlich, dass Verzögerungen nicht zu vermeiden waren. Immer wieder gab es Vorbehalte und Widerstände, nicht zuletzt aus Kostengründen.[26] Nahezu »zehn leidvolle und leidenschaftliche Jahre« seien dem Umzugsbeschluss gefolgt, bemerkte dazu 2001 rückblickend eine Berliner Tageszeitung.[27] Tatsächlich konnten Bundestag und Bundesregierung erst Ende der 1990er Jahre ihre Arbeit in Berlin aufnehmen.

Der Umzug von Parlament und Regierung

Wegweisend für die Planungen war die Entscheidung des Ältestenrats des Bundestages vom 30. Oktober 1991, das Reichstagsgebäude als künftigen Tagungsort des Parlaments zu nutzen. Erst danach wurden die weiteren Entscheidungen über den Umzug getroffen. Zur Frage, wer überhaupt übersiedeln sollte, billigte das Bundeskabinett am 3. Juni 1992 einen Vorschlag des Innenministeriums, wonach zehn der 19 Ministerien sowie das Presse- und Informationsamt der Bundesregierung und das Kanzleramt nach Berlin verlagert werden sollten. Der Rest, mit zwei Dritteln der Beamten, würde in Bonn bleiben.

In zwei nahezu identischen Kooperationsverträgen zwischen dem Bund und den Ländern Berlin und Brandenburg vom 25. August 1992 wurden Einzelheiten zum Ausbau Berlins als Bundeshauptstadt und zur Erfüllung seiner Funktion als Sitz des Bundestages und der Bundesregierung geregelt.[28] Dazu zählten auch baurechtliche Änderungen, um die hauptstadtbedingte Leitplanung zu beschleunigen. Die ersten Bauarbeiten begannen am 7. Januar 1993: Das ehemalige Volksbildungsministerium der DDR in der Straße Unter den Linden, unweit vom Brandenburger Tor, wurde zu einem Bürogebäude für den Bundestag umgebaut. Anfang 1993 wurden auch der Wettbewerb für die Umgestaltung des Reichstages und der »Städtebauliche Ideenwettbewerb Spreebogen« entschieden. Für den Spreebogen setzten sich der Berliner Architekt Axel Schultes und seine Mitarbeiterin Charlotte Frank mit ihrem Entwurf »Band des Bundes« gegen 834 Konkurrenten aus 44 Ländern durch. Für die Planung des Reichstages wurden gleich drei erste Preise vergeben. Am Ende kam der Entwurf von Sir Norman Foster zum Zuge. Allerdings musste er an seinem ursprünglichen Konzept, das eine das gesamte Reichstagsgebäude überragende Dachkonstruktion vorsah, wesentliche Veränderungen vornehmen. Insbesondere der Streit um die Kuppel bestimmte lange Zeit die Diskussion.[29]

Besondere Bedeutung erhielt in diesem Zusammenhang das Berlin-Bonn-Gesetz, das am 26. April 1994 verabschiedet wurde und die Unsicherheit über Umfang und Zeitpunkt des Umzuges beseitigte. Zuvor war von der Bundesregierung noch eine »Kostendeckelung« für den Umzug beschlossen worden. Nach einer Aufstellung des Bundesfinanzministeriums vom 14. Januar 1994 durften die Gesamtkosten 20 Milliarden DM nicht überschreiten. Davon sollten 16 Milliarden DM auf den eigentlichen Umzug entfallen; vier Milliarden DM waren als Ausgleichsmaßnahmen für die Region Bonn vorgesehen.[30] Klaus Töpfer, der am 18. November 1994 von Bundeskanzler Kohl zum Bundesbauminister und Beauftragten für den Berlin-Umzug und den Bonn-Ausgleich ernannt wurde, legte in rascher Folge Unterbringungskonzepte für die Ministerien in Berlin und Bonn vor, so dass die Planungen nun immer konkreter wurden. Seit 1995 glich die Mitte Berlins, wo künftig das politische Zentrum der Bundesrepublik seinen Sitz erhalten sollte, einer riesigen Baustelle. Am 4. Februar 1997 erfolgte auch der erste Spatenstich für den Neubau des Kanzleramtes im Spreebogen gegenüber dem Reichstag.

Als erstes Verfassungsorgan zog der Bundespräsident vollständig nach Berlin um. Richard von Weizsäcker hatte seinen Dienstsitz bereits am 11. Januar 1994 aus der Bonner Villa Hammerschmidt in das Berliner Schloss Bellevue verlegt. Das Bundespräsidialamt nahm am 23. November 1998 unter dem neuen Bundespräsidenten Roman Herzog, der inzwischen die Nachfolge von Weizsäckers angetreten hatte, in einem neuen Gebäude im Tiergarten in unmittelbarer Nähe des Schlosses Bellevue seine Arbeit auf.

Von den Bundesministern bezog Bauminister Franz Müntefering am 28. Juni 1999 als erster seinen provisorischen Sitz in der Krausenstraße. Der Hauptumzug des Bundestages nach Berlin begann am 5. Juli 1999, als die ersten Mitarbeiter der Bundestagsverwaltung in ihre Berliner Büros übersiedelten. Bundeskanzler Gerhard Schröder residierte seit dem 23. August 1999 in einem Übergangsquartier am Schlossplatz 1, der historischen Mitte Berlins, wo das 1964 eingeweihte, ehemalige Staatsratsgebäude der DDR als provisorisches Kanzleramt diente.[31] Der Bundestag, der sich bereits am 19. April 1999 zu seiner ersten Sitzung im umgebauten Reichstag versammelt hatte, folgte nach der Sommerpause am 6. September 1999. Inzwischen hatte auch der Bundesrat seine Entscheidung vom 5. Juli 1991 korrigiert und am 27. September 1996 beschlossen, nach Berlin umzuziehen. Ende September 2000 nahm die Ländervertretung im Gebäude des ehemaligen Preußischen Herrenhauses in der Leipziger Straße ihren Sitzungsbetrieb auf.

Regieren an der Spree: Kontinuität oder Neubeginn?

Die Frage, inwieweit der Umzug von Parlament und Regierung den Stil des Regierens oder gar dessen Inhalte tangieren werde, wurde schon früh thematisiert. So veröffentlichte der Journalist und Publizist Johannes Gross, selbst Rheinländer, 1995 ein Buch unter dem Titel *Begründung der Berliner Republik. Deutschland am Ende des 20. Jahrhunderts*, in dem er die Behauptung aufstellte, die Bundesrepublik sei »durch die Wiedervereinigung nicht nur größer, sondern dank auch der sie begleitenden Veränderungen der internationalen Politik von Grund auf anders geworden«. Zwar sei die Berliner Republik mit der Bonner Republik staatsrechtlich identisch – jedoch: »gesellschaftlich, politisch, kulturell ist sie es nicht«.[32]

Mit dem Umzug nach Berlin, meinte Gross, werde »die Binnenisolation der deutschen Politik«, die zu den Charakteristika Bonns zählte, wo die Politik »wie eine Einquartierung« lebte, beendet: »Zu den Funktionen einer großen Hauptstadt hat immer die gehört, nicht nur Arena von Entscheidungen zu sein, sondern der erste Ort der öffentlichen Meinung eines Landes und die Börse, an der politische und gesellschaftliche Ideen gehandelt und bewertet werden und wo die Eliten eines Landes sich messen.« Für die alte Bundesrepublik sei die Kommunikationsschwäche unter den Eliten kennzeichnend gewesen, weil es eine Vielzahl von Zentren, aber eben keine Hauptstadt im Vollsinn des Wortes gab. Berlin als Hauptstadt werde eine besondere Sogwirkung entfalten und »nicht nur Hauptquartier der Bundespolitik sein, sondern auch Lebensmittelpunkt der sie gestaltenden Personen« – und das werde sich auf die Atmosphäre des Regierens auswirken.[33]

Dieser Argumentation, die von einer Änderung der Politik wie von einem Wandel des Politikstils ausging, wurde im Folgenden häufig widersprochen, selten zugestimmt. Vor allem jene Politiker, die für Berlin als Hauptstadt votiert hatten, schienen im Nachhinein ein Interesse daran zu haben, die politischen Wirkungen ihres Votums herunterzuspielen. Insbesondere der Begriff »Berliner Republik« fand keine Gnade. Helmut Kohl nannte ihn einen »ausgemachten Unsinn«, der Umzug sei kein Umzug in eine »andere Republik«. Wolfgang Schäuble bekannte im Juni 1997 vor der Deutschen Gesellschaft für Auswärtige Politik, er halte wenig von derartigen »Wortungetümen«, eine Berliner Republik werde es ebenso wenig geben, wie es eine Bonner Republik gegeben habe. Und Bundespräsident Roman Herzog betonte, er halte von dem Begriff »überhaupt nichts«, denn er sehe nicht, »dass die Berliner eine andere Republik sein sollte als die von Bonn«.[34]

Auch die Politikwissenschaft tat sich lange schwer, die Zäsur anzuerkennen, die durch die Wegscheide von 1989 markiert worden war und die sich im Umzug von Parlament und Regierung nach Berlin widerspiegelte.[35] Unbestritten waren von Anfang an die grundlegenden Veränderungen in der Außenpolitik. Weitgehend unstrittig sind inzwischen ebenfalls die Veränderungen im Parteiensystem. Auf die Zunahme sozialer und politischer Konflikte und das Aufeinanderprallen unterschiedlicher Mentalitäten als Ausdruck einer »heterogener« gewordenen Gesellschaft hat überzeugend der Historiker Gerhard A. Ritter hingewiesen.[36] Nicht zuletzt bildete sich in den 1990er Jahren »ein neuer medialer Überbau« heraus, der sich – so der Medienwissenschaftler Lutz Hachmeister – »von den vergleichsweise idyllischen Bonner Verhältnissen« deutlich unterscheide.[37] »Phantome werden manchmal Realität«, erklärte Hachmeister, »so wie das Geistige und Seelische ins Körperliche übergehen und die Welt durch das Gedachte verändert werden kann«. Nicht anders verhalte es sich mit der Berliner Republik, die zuerst nur Bezeichnung für das größere Deutschland nach 1989 gewesen sei, dann soziologisches Konzept und sich nun als Lifestyle, »digitale Boheme« und mediale Aneignung entpuppe.[38]

Diese Veränderungen sind nicht allein mit der Wiedervereinigung zu erklären, sondern bedurften der Effekte des Umzugs, um wirksam werden zu können – den Gegebenheiten der Metropole, die es mit sich bringen, dass sich »publizistische und politische Milieus auffächern und neu verdichten«[39]. Mit dem Wechsel von der Bonner zur Berliner Republik ging zudem ein Generationswechsel in der deutschen Publizistik einher, Journalisten übernahmen einen Teil der intellektuellen Deutungsmacht, die zuvor von den Politikern selbst oder von Professoren und Schriftstellern ausgeübt worden war.[40]

Die Frage bleibt, wie tiefgreifend der Einschnitt von 1990 wirklich war und ob überhaupt von einer »Berliner Republik« gesprochen werden sollte. Angesichts der Tatsache, dass weder von Kontinuität noch von einem Neubeginn die Rede sein kann, plädiert Lothar de Maizière für einen pragmatischen Umgang mit dem Begriff. Zwar sollte dieser nicht gegen die Bonner Republik verwendet werden, aber er sei hilfreich, um die Zäsur von 1990 zu verdeutlichen: »Für alle Ostdeutschen teilt sich doch das Leben in zwei Phasen, die vor der Wende und die nach der Wende. Wenn der Begriff Berliner Republik dazu beiträgt, dass auch den Westdeutschen klar wird, dass sich 1990 etwas verändert hat, begrüße ich das sehr.«[41]

Ähnlich sieht es auch Hermann Rudolph, der 1998 im Berliner *Tagesspiegel* notierte, in Wahrheit gehe es darum, wie und in welchem Maße die Republik ihre Bonner Erfahrungen nach Berlin mitnehme. Vielleicht stütze nichts so sehr die Absicht, das vereinte Deutschland bewusst als Berliner Republik zu begreifen, wie die Aussicht, dass sie sonst doch nur die alte Bonner Republik bleiben werde – erweitert um ein paar Tausend Quadratkilometer, versetzt an einen neuen Standort. Berlin also als eine Art Bonn. Dann, so Rudolph, fehle nicht viel zu der Einsicht, dass man sich die ganze Mühe hätte sparen können.[42]

5 Schritte zu einer neuen Außenpolitik

Bundesaußenminister Hans-Dietrich Genscher war Anfang der 1990er Jahre viel unterwegs, um über die Rolle des vereinten Deutschlands in Europa und der Welt zu verhandeln.

Zu den wichtigsten Neuerungen, die mit der Entstehung der Berliner Republik einhergingen, zählten die grundlegenden Veränderungen, die sich nach dem Ende des Kalten Krieges in der Außen- und Sicherheitspolitik vollzogen. Der Zusammenbruch des Kommunismus, die Desintegration der Sowjetunion und die daraus erwachsende Unabhängigkeit zahlreicher Staaten Mittel-, Ost- und Südosteuropas waren neben der Wiedervereinigung Deutschlands Prozesse von historischer Bedeutung, die eine weitgehende Neuordnung Europas erforderten. Diese Entwicklungen waren bereits seit den 1970er Jahren im Gange und wurden durch das »neue Denken«, das der sowjetische Partei- und Staatschef Michail Gorbatschow ab 1985 in der Innen- und Außenpolitik der UdSSR eingeführt hatte, nochmals beschleunigt. Das ganze Ausmaß des Wandels ließ sich jedoch erst nach 1990/91 absehen und bezog nun auch das wiedervereinigte Deutschland ein, das angesichts der offenen Grenzen in der Mitte Europas nicht abseits bleiben konnte, als die Revision der politischen, wirtschaftlichen und militärischen Architektur des Kontinents eine aktive Mitwirkung verlangte.

Eine neue Architektur für Europa

Die politikwissenschaftliche Literatur hat ausführlich die vielfältigen Probleme beschrieben, vor die sich die Bundesrepublik gestellt sah, als es darum ging, auf den Paradigmenwechsel der internationalen Politik zu reagieren.[1] Zwar erklärte Bundeskanzler Helmut Kohl am Tag nach der Wiedervereinigung, am 4. Oktober 1990, im Reichstag: »Dem vereinten Deutschland wächst eine größere Verantwortung in der Völkergemeinschaft zu, nicht zuletzt für die Wahrung des Weltfriedens. [...] Wir wollen dafür bald klare verfassungsrechtliche Voraussetzungen schaffen.«[2]

Doch diese Aussage, die anzudeuten schien, dass die Bundesregierung plante, das Grundgesetz zu ändern, um auch militärisch handlungsfähig zu werden, führte zunächst keineswegs zu einer Ausweitung des außenpolitischen Verantwortungsbereichs. Vielmehr sah sich Deutschland nach der Wiedervereinigung sogar in besonderer Weise veranlasst, Vorsicht walten zu lassen, um nicht den Eindruck zu erwecken, man kehre zur nationalistischen Politik früherer Zeiten zurück. Derartige Befürchtungen waren nicht zuletzt von der britischen Premierministerin Margaret Thatcher geäußert worden, die 1989/90 wiederholt erklärt hatte, ein geeintes, starkes Deutschland stelle eine Gefahr für die seit dem Zweiten Weltkrieg erreichte Stabilität in Europa dar, und noch Jahre später in ihren Memoiren meinte, vor »dem bekannten Gespenst – der Deutschen Frage«[3] warnen zu müssen.

In Wirklichkeit blieb die deutsche Außenpolitik von Zurückhaltung geprägt. Eine Ausnahme bildete nur die Europapolitik, in der die Bundesregierung die Sorge zu entkräften suchte, dass zwischen deutscher und europäischer Einigung ein Widerspruch bestehen könne. Vorsorglich hatte Bundeskanzler Kohl dazu bereits im Frühjahr 1989 erklärt, Deutschlands Zukunft liege »in der Europäischen Union als Modell einer europäischen Friedensordnung«, die europäische Einigungspolitik bleibe »die einzig sinnvolle Antwort auf die ungelöste deutsche Frage«.[4] An dieser Position hielt Kohl während des gesamten Einigungsprozesses fest und ließ sie in zahlreichen Beschlüssen verschiedener Gremien bekräftigen.[5]

Ebenso sprach sich die nach den Volkskammerwahlen am 18. März 1990 in der DDR gebildete Koalitionsregierung unter Ministerpräsident Lothar de Maizière ausdrücklich für die Mitgliedschaft eines vereinigten Deutschlands in der Europäischen Gemeinschaft aus. Und schließlich schrieb der Bundeskanzler am 2. Oktober 1990, also einen Tag vor der Wiedervereinigung, in einem Artikel für die *Frankfurter Allgemeine Zeitung*, die Verwirklichung der Europäischen Union werde »Herzstück der Außenpolitik auch eines vereinten Deutschland sein«[6]. In seiner Regierungserklärung zur Politik der ersten gesamtdeutschen Bundesregierung ergänzte er diese Aussage zwei Tage später im Reichstag mit den Worten, die Vollendung der deutschen Einheit erweise sich »als eine große, ich möchte sagen: als *die* Chance, das Werk der europäischen Einigung zu beschleunigen«. Erneut bekannte sich Kohl zu einer Europäischen Union, die »ein festes Fundament für das Zusammenwachsen ganz Europas sein und dessen Kern bilden« solle.[7]

Die Fortsetzung der europäischen Integrationspolitik, die seit Konrad Adenauer einen zentralen Bestandteil der Außenpolitik der Bundesrepublik gebildet hatte und spätestens seit Ende der 1950er Jahre auch innenpolitisch nicht mehr umstritten war, stand somit außer Frage. Die Bundesrepublik unterstützte deshalb auch die Verwirklichung angestrebter Projekte, zu denen unter anderem die Durchsetzung des europäischen Binnenmarktes bis 1992 und die Errichtung einer Wirtschafts- und

Währungsunion gehörten.[8] Die Bundesregierung ließ zudem keinen Zweifel daran, dass sie darüber hinaus an eine politische Union Europas dachte, die eine Ausweitung der Aufgaben- und Verantwortungsbereiche der Europäischen Gemeinschaft, institutionelle Reformen sowie Bestimmungen über eine gemeinsame Außen- und Sicherheitspolitik umfassen sollte.

Außerdem setzte sich die Bundesregierung für die Erweiterung der Europäischen Gemeinschaft ein, wobei sie zunächst den Beitritt Finnlands, Schwedens und Norwegens sowie Österreichs favorisierte, die aufgrund ihrer EG-adäquaten Wirtschaftsstruktur eine unkomplizierte Integration erwarten ließen.[9] Aber auch eine Osterweiterung der Europäischen Gemeinschaft wurde bereits 1989/90 erwogen, um den Transformationsprozess in den mittel- und osteuropäischen Staaten zu unterstützen, die ökonomische Angleichung zu beschleunigen und Grundlagen für eine neue gesamteuropäische Architektur zu schaffen. »In unseren Tagen bedeutet dies«, bemerkte Kohl am 2. Oktober 1990, »dass die Europäische Gemeinschaft eine maßgebliche Rolle zu spielen hat bei der Unterstützung des politischen, wirtschaftlichen und gesellschaftlichen Wandels in Mittel-, Ost- und Südosteuropa«. Selbstverständlich werde sich das vereinte Deutschland an diesen Bemühungen »maßgeblich beteiligen«, denn als ein Land im Herzen Europas habe Deutschland »alles Interesse daran, dass das wirtschaftliche West-Ost-Gefälle in Europa überwunden wird«.[10]

Damit zeichneten sich für die deutsche Außenpolitik nach der Wiedervereinigung zwei grundlegende Tendenzen ab: zum einen die Fortdauer der militär- und sicherheitspolitischen Zurückhaltung, vor allem wenn es um den Einsatz der Bundeswehr außerhalb des NATO-Gebietes ging; zum anderen die Beschleunigung des europäischen Einigungsprozesses im Sinne einer Vertiefung der Integration im Westen – besonders durch die Errichtung einer Währungsunion – und der Erweiterung der Europäischen Gemeinschaft nach Osten. Deutschland kehrte somit aus einer Randlage im Ost-West-Konflikt in seine traditionelle Mittellage in Europa zurück und schickte sich an, dessen Neuordnung wesentlich zu beeinflussen.[11]

Dieses klare Bekenntnis zur europäischen Einigung trug wesentlich dazu bei, die Wiedervereinigung für die anderen Staaten Europas akzeptabel zu machen. Dennoch waren die Sorgen vor einem übermächtigen und geeinten Deutschland keineswegs geschwunden. Vor allem in Frankreich wünschte man neben allgemeinen Zusicherungen auch Beweise für die deutsche Bereitschaft, die Integration fortzusetzen. Die rasche Verwirklichung einer Wirtschafts- und Währungsunion in Europa sollte einen solchen Beweis liefern.

Der erste Anlauf zu einer Währungsunion war in den 1970er Jahren noch gescheitert. Geblieben war nur das »Europäische Währungssystem« (EWS), das 1978 unter Führung von Bundeskanzler Helmut Schmidt und Frankreichs damaligem Präsidenten Valéry Giscard d'Estaing realisiert worden war und zur Schaffung des ECU (*European Currency Unit*) geführt hatte – einer europäischen Verrechnungseinheit, die seither zwischen den Zentralbanken als Mittel zum Saldenausgleich diente und damit eine Art Währungsreserve darstellte. Kurzfristiges Ziel des EWS war die Stabilisierung der Wechselkurse und die Erhaltung der Geldwertstabilität, um den Handel und damit das Zusammenwachsen der Europäischen Gemeinschaft zu fördern. Langfristig sollte zwar eine gemeinsame europäische Währung entstehen. Aber davon war man vorerst noch ein gutes Stück entfernt.[12]

Es zeigte sich jedoch bald, dass das Instrument des ECU nicht ausreichte, um die erforderliche mäßigende Wirkung auf die Währungs- und Finanzpolitik der einzelnen Regierungen auszuüben und stabile Wechselkurse zu erreichen. Während eines Treffens im dänischen Nyborg am 12./13. September 1987 verständigten sich die Finanzminister der Gemeinschaft deshalb darauf, die Pflichten im EWS neu zu regeln. Dabei traten erneut Differenzen zwischen Deutschland und Frankreich zutage, weil die Bundesrepublik weitergehende Interventions- und Finanzierungsverpflichtungen im EWS aus stabilitätspolitischen Gründen ablehnte, während die Regierung in Paris die als zu restriktiv empfundene Politik der Deutschen Bundesbank kritisierte.[13]

Von Dezember 1987 bis März 1988 wurden daher zahlreiche Vorschläge unterbreitet, wie eine Wirtschafts- und Währungsunion zu realisieren sei, um die Differenzen durch »Europäisierung« beizulegen. Im Juni 1988 wurde dazu vom Europäischen Rat ein Ausschuss unter Vorsitz des Kommissionspräsidenten der Europäischen Gemeinschaften, Jacques Delors, gebildet, der mögliche Etappen zur Verwirklichung einer Wirtschafts- und Währungsunion prüfen sollte. Der Abschlussbericht des Delors-Ausschusses, der am 17. April 1989 vorlag[14], wurde wenig später, am 26./27. Juni 1989, auf einer Tagung des Europäischen Rates in Madrid gebilligt. Er sah vor, in einer ersten Stufe zum 1. Juli 1990 eine Regierungskonferenz einzuberufen, die Schritte zur Einführung eines gemeinsamen Binnenmarktes beschließen sollte.

Das war der Stand, als die Welt sich veränderte und die Prioritäten wechselten. Während die französische Regierung im weiteren Verlauf des Jahres 1989 immer wieder auf die baldige Einberufung der Regierungskonferenz zum 1. Juli 1990 drängte, sprach sich Bundeskanzler Kohl in einem »Arbeitskalender für das weitere Vorgehen bis 1993«, den er einem Brief an Staatspräsident François Mitterrand vom 27. November 1989 beifügte, für einen »Beginn der Arbeiten der Regierungskonferenz Anfang 1991« – also für eine Verschiebung – aus.[15] Als Grund dafür nannte Kohl allerdings nicht die Deutschlandpolitik, sondern seine Sorge »über die Lage im Bereich der Steuerharmonisierung«, ohne die eine Einigung über die für einen gemeinsamen Binnenmarkt notwendige Abschaffung der Grenzkontrollen nur schwer möglich sei.[16] In Wirklichkeit ging es dem Kanzler aber vor allem darum, die Währungsfrage aus dem Bundestagswahlkampf im Herbst 1990 herauszuhalten, da die Einführung einer europäischen Währung und damit der Verzicht auf die D-Mark in Deutschland alles andere als populär waren und die Regierung wertvolle Stimmen gekostet hätten.[17]

Der Konflikt zwischen Deutschland und Frankreich, der sich hier andeutete, besaß jedoch auch andere Ursachen. So machte Staatspräsident Mitterrand im Herbst und Winter 1989 aus seinen Vorbehalten gegenüber einer möglichen deutschen Wiedervereinigung keinen Hehl und bemühte sich durch Besuche in der Sowjetunion und in der DDR persönlich um die Stabilisierung Ostdeutschlands. Als sich der Zug zur Wiedervereinigung nicht mehr aufhalten ließ, beharrte er am 14. März 1990 in einem Telefonat mit Kohl darauf, dass die Bundesrepublik formell die Oder-Neiße-Grenze als endgültige polnische Westgrenze anerkennen müsse, bevor die deutsche Einheit vollzogen werde. »Es schien mir in diesem Augenblick, als lebe die kleine Entente wieder auf«[18], bemerkte Kohl dazu später im Rückblick, wobei er auf die gemeinsame Politik Frankreichs und Polens zur Zeit der Weimarer Republik anspielte.

Das Zerwürfnis, eher eine Verstimmung, war jedoch nicht von Dauer. Wieder war es die Europa-Politik, die zwischen Frankreich und Deutschland die Brücke schuf, über die man sich auf den künftigen Kurs verständigen konnte. Bereits am 18. April 1990 sprachen sich Kohl und Mitterrand in einer gemeinsamen Botschaft, die in Form eines Schreibens an den Präsidenten des Europäischen Rates, Charles Haughey, nach Dublin übermittelt wurde, für eine Forcierung der europäischen Integration aus und plädierten nun sogar dafür, die Regierungskonferenz zur Wirtschafts- und Währungsunion parallel zu einer Regierungskonferenz über eine gemeinsame Außen- und Sicherheitspolitik abzuhalten. Beide Konferenzen sollten so arbeiten, dass ihre Ergebnisse zeitgleich zum 1. Januar 1993 in Kraft treten konnten.[19] Von einer »Politischen Union«, von der Kohl zuvor gesprochen hatte, war in der Botschaft allerdings nicht mehr die Rede. Statt dessen kehrte man zum Begriff der »Europäischen Union« zurück, der bereits in der Einheitlichen Europäischen Akte vom Februar 1986 enthalten gewesen war. Kohl und Mitterrand erklärten dazu, »dass es an der Zeit« sei, »die ›Gesamtheit der Beziehungen zwischen den Mitgliedstaaten in eine Europäische

Union umzuwandeln und diese mit den notwendigen Aktionsmitteln auszustatten‹, wie es die Einheitliche Akte vorgesehen hat«.[20] Letztlich handelte es sich dabei jedoch um Begriffskosmetik. Denn im Kern ging es bei der von der Bundesrepublik favorisierten Konstruktion um eine politische Union, in die sich auch das wiedervereinigte Deutschland einbetten ließ.

Nur zehn Tage später, auf einer Sondertagung des Europäischen Rates in Dublin am 28. April 1990, einigten sich die Staats- und Regierungschefs nicht nur auf die vollständige Eingliederung des Staatsgebietes der DDR in die Europäische Gemeinschaft, sondern auch darauf, die Vorbereitungen für die Regierungskonferenz zur Wirtschafts- und Währungsunion »rasch« abzuschließen und die Europäische Gemeinschaft noch vor Ende 1992 in eine »Europäische Union« umzuformen.[21] In Dublin wurden also »die Stränge gebündelt«[22], wie Werner Weidenfeld bemerkt hat. Der Zusammenhang zwischen der deutschen Wiedervereinigung und der Intensivierung der europäischen Integration war unverkennbar. Auch wenn man nicht behaupten kann, die Wirtschafts- und Währungsunion sei der »Preis für die deutsche Einheit«[23] gewesen, wie es gelegentlich heißt, wirkte die deutsche Einigung bei der Beschleunigung des Integrationsprozesses doch als Katalysator. Vor allem die Entwicklung zur Politischen Union wäre ohne den Druck der deutschen Einigung kaum so schnell vorangekommen, wie es schließlich geschah. Aber auch die anderen Veränderungen in Mittel- und Osteuropa ließen eine Vertiefung der europäischen Integration als geboten erscheinen, da die Europäische Gemeinschaft angesichts des Zerfalls des sowjetischen Imperiums nun immer mehr als »Stabilitätsanker für das europäische Staatensystem«[24] angesehen wurde.

Die feierliche Eröffnungssitzung der Regierungskonferenzen zur Wirtschafts- und Währungsunion sowie zur Politischen Union fand schließlich am 15. Dezember 1990 auf einer Tagung der Staats- und Regierungschefs der Europäischen Gemeinschaft in Rom statt. Dort wurde erstmals auch ein Vertragsentwurf zur

Errichtung einer Wirtschafts- und Währungsunion vorgestellt.[25] Am Ende dieses Weges stand der Vertrag von Maastricht, der am 7. Februar 1992 unterzeichnet wurde, aber nach Problemen im Ratifizierungsverfahren erst am 1. November 1993 in Kraft treten konnte. Der Vertrag, in dem es heißt, er bilde »eine neue Stufe bei der Verwirklichung einer immer engeren Union der Völker Europas«[26], gilt als größter Schritt der europäischen Integration seit dem Abschluss der Römischen Verträge und der Gründung der Europäischen Wirtschaftsgemeinschaft 1957/58.[27]

Damit wurde nicht nur stufenweise die seit langem angestrebte Wirtschafts- und Währungsunion verwirklicht, zu der ein gemeinsamer europäischer Binnenmarkt, der »Euro« als gemeinsame Währung sowie die nach dem Modell der Deutschen Bundesbank konzipierte Europäische Zentralbank (EZB) in Frankfurt am Main gehören, sondern auch die politische Union. Zugleich erhielt der europäische Integrationsverbund einen vielversprechenden neuen Namen: »Europäische Union« (EU). Sie bestand aus drei Säulen: den bisherigen Europäischen Gemeinschaften, der Gemeinsamen Außen- und Sicherheitspolitik (GASP) und der Zusammenarbeit in der Innen- und Justizpolitik. Wenn es noch eines Beweises bedurft hätte, wie eng diese Entwicklung mit der deutschen Einigung zusammenhing, wurde er von den Fraktionen des Deutschen Bundestages mit einer gemeinsamen Erklärung zum Vertrag von Maastricht geliefert, in der es heißt: »Deutschland darf kein weiteres Mal der Gefahr des Nationalismus erliegen. Wie kein anderer europäischer Staat ist Deutschland als Land in der Mitte Europas auf die europäische Integration angewiesen.«[28]

Scheckbuch-Diplomatie im Golf-Krieg 1991

Wie wichtig der europäische Rahmen für die deutsche Außen- und Sicherheitspolitik war, bewies bereits der Golf-Krieg nach dem Einmarsch irakischer Truppen in Kuwait am 2. August 1990. Der Konflikt hätte aus deutscher Sicht zu keinem ungünstigeren Zeitpunkt ausbrechen können. Die Zwei-plus-Vier-Verhandlungen befanden sich in der Schlussphase; Deutschland war im Begriff, die lang ersehnte Wiedervereinigung zu erreichen und seine uneingeschränkte völkerrechtliche Souveränität zurückzuerlangen; und der Erfolg der Bemühungen um eine Europäische Union war noch keineswegs abzusehen, da die britische Premierministerin Margaret Thatcher einen Verzicht auf nationale Souveränität und den Ersatz der NATO durch eine europäische Sicherheitspolitik ablehnte und dabei in ihrer Kritik von Portugal und Dänemark unterstützt wurde.[29]

Deutschland war deshalb zu größter Zurückhaltung gezwungen. Auch nach Unterzeichnung des Zwei-plus-Vier-Vertrages am 12. September 1990 und des bilateralen deutsch-sowjetischen Vertrages über den Abzug der sowjetischen Streitkräfte aus Deutschland am 12. Oktober 1990 änderte sich daran nichts.[30] Denn die Verträge bedurften noch der Ratifikation durch den Obersten Sowjet der UdSSR, in dem die Gegner von Staatspräsident Michail Gorbatschow und Außenminister Eduard Schewardnadse nur auf eine Gelegenheit warteten, antideutsche Ressentiments zu wecken und die Verträge zu Fall zu bringen.[31] Im Übrigen ließ auch die pazifistische Grundhaltung der Deutschen, die nicht zuletzt in der Friedensbewegung zu Beginn der 1980er Jahre zum Ausdruck gekommen war, ein militärisches Engagement kaum zu.[32]

Als der amerikanische Verteidigungsminister Richard Cheney im Rahmen der Operation *»Desert Shield«* zur Unterstützung des Aufmarsches von UNO-Truppen unter Führung der USA am Golf um die Entsendung deutscher Seestreitkräfte, die Bereitstellung von Luft- und Seetransportkapazitäten sowie um ABC-Abwehrgerät und finanzielle Zuwendungen an die Türkei bat, versprach die Bundesregierung zwar finanzielle und materielle Hilfe, lehnte aber eine direkte Beteiligung deutscher Soldaten ab.[33] Ein Einsatz außerhalb des NATO-Gebietes kam für sie weiterhin nicht in Betracht. Dabei spielte es auch keine Rolle, dass *»Desert Shield«* aufgrund der irakischen Aggression moralisch gerechtfertigt und durch ein UNO-Mandat politisch legitimiert war. Schon der Artikel 87a des Grundgesetzes, wonach deutsche Streitkräfte außer zur Verteidigung nur in ganz bestimmten Fällen eingesetzt werden dürfen, setzte dem Handeln der Bundesregierung enge Grenzen. Außerdem: Ein forsches deutsches Auftreten hätte leicht die Gespenster der Vergangenheit beschwören können.

Während sich am Golf eine Koalition aus 34 Staaten unter der Führung der USA zusammenfand, um auf der Grundlage der Resolutionen 660 und 665 des Sicherheitsrates der Vereinten Nationen den Irak zu veranlassen, seine Truppen aus Kuwait zurückzuziehen, war die öffentliche Debatte in Deutschland von dem Tenor beherrscht, man solle sich nicht zum »Hilfssheriff«[34] eines Weltpolizisten machen lassen. Die Bundesmarine, so der SPD-Politiker Karsten Voigt in einem Rundfunkinterview am 9. August kurz und bündig, habe im Golf nichts verloren.[35]

Tatsächlich erschien aus deutscher Sicht nicht der irakische Überfall auf Kuwait, sondern die Gefahr einer militärischen Eskalation als das größere Übel. Man hoffte daher auf eine Beilegung der Krise ohne Krieg und war umso mehr enttäuscht, als am Morgen des 17. Januar 1991 die Operation »Desert Storm« mit einer alliierten Luftoffensive gegen Ziele in Kuwait und dem Irak begann. Zwar befolgten die Koalitionstruppen nur die Resolution 678 des UN-Sicherheitsrates vom 29. November 1990, die dem Irak ein Ultimatum für einen Rückzug aus Kuwait bis zum 15. Januar 1991 gestellt hatte und ausdrücklich militärische Aktionen für den Fall vorsah, dass der Irak dieses Ultimatum verstreichen ließ.[36] Aber führende deutsche Politiker äußerten sich über den Ausbruch des Krieges »bestürzt«, »tief betroffen« und »zutiefst enttäuscht«.[37] Selbst in einer Regierungserklärung des Bundeskanzlers und einer Entschließung des Bundestages hieß es lediglich, die Verbündeten hätten einen »Anspruch auf unsere Solidarität«[38]. Eine schwächere Formulierung hätte sich kaum finden lassen, um den Alliierten, die Deutschland seit dem Zweiten Weltkrieg stets zuverlässig zur Seite gestanden hatten, die deutsche Unterstützung zu versichern.[39]

Im Gegensatz zu den meisten anderen Ländern der Europäischen Gemeinschaft, die mit eigenen Seestreitkräften in der Golf-Region präsent waren oder, wie Großbritannien und Frankreich, Bodentruppen entsandt hatten, blieb die Bundesrepublik daher militärisch weitgehend untätig. Zwar hatte ein deutscher Minenräumverband bereits am 16. August 1990 Kurs auf das Mittelmeer genommen, um gegebenenfalls eine WEU-Mission im Golf unterstützen zu können. Allerdings war es Bundeskanzler Kohl nicht gelungen, den Koalitionspartner FDP von der Rechtmäßigkeit eines Einsatzes im Persischen Golf, der im Gegensatz zum Mittelmeer nicht zum NATO-Gebiet im Sinne der Nordatlantikvertrages gehörte, zu überzeugen.[40] In einem Spitzengespräch zwischen Kohl, Außenminister Hans-Dietrich Genscher und Verteidigungsminister Gerhard Stoltenberg hatte man sich lediglich darauf verständigt, dass ein Einsatz außerhalb des NATO-Vertragsgebiets unzulässig sei, jedoch eine Verfassungsänderung angestrebt werde, um künftig einen Einsatz auf der Grundlage eines Beschlusses des UN-Sicherheitsrates zu erlauben.[41] Kurzfristig war eine Grundgesetzänderung freilich nicht zu erreichen, da es dazu einer Zwei-Drittel-Mehrheit im Bundestag bedurft hätte.

Der Golf-Krieg fand deshalb ohne die Deutschen statt. Allerdings trugen sie – neben Saudi-Arabien, Kuwait und Japan – wesentlich zu seiner Finanzierung bei. Der Gesamtwert aller staatlichen deutschen Leistungen in den Jahren 1990 und 1991 im Zusammenhang mit den multilateral koordinierten Reaktionen auf den irakischen Angriff beläuft sich auf knapp 18 Milliarden DM.[42] Davon gingen etwa 10,3 Milliarden DM an die USA, deren Streitkräfte die Hauptlast im Kampf gegen den Irak trugen. Die Türkei erhielt rund 1,5 Milliarden DM, Großbritannien 800 Millionen und Frankreich 300 Millionen. Hohe Summen wurden im Rahmen der humanitären Soforthilfe für die Flüchtlinge und Vertriebenen aus dem vom Irak besetzten Kuwait – darunter allein 250 000 Palästinenser – und zur wirtschaftlichen Stabilisierung der Länder des Nahen Ostens aufgewendet. Hauptempfängerländer waren die sogenannten »Frontstaaten« Ägypten, Türkei und Jordanien. Insgesamt übernahm die Bundesrepublik etwa 30 Prozent aller Kosten für humanitäre Hilfsmaßnahmen im Zusammenhang mit dem Golf-Krieg.[43]

Auch der Anteil, den die Bundeswehr leistete, war höher als zumeist angenommen. So schlossen deutsche Land-, See- und Luftstreitkräfte jene Lücken, die durch die Verlegung von alliierten Kontingenten aus Zentraleuropa und dem Mittelmeerraum in den Nahen Osten entstanden waren. Nach dem Krieg nahm die Bundeswehr von Bahrain aus an der Minenräumung im Persischen Golf teil und leistete in den türkischen und irakischen Grenzgebieten sowie im Iran einen wichtigen Beitrag bei der humanitären Versorgung von mehr als 1,5 Millionen Flüchtlingen. Transportflugzeuge und Hubschrauber der Bundeswehr wirkten auf Ersuchen der UNO bei den Inspektionen und Überwachungsflügen im Irak mit. Zivile und militärische Sachverständige aus Deutschland zählten zur UNO-Sonderkommission zur Untersuchung des irakischen Potenzials an Massenvernichtungswaffen.

Von einer gänzlich passiven Haltung der Bundesrepublik im Irak-Konflikt konnte daher keine Rede sein. Allerdings wirkten das anfängliche Zögern sowie die Ablehnung einer aktiven Teilnahme am Kampfeinsatz noch lange nach. Vor allem in den USA wurde dadurch der Eindruck geschürt, die Deutschen wären nicht bereit, die Alliierten zu unterstützen – um ihnen später, als sie doch einen überraschend hohen finanziellen und materiellen Beitrag leisteten, »Scheckbuch-Diplomatie«[44] vorzuwerfen. Beide Kritikpunkte erscheinen angesichts der schwierigen außenpolitischen Lage, in der sich Deutschland 1990/91 befand, übertrieben. Allerdings hatte die Handlungsweise der Bundesregierung »wenig mit politischer Sicherheitspolitik, aber viel mit Solidarzahlung und Freikauf«[45] zu tun. Deutschland wurde damit durch die eigenen Bündnispartner erpressbar – nicht nur in finanzieller Hinsicht – und musste seine Weigerung, sich mit Streitkräften der Bundeswehr am Golf-Krieg zu beteiligen, teuer bezahlen.

Der Bürgerkrieg in Jugoslawien

Beinahe zeitgleich mit dem Golf-Krieg entstand ein zweiter Konfliktherd, der die neue deutsche Außenpolitik ebenfalls vor große Probleme stellte: der Bürgerkrieg in Jugoslawien. Der Balkan hatte bereits im 19. Jahrhundert zu denjenigen Gebieten in Europa gezählt, die als besonders unruhig galten. Das Nebeneinander unterschiedlicher Volksgruppen, der Zerfall des Osmanischen Reiches und das Vordringen von Panslawismus und Nationalismus waren wesentliche Ursachen für jene gefährlichen Spannungen gewesen, die nach der Ermordung des österreichischen Thronfolgers Erzherzog Franz Ferdinand am 28. Juni 1914 in Sarajewo zum Ersten Weltkrieg führten.[46] Mit der Errichtung des »Königreichs der Serben, Kroaten und Slowenen« im Jahre 1918, das 1929 in »Königreich Jugoslawien« umbenannt wurde, war jedoch eine gewisse Ruhe eingekehrt, die auch nach dem Zweiten Weltkrieg wiederhergestellt wurde, als Jugoslawien – nunmehr als sozialistischer Bundesstaat – unter Josip Broz Tito neu entstand. Tito, der sich als Partisanenführer im Kampf gegen die deutschen und italienischen Besatzungstruppen während des Krieges großes Ansehen erworben hatte, gelang es, das aus sechs Teilrepubliken (Slowenien, Kroatien, Bosnien-Herzegowina, Montenegro, Serbien und Mazedonien) bestehende Jugoslawien zusammenzuhalten und das Land zu einigen.

Nach dem Tod Titos am 4. Mai 1980 änderte sich die Situation grundlegend. Das Präsidium der Republik, das nun die Regierungsgeschäfte übernahm und sich aus je einem Vertreter der sechs Teilrepubliken und der zwei autonomen serbischen Provinzen Kosovo und Wojwodina zusammensetzte, verfügte nicht über die integrativen Fähigkeiten des verstorbenen Staatschefs. Unabhängigkeitsbestrebungen, die es in begrenztem Umfang schon zu Titos Lebzeiten gegeben hatte – vor allem in Kroatien, unter den bosnischen Muslimen und bei den Kosovo-Albanern –, nahmen immer mehr zu. Die Lage eskalierte, als 1987 Slobodan Milošević zum Vorsitzenden der serbischen Kommunistischen Partei gewählt wurde und 1988 zum Präsidenten der Teilrepublik Serbien aufstieg. Milošević, der sich selbst als »Retter der Serben« sah, setzte von Anfang an den serbischen Nationalismus zur Festigung seiner Macht ein. Nachdem seine Anhänger auf XIV. Parteitag des Bundes der Kommunisten im Januar 1990 alle Anträge der slowenischen Delegation überstimmt hatten, verließen die slowenischen und kroatischen Delegierten den Parteitag. Die Spaltung Jugoslawiens zeichnete sich ab.[47]

Bemühungen um eine Neuordnung waren endgültig zum Scheitern verurteilt, als bei Wahlen in den einzelnen Republiken 1990 überwiegend Parteien oder Koalitionen an die Macht gelangten, die auf eine – nach der jugoslawischen Verfassung von 1974 durchaus legale – Verselbständigung drängten. Volksbefragungen in Slowenien, Kroatien, Mazedonien, Bosnien-Herzegowina und Montenegro ergaben Mehrheiten für die Unabhängigkeit, obwohl die interethnischen Beziehungen (etwa am Arbeitsplatz oder in der Nachbarschaft) noch bis Ende der 1980er Jahre überwiegend als gut oder zumindest befriedigend beurteilt worden waren.[48] Unter dem Druck der Politik von Milošević wurde die nationale Zugehörigkeit nun jedoch »zum fast alleinigen Kriterium für die Entscheidung auf dem Fragebogen«[49]. Das Ergebnis war vorhersehbar: Jugoslawien zerfiel.

Am 25. Juni 1991 verkündeten als erste die Parlamente von Slowenien und Kroatien die Unabhängigkeit ihrer Republiken. Der jugoslawische Ministerpräsident Ante Marković, ein Kroate, wies daraufhin die Jugoslawische Volksarmee (JVA) an, die Grenzen in Slowenien zu sichern. Damit begann ein Krieg zwischen der JVA und der slowenischen Territorialverteidigung, der allerdings schon nach zehn Tagen durch eine europäische Vermittlungsinitiative beendet wurde. Gleichzeitig kam es in Kroatien zu blutigen Zusammenstößen zwischen Serben, die hier 6,5 Prozent der Bevölkerung stellten, und kroatischer Nationalgarde, Polizei und paramilitärischen Banden. Die Scharmützel eskalierten rasch zu einem Krieg, in dem die serbische Minderheit von der jugoslawische Armee, die sich Ende Juli aus Slowenien zurückgezogen hatte, und von Sondereinheiten der Milošević direkt unterstehenden serbischen Geheimpolizei unterstützt wurde.[50]

Anders als in Slowenien, wo es keine nennenswerte serbische Minderheit gab, so dass es Milošević leicht fiel, der Unabhängigkeit zuzustimmen, verlief der Krieg in Kroatien blutig und grausam. Erste Meldungen über genozidale Handlungen erschreckten die internationale Öffentlichkeit. Vermittlungsbemühungen der Europäischen Gemeinschaft blieben erfolglos. Eine internationale Jugoslawien-Konferenz im September 1991 scheiterte kläglich, weil die Konfliktparteien keine Bereitschaft zum Frieden zeigten und der Druck von außen nicht ausreichte, um sie zur Beendigung der Kämpfe zu zwingen. Am Ende dieser Entwicklung stand die Gründung der »Serbischen Republik Krajina« am 19. Dezember 1991, aus der nahezu alle Nicht-Serben vertrieben wurden oder flohen.[51]

Der deutsche Außenminister Hans-Dietrich Genscher, der bei den europäischen Vermittlungsbemühungen zur Lösung des Konflikts eine wesentliche Rolle gespielt hatte, sprach sich vor dem Hintergrund dieser Entwicklung frühzeitig für eine diplomatische Anerkennung Sloweniens und Kroatiens aus.[52] Bis zum Sommer 1991 hatte Deutschland gemeinsam mit den anderen Staaten der Europäischen Gemeinschaft und auch mit den USA die Auffassung vertreten, dass die Einheit Jugoslawiens zu erhalten sei, obwohl inzwischen jeder wusste, dass sie dem Streben nach Selbstbestimmung der Einzelstaaten widersprach.[53] Noch am 23. Juni 1991, zwei Tage vor der Abspaltung Sloweniens und Kroatiens, hatte die EG unmissverständlich festgestellt, sie werde einseitige Unabhängigkeitserklärungen jugoslawischer Teilrepubliken nicht anerkennen, und nach Beginn der Kampfhandlungen beide Staaten ersucht, ihre Erklärungen für drei Monate auszusetzen. Auch der amerikanische Außenminister James Baker hatte sich noch am 21. Juni 1991 bei einem eintägigen Besuch in Belgrad gegenüber Milošević nachdrücklich für die Einheit, allerdings auch für mehr Demokratie ausgesprochen.[54]

Inzwischen ist bekannt, dass die wiederholten Hinweise westlicher Politiker bis zur Jahresmitte 1991, sie würden eine Aufteilung Jugoslawiens nicht akzeptieren, Milošević und die Serben ermutigte, militärisch gegen ihre Gegner vorzugehen.[55] Tatsache ist aber auch, dass die Serben ihre Ziele ungeachtet aller diplomatischen Bemühungen um einen Friedensschluss verfolgten und den Krieg so lange fortsetzten, bis die Eroberung der beanspruchten Siedlungsgebiete in Kroatien und die Vertreibung der dortigen nicht-serbischen Bevölkerung erreicht waren. Erst danach stimmte Milošević einem vom amerikanischen Unterhändler Cyrus Vance vermittelten Waffenstillstand zu, der am 2. Januar 1992 unterzeichnet wurde und die Entsendung einer UN-Schutztruppe in die umstrittenen Gebiete vorsah, während sich die Jugoslawische Volksarmee nun dem nächsten Kriegsschauplatz in Bosnien zuwandte.

Vor dem Hintergrund der serbischen Offensive sprach Bundesaußenminister Genscher am 7. Juli 1991 – also noch vor Beginn der Kämpfe in Kroatien – erstmals von einer Anerkennung Sloweniens und Kroatiens. Er sah darin ein Mittel, um Druck auf Serbien auszuüben und weitere Gewaltanwendung seitens der Serben zu verhindern. Wenig später, am 25. Juli, äußerte er auf einem EG-Außenministertreffen, dass im Falle gescheiterter Verhandlungen auch die Anerkennung »als letztes verbleibendes politisches Mittel«[56] genutzt werden müsse. Am 6. August kündigte er sogar offen an, er werde der Europäischen Gemeinschaft vorschlagen, die Anerkennung zu prüfen, wenn »eine Republik«[57] – gemeint war Serbien – die Friedensverhandlungen verweigern sollte. Andere deutsche Politiker, wie der SPD-Bundestagsabgeordnete Norbert Gansel, sein Fraktionskollege Karsten Voigt und sogar der SPD-Vorsitzende Björn Engholm, sprachen sich ebenfalls für eine Anerkennung aus.[58] Genscher versicherte jedoch, »nur im Rahmen und in Übereinstimmung mit der EG handeln«[59] zu wollen.

Die deutsche Haltung erwies sich damit als widersprüchlich. Einerseits regte die Bundesregierung die Einberufung einer internationalen Jugoslawien-Konferenz an, die schließlich unter Vorsitz des ehemaligen britischen Außenministers Lord Carrington am 7. September 1991 in Den Haag ihre Arbeit aufnahm. Andererseits verließ Genscher den Boden der zwischen den Mitgliedern der EG vereinbarten Position, als er dem jugoslawischen Botschafter am 24. August 1991 offen mit der einseitigen Anerkennung Kroatiens und Sloweniens drohte, wenn die Gewaltanwendung weitergehe.[60] Und als die Haager Verhandlungen schleppend verliefen, sprach Genscher am 14. September vor der Presse sogar von einem »Automatismus der Anerkennung«[61], falls die Konferenz scheitere.

In den USA und Großbritannien fand der deutsche Außenminister für seine Haltung wenig Verständnis. »Man kann nicht Tudjman (den kroatischen Präsidenten) anerkennen und danach Druck auf Milošević ausüben«, erklärte dazu, offensichtlich frustriert, ein hoher Beamter des britischen Außenministeriums. »Das wäre schlichtweg dumm. Und wie kann man auf Tudjman noch Druck ausüben, nachdem man ihm seinen Lieblingswunsch erfüllt hat?«[62] Dieser Auffassung waren auch die Jugoslawien-Unterhändler Cyrus Vance und Lord Carrington, die insbesondere von einer Anerkennung Kroatiens abrieten. Beide berichteten später dem von Präsident Bill Clinton eingesetzten amerikanischen Sondergesandten für Jugoslawien, Richard Holbrooke, »dass sie ihren alten Freund und Kollegen Hans-Dietrich Genscher unmissverständlich davor gewarnt« hätten, »mit der Anerkennung eine Kettenreaktion auszulösen, an deren Ende ein Krieg in Bosnien stünde«.[63]

Doch Genscher fühlte sich durch die Entwicklung der Haager Konferenz bestätigt, die Anfang November 1991 ergebnislos endete, als die jugoslawische Zentralregierung einen Friedensplan der Europäischen Gemeinschaft, der eigenständige Republiken und den Schutz von Minderheiten vorsah, ablehnte und unter Protest die Konferenz verließ. Er forderte daher auf einem Treffen der EG-Außenminister am Rande einer NATO-Gipfelkonferenz in Rom am 8. November, sofort über die Anerkennung zu entscheiden, und wusste sich dabei von einem breiten Konsens in der deutschen Öffentlichkeit getragen: Parteien, Gewerkschaften, Kirchen, Intellektuelle, Künstler, Wissenschaftler und nicht zuletzt die Medien plädierten nahezu einhellig für die Anerkennung der beiden Staaten, um sie der serbischen Aggression zu entziehen.[64]

Als es Lord Carrington schließlich noch nicht einmal gelang, einen befristeten Waffenstillstand zu vereinbaren, hatte Genscher sich durchgesetzt. Am 16. Dezember einigten sich die EG-Außenminister in Brüssel auf gemeinsame »Richtlinien für die Anerkennung neuer Staaten in Osteuropa und in der Sowjetunion«. Diejenigen Teilrepubliken Jugoslawiens, die dies wünschten und bestimmte Auflagen erfüllten, sollten am 15. Januar 1992 als Rechtsnachfolger Jugoslawiens anerkannt werden. Die Bundesregierung wartete indessen nicht einmal diesen Termin ab, sondern beschloss bereits am 19. Dezember die völkerrechtliche Anerkennung Sloweniens und Kroatiens mit Wirkung vom 23. Dezember.[65] Zwar erfolgte der Botschafteraustausch erst am 15. Januar, so dass die Bundesregierung später behaupten konnte, sich an die Vereinbarungen mit den anderen Staaten der EG gehalten zu haben. Doch das erschien als Haarspalterei. Der italienische Außenminister Gianni de Michelis behauptete 1993 rückblickend in einem Zeitungsinterview, Deutschland habe seine Partner zur Anerkennung gezwungen und gedroht, die Grenzfrage mit Polen neu aufzurollen, falls sie der Anerkennung ihre Zustimmung verweigerten.[66] Und der französische Außenminister Roland Dumas sprach nach Beendigung seiner Laufbahn im Zusammenhang mit der Anerkennung sogar von einem »germano-papistischen Komplott«[67].

Vor allem die angelsächsischen und französischen Medien wurden nicht müde, zu behaupten, Deutschland habe durch die »verfrühte« Anerkennung Sloweniens und Kroatiens die späteren Katastrophen im jugoslawischen Raum verschuldet.[68] Deutschland wurde damit für eine Entwicklung zum Sündenbock gestempelt, die längst ihren eigenen Gesetzen folgte. Der deutsche Diplomat Michael Libal, der von 1991 bis 1995 auf der Arbeitsebene im Auswärtigen Amt mit der Jugoslawien-Krise befasst war, spricht deshalb von einem »Mythos der Verfrühtheit«[69].

Tatsächlich hatten alle wichtigen Politiker Jugoslawiens dazu beigetragen, den Konflikt zu verschärfen: der kroatische Präsident Franjo Tudjman und der slowenische Präsident Milan Kučan ebenso wie der bosnische Präsident Alija Izetbegović und natürlich Milošević. Bereits am 27. Februar 1991 – also zehn Monate vor der deutschen Anerkennung Kroatiens – erklärte Izetbegović, er werde »den Frieden für ein unabhängiges Bosnien-Herzegowina opfern«, umgekehrt aber »für diesen Frieden niemals die Souveränität Bosnien-Herzegowinas«. Für die Serben, die unter Milošević im Begriff waren, das ehemalige Jugoslawien nach ethnischen und nationalen Gesichtspunkten neu zu ordnen, und dabei auch vor militärischer Gewalt nicht zurückschreckten, kam dies, so Laura Silber und Allan Little in ihrem Buch über den »Bruderkrieg« in Jugoslawien, »einer Kriegserklärung gleich«.[70]

Schließlich trug aber auch das Verhalten der USA und der Europäischen Gemeinschaft zwischen 1990 und 1992 dazu bei, dass der Konflikt außer Kontrolle geriet. Die USA waren zu dieser Zeit mit dem Golf-Krieg und dem Zerfall der sowjetischen Macht beschäftigt und versuchten, wie David C. Gompert, Vizepräsident der *RAND-Corporation* und früherer Direktor für Europa und Eurasien im Stab des *National Security Council* unter Präsident George Bush, später bemerkte, sich »die Jugoslawienkrise vom Leib zu halten«[71]. Außenminister James Baker notierte in seinen Memoiren, es sei an der Zeit gewesen, die Europäer dazu zu bringen, ernst zu machen und zu beweisen, dass sie als vereinte Macht handeln konnten: »Jugoslawien eignete sich als erster Versuch so gut wie alles andere.«[72]

Die Europäer wiederum glaubten, dass sie nach dem Ende des Kalten Krieges tatsächlich in der Lage seien, ihre Angelegenheiten selbst zu regeln: »Dies ist die Stunde Europas, nicht die

Stunde Amerikas«[73], verkündete Ende Juni 1991 in bemerkenswerter Selbstüberschätzung der luxemburgische Außenminister Jacques Poos, dessen Land damals die Präsidentschaft der Europäischen Gemeinschaft innehatte. Doch die Jugoslawien-Krise bewies ein weiteres Mal, wie wenig die Europäer auszurichten vermochten, wenn die USA ihnen nicht zur Seite standen. Nur wenn die EU bereit gewesen wäre, den radikalen Nationalisten in allen Lagern in den Arm zu fallen, hätte sie wirklich zur Lösung des Konflikts beitragen können. Doch dies hätte die Entschlossenheit vorausgesetzt, Gewalt nicht nur anzudrohen, sondern gegebenenfalls auch anzuwenden.[74]

Insbesondere in Deutschland fehlten dafür aber alle Voraussetzungen. Die Kritik, die vor allem an Genscher geübt wurde, war deshalb verständlich, da der Außenminister eine politische Rolle beanspruchte, die er militärisch nicht untermauern konnte – in einem Bürgerkrieg sicher eine unverzeihliche Naivität. Die Bundesregierung zog daraus ihre Lehren und erlegte sich in den kommenden Jahren in ihrer Balkan-Politik eine Zurückhaltung auf, die wiederum dazu beitrug, den Bürgerkrieg zu verlängern, weil ein Ende nur von außen erzwungen werden konnte. Dazu aber hätte es einer aktiven deutschen Rolle, einschließlich einer militärischen Komponente, bedurft, für die erst in der zweiten Hälfte der 1990er Jahre die notwendigen Weichen im öffentlichen Bewusstsein und im Verfassungsrecht gestellt wurden.

Die UNO und Auslandseinsätze der Bundeswehr

Ungeachtet der Tatsache, dass die deutsche Außenpolitik somit noch Zeit brauchte, um ihren Platz in der neuen Ordnung nach 1989/90 zu finden, ließ sich nicht übersehen, dass die Wiedervereinigung mit einer Erweiterung des Handlungsspektrums einhergegangen war. Dies galt in erster Linie für den engeren europäischen Raum.[75] Doch auch im Verhältnis zur UNO zeigten sich Veränderungen, die auf eine neue Rolle Deutschlands in der Welt hindeuteten.[76]

Mit dem Beitritt der fünf ostdeutschen Länder zum Geltungsbereich des Grundgesetzes entfielen, wie der letzte Ministerpräsident der DDR, Lothar de Maizière, am 27. September 1990 dem Generalsekretär der Vereinten Nationen, Peréz de Cuéllar, mitteilte, die »völkerrechtlichen Voraussetzungen für ein Fortbestehen der DDR in der Organisation der Vereinten Nationen«[77]. Seit dem 3. Oktober 1990 firmierte das wiedervereinigte Deutschland in der UNO unter der Bezeichnung »Deutschland«. Das Guthaben der DDR bei der Weltorganisation wurde der Bundesrepublik überschrieben, die außerdem den Platz der DDR im Sonderausschuss für friedenssichernde Operationen übernahm, in dem die »alte« Bundesrepublik noch nicht vertreten gewesen war. Der Pflichtbeitrag der DDR zum Haushalt der UNO von 1,28 Prozent für das Jahr 1991 wurde zu den bestehenden Pflichtbeiträgen der Bundesrepublik in Höhe von 8,08 Prozent hinzugefügt, so dass sich eine neue Gesamtleistung von 9,36 Prozent (86 Millionen Dollar pro Jahr) ergab. Die Bundesrepublik war damit drittgrößter Beitragszahler der UNO.[78]

Trotz der hohen Beitragsleistungen blieb die Bedeutung der Bundesrepublik als Akteur der Vereinten Nationen allerdings lange Zeit gering. Vor allem auf der Leitungsebene gab es keine angemessene Repräsentanz. Dies änderte sich erst nach der Wiedervereinigung – wenn auch nur langsam. So stellt Deutschland mit 158 Beschäftigten zwar immer noch kaum mehr als sechs Prozent des Personals im UN-Sekretariat, doch mit Klaus Töpfer, der Anfang 1998 zum Exekutivdirektor des Umweltprogramms (UNEP) ernannt wurde, rückte erstmals ein Deutscher in eine Spitzenposition der UNO auf.[79]

Seit Beginn der 1990er Jahre drängte die Bundesregierung zudem darauf, UNO-Einrichtungen in Bonn anzusiedeln. Der Beschluss des Bundestages, Parlament und Regierung großenteils nach Berlin zu verlegen, verlieh diesem Wunsch zusätzliche Dringlichkeit, da im Vorfeld der Entscheidung zugesagt worden war, Bonn zur »UNO-Stadt« zu entwickeln. Tatsächlich nahm hier 1996 zunächst das Freiwilligenprogramm der UNO mit etwa 130 Mitarbeitern seinen Sitz. Das Informationszentrum der Vereinten Nationen (UNIC) sowie die Sekretariate der Klimarahmenkonvention, der Konvention zur Bekämpfung der Wüstenbildung und der Konvention zur Erhaltung der wandernden wild lebenden Tierarten folgten wenig später. Der Internationale Seegerichtshof (ISGH) residiert seit Oktober 1996 in Hamburg. Ein Außenbüro des Hohen Flüchtlingskommissars der Vereinten Nationen befindet sich in Berlin.[80]

Auch in politischer Hinsicht wuchs die Bedeutung Deutschlands in der UNO nach der Wiedervereinigung spürbar. Die Bundesrepublik betrieb eine aktive Menschenrechtspolitik, bemühte sich um eine Reform der UN-Organisation und beteiligte sich zunehmend an UN-Einsätzen. Bei der Menschenrechtspolitik ging es nicht nur allgemein um die weltweite Durchsetzung der Menschenrechte, sondern konkret um die Gründung eines Internationalen Strafgerichtshofs (IGH) mit Sitz in Den Haag, der am 1. Juli 2002 seine Arbeit aufnahm. Der IGH ist der erste ständige Gerichtshof, vor dem sich Einzelpersonen, nicht Staaten, verantworten müssen, die »schwerster Verbrechen von internationalem Belang« angeklagt sind. Der Gründungsvertrag des IGH – das *»Rome Statute of the International Criminal Court«*[81] – wurde im Sommer 1998 angenommen und verdankt sein Zustandekommen wesentlich dem Engagement der Bundesregierung. Obwohl wichtige Staaten, wie die USA, Russland, China und Israel, den IGH ganz oder teilweise boykottieren, war dessen Errichtung ein wichtiger Schritt, um das Recht in den internationalen Beziehungen zu stärken.

Das Streben der Bundesregierung nach einem ständigen Sitz im Sicherheitsrat der Vereinten Nationen war dagegen weniger erfolgreich. Treibende Kraft hinter den Bemühungen war zunächst Bundesaußenminister Klaus Kinkel, der erstmalig am 23. September 1992 vor der 47. Generalversammlung den Anspruch Deutschlands auf einen permanenten Sitz im Sicherheitsrat anmeldete. Immer wieder forderte er in den folgenden Jahren eine Reform des Rates, die auch einen deutschen Sitz einschließen müsse. Zur Begründung verwies er auf die hohen deutschen Beitragszahlungen sowie auf die Bedeutung Deutschlands in der Weltwirtschaft. Bemerkenswerterweise schloss sich die rot-grüne Bundesregierung nach 1998 dieser Initiative an. Mit der Weigerung Bundeskanzler Gerhard Schröders, sich 2002/03 am Krieg gegen den Irak zu beteiligen, war das Thema jedoch praktisch vom Tisch, da die USA unter Präsident George W. Bush und Außenministerin Condoleeza Rice danach keinerlei Neigung mehr zeigten, Deutschland entgegenzukommen. Ohne Zustimmung der USA aber war an eine Änderung der Struktur des Sicherheitsrates nicht zu denken. Allerdings hatten zuvor auch andere Staaten, darunter Russland und Großbritannien, ebenfalls bereits deutlich gemacht, dass sie eine UNO-Reform nicht für dringlich hielten.

Bei den UN-Einsätzen leistete die Bundesrepublik seit 1991 Transportunterstützung für Abrüstungsexperten der UNO mit Standort in Bahrain. 1992/93 errichtete und betrieb die Bundeswehr ein Feldlazarett für ein UN-Kontingent in Kambodscha. Es folgten Einsätze in Somalia und Kenia (1992 bis 1994), Georgien und Abchasien (1994), Ruanda (1994), Kroatien (1995/96) und Bosnien-Herzegowina (1997 bis 1999). Allerdings war zu dieser Zeit die militärische Handlungsfähigkeit Deutschlands noch eingeschränkt, weil Artikel 87a des Grundgesetzes vermeintlich nur einen begrenzten Einsatz der Bundeswehr im Ausland zuließ. Es bedurfte daher zunächst einer Klärung der gesetzlichen Grundlagen für den Auslandseinsatz, um Rechtssicherheit zu schaffen und damit eine erweiterte deutsche Beteiligung an UN-Einsätzen (oder entsprechenden anderen Operationen) zu ermöglichen.

Bei der politischen und juristischen Erörterung der Auslandseinsätze der Bundeswehr ging es grundsätzlich um die Frage, ob und inwieweit sich Deutschland überhaupt mit militärischen Mitteln an multinationalen Operationen zur Friedenserhaltung oder Friedensschaffung beteiligen sollte. Die jüngere deutsche Geschichte war ein starkes Argument gegen derartige Einsätze.

Und auch das Grundgesetz setzte einen engen Rahmen – so in der Präambel mit der Forderung, »dem Frieden der Welt zu dienen«, und vor allem mit Artikel 26, der in Absatz 1 das Verbot der Vorbereitung eines Angriffskrieges enthielt.

Nach der Wiedervereinigung setzte sich jedoch die Auffassung durch, dass Deutschland die Pflicht habe, sich in die internationale Gemeinschaft einzufügen und gegebenenfalls auch militärische Verantwortung zu übernehmen. Die Frage blieb, welcher juristische Spielraum dafür zur Verfügung stand. In Artikel 87a des Grundgesetzes heißt es dazu in Absatz 1: »Der Bund stellt Streitkräfte zur Verteidigung auf. Ihre zahlenmäßige Stärke und die Grundzüge ihrer Organisation müssen sich aus dem Haushaltsplan ergeben.« Absatz 2 lautet: »Außer zur Verteidigung dürfen die Streitkräfte nur eingesetzt werden, soweit dieses Grundgesetz es ausdrücklich zulässt.«[82] Wichtig war überdies Artikel 24 Absatz 2 des Grundgesetzes, der besagt: »Der Bund kann sich zur Wahrung des Friedens einem System kollektiver Sicherheit einordnen; er wird hierbei in die Beschränkungen seiner Hoheitsrechte einwilligen, die eine friedliche und dauerhafte Ordnung in Europa und zwischen den Völkern der Welt herbeiführen und sichern.«[83]

Die Diskussion über beide Artikel zu Beginn der 1990er Jahre ergab unter den Juristen »nach anfänglichem Schwanken« eine erstaunliche Einhelligkeit, »dass ein bewaffneter Auslandseinsatz der Bundeswehr grundgesetzkonform sei und politisch sinnvoll wäre«.[84] Ähnliches galt für die Überlegungen unter den Politikwissenschaftlern, die darauf hinwiesen, dass der »Sicherheitsbegriff« nach dem Ende der Ost-West-Konfrontation weiter zu fassen sei als in der Vergangenheit und dass Deutschland »an der Nahtstelle zwischen den Sphären der Stabilität und des Chaos« bereit sein müsse, größere Verantwortung für die europäische Sicherheitsarchitektur zu übernehmen.[85] Sogar militärische Einsätze der Bundeswehr außerhalb des NATO-Bereichs, also *»out-of-area«*, wurden in diesem Zusammenhang für möglich erklärt, wobei allerdings zumeist betont wurde, dass es sich bei diesem Vorgehen um »eine Politik internationaler Solidarität, der Glaubwürdigkeit und zum Schutze demokratischer Werte«[86] handeln müsse. Selbst der Hamburger Friedensforscher Dieter S. Lutz, der die Frage aufwarf, ob Deutschland nach dem Ende des Kalten Krieges überhaupt noch Streitkräfte brauche, kam schließlich zu dem Ergebnis, dass das Mittel der Gewalt zwar »stets ultima ratio bleiben«[87] müsse, ein Einsatz der Bundeswehr im Sinne des Artikels 24 Absatz 2 des Grundgesetzes zur Unterstützung der Vereinten Nationen jedoch zulässig sei.

Bei den Parteien im Bundestag herrschte zunächst ebenfalls Unklarheit, wie die Verfassung in dieser Frage auszulegen sei. Die Konfliktlinien verliefen dabei nicht nur zwischen Regierung und Opposition, sondern auch zwischen den Regierungsparteien CDU/CSU und FDP. Erst im Januar 1993 konnte ein Entwurf zur Änderung des Grundgesetzes im Parlament eingebracht werden, der eine Ergänzung des Artikels 24 GG vorsah, um eine Beteiligung an Frieden bewahrenden und Frieden herstellenden Maßnahmen der UNO nach einem entsprechenden Sicherheitsratsbeschluss zu ermöglichen, sofern eine Mehrheit des Bundestages einem Einsatz zustimmte. Der Deutsche Bundestag wäre damit in die Lage versetzt worden, Auslandseinsätze der Bundeswehr zu befürworten oder abzulehnen. Der Gesetzentwurf scheiterte jedoch, da eine verfassungsändernde Mehrheit nicht zustande kam.

Letztlich bedurfte es somit einer Klärung durch das Bundesverfassungsgericht. Sie wurde notwendig, als der UN-Sicherheitsrat im März 1993 entschied, im Zuge des Bürgerkrieges in Jugoslawien ein Flugverbot über Bosnien-Herzegowina durchzusetzen, und zu diesem Zweck AWACS-Fernaufklärer der NATO anforderte, in denen auch deutsche Soldaten Dienst taten. Der Verbleib der deutschen Soldaten in den AWACS-Flugzeugen wurde zwar vom Bundeskabinett gegen die Stimmen der FDP-Minister beschlossen. Doch diese erhoben im April 1993 Klage vor dem Bundesverfassungsgericht, um den Einsatz zu stoppen.[88] Auch die SPD klagte – allerdings sehr viel grundsätzlicher als die FDP-Minister, weil die Sozialdemokraten die deutsche Teilnahme an der Überwachung des Flugverbots über Bosnien-Herzegowina und an Embargomaßnahmen in der Adria gegen die Republik Jugoslawien ebenso für verfassungswidrig hielten wie die deutsche Beteiligung an UNOSOM II in Somalia und Kenia, wo 2420 Soldaten von Heer, Luftwaffe und Marine humanitäre Hilfe leisteten und 1993/94 insgesamt 18300 medizinische Behandlungen durchführten.[89]

Über alle drei Einsätze entschied das Bundesverfassungsgericht abschließend am 12. Juli 1994. Das Urteil stellte klar, dass die Bundesrepublik gemäß Artikel 24 Absatz 2 GG ermächtigt sei, sich in Systeme gegenseitiger kollektiver Sicherheit einzuordnen und dass dieser Artikel »die verfassungsrechtliche Grundlage für die Übernahme der mit der Zugehörigkeiten zu einem solchen System typischerweise verbundenen Aufgaben« biete, wozu »regelmäßig« auch Streitkräfte gehörten. Artikel 87a GG stehe der Anwendung des Artikel 24 Absatz 2 GG nicht entgegen. Vielmehr werde »durch Artikel 87a GG der Einsatz bewaffneter deutscher Streitkräfte im Rahmen eines Systems gegenseitiger kollektiver Sicherheit, dem die Bundesrepublik Deutschland gem. Artikel 24 II GG beigetreten ist, nicht ausgeschlossen«.[90] Besonders bemerkenswert ist in diesem Zusammenhang, dass nicht nur die UNO, sondern auch die NATO vom Verfassungsgericht als »System gegenseitiger kollektiver Sicherheit i. S. des Art. 24 II GG« eingestuft wurde. Wichtig war zudem, dass das Gericht in seinem Urteil jeden bewaffneten Einsatz der Bundeswehr unter den Parlamentsvorbehalt stellte.[91]

Das Urteil des Verfassungsgerichts war somit durchaus salomonisch: Einerseits wurden der außenpolitische Handlungsspielraum und die Bündnisfähigkeit der Bundesrepublik gewahrt. Andererseits erhielt der Bundestag das Recht, über Auslandseinsätze der Bundeswehr zu entscheiden. Befürworter und Gegner der Auslandseinsätze konnten daher mit dem Ausgang des Verfahrens zufrieden sein.

6 Ein Staat – zwei Gesellschaften

Acht Jahre nach der Wiedervereinigung war von der ursprünglichen Euphorie nicht mehr viel zu spüren – die Kanzlerschaft von Helmut Kohl endete 1998.

Die innere Entwicklung Deutschlands nach der Wiedervereinigung schwankte zwischen Euphorie und Ernüchterung. Im Taumel der Gefühle, die mit den sich überstürzenden Ereignissen der Wendezeit 1989/90 verbunden waren, wurden vielfach die Schwierigkeiten übersehen, die der notwendige Strukturwandel in beiden Teilen Deutschlands als Folge der Wiedervereinigung mit sich bringen würde. Die Auswirkungen waren nicht nur finanzieller und materieller Art, sondern betrafen auch die Psyche der Menschen. Nach anfänglich großen Hoffnungen und Erwartungen entstand – zumindest vorübergehend – eine »Vereinigungskrise«, in der es zu einer Entfremdung zwischen Ost- und Westdeutschen kam. Zwar war Deutschland jetzt wieder vereint. Aber es existierten noch immer zwei Gesellschaften. Mitte der 1990er Jahre wurde daher vielfach die Frage gestellt, ob diese Entfremdung zwischen Ost und West den Wiedervereinigungsprozess stören könnte und wie dauerhaft sie die Entwicklung Deutschlands beeinflussen würde.

Euphorie und Ernüchterung

Als der Jubel und die Begeisterung nach der Maueröffnung am Abend des 9. November 1989 keine Grenzen kannten und die Menschen wie in Trance nach Westen drängten, sprach der damalige Regierende Bürgermeister Berlins, Walter Momper, von den Deutschen als dem »glücklichsten Volk der Welt«[1]. Doch schon wenig später war alles anders: Ernüchterung machte sich breit. Bereits im Sommer 1990 meinten 75 Prozent der Ostdeutschen, sie seien Bürger zweiter Klasse. Die Wiedervereinigung wurde zwar emphatisch begrüßt. Aber eine Identifikation mit der Bundesrepublik fand kaum statt. Im Gegenteil, je länger die Wiedervereinigungsprobleme andauerten, desto mehr kam es zu einer »Wiedergeburt des ostdeutschen Wir-Gefühls«[2]. Die DDR gewann im Rückblick wieder an Attraktivität. Zwei Drittel der Ostdeutschen erklärten 1995, sie seien stolz auf ihr Leben in der DDR. »Alles, was der Einheit misslingt, wird der DDR posthum vergeben«, bemerkte dazu 1998 kritisch der ostdeutsche Journalist und Autor Christoph Dieckmann – zumal ja deren Utopie »ihre Offenbarung in der Geschichte seit 1989 nicht mehr verantworten« müsse.[3]

»Vereint und verschieden« zu sein, musste allerdings nicht zwangsläufig zu Komplikationen führen, da unterschiedliche Identitätsebenen sozialpsychologisch durchaus miteinander vereinbar sind, sofern den jeweiligen Teilidentitäten ihre Existenzberechtigung nicht abgesprochen wird. Genau dies war beim Zusammenbruch der DDR jedoch der Fall. Bei der Vereinigung der beiden deutschen Staaten ging es nicht um Integration, sondern um die Angleichung Ostdeutschlands an die westdeutschen Verhältnisse. Die Wiedergeburt des ostdeutschen »Wir-Gefühls« war demzufolge ein Ausdruck der Schwierigkeiten, die sich bei Fusionen mit Partnern von ungleichem Status ergeben.[4] Die Menschen in der ehemaligen DDR empfanden die »Wende« als radikalen Bruch in ihrer Arbeitswelt, ihrer Lebenswirklichkeit und ihrem Wertegefüge und mussten deshalb eine kulturell-mentale Verarbeitungsleistung erbringen, die sie zeitweilig psychologisch überforderte und auch längerfristig eine Belastung bedeutete.[5]

Dennoch stellten sich die Ostdeutschen in weit höherem Maße und mit mehr Erfolg auf die neuen Gegebenheiten ein, als häufig vermutet wird. Ganz abgesehen davon, dass es keinen ostdeutschen »Separatismus« und keine nennenswerten Bestrebungen gab, das Rad der Geschichte zurückdrehen, wurden der politische Ordnungswechsel, der sich 1989/90 vollzogen hatte, und die Einigung Deutschlands bei Umfragen seit 1990 regelmäßig von etwa 80 Prozent der Befragten bejaht. Noch bemerkenswerter ist die Tatsache, dass diese Zustimmung quer durch alle sozialen Schichten und politischen Parteien verlief.[6] Die eingetretene Ernüchterung war demzufolge nicht das Ergebnis einer grundsätzlichen Ablehnung der Wiedervereinigung, sondern hauptsächlich eine Begleiterscheinung der Enttäuschung, die sich aus den schwierigen wirtschaftlichen Rahmenbedingungen des Einigungsprozesses ergab. Vor allem zu Beginn der 1990er Jahre standen die Hoffnungen und Erwartungen, die viele der ehemaligen DDR-Bürger mit der Übernahme der westdeutschen Marktwirtschaft verbunden hatten, in einem scharfen Kontrast zur Realität.

Wirtschaftliche Auswirkungen der Vereinigung

Als Bundeskanzler Helmut Kohl am 21. Juni 1990 in einer Regierungserklärung vor dem Bundestag behauptete, nur die Währungs-, Wirtschafts- und Sozialunion zwischen den beiden deutschen Staaten biete »die Chance, dass Mecklenburg-Vorpommern, Sachsen-Anhalt, Brandenburg, Sachsen und Thüringen bald wieder blühende Landschaften sein werden, in denen es sich zu leben und zu arbeiten lohnt«[7], weckte er Erwartungen, die zunächst nur schwer zu erfüllen waren. Dabei entsprach der Begriff der »blühenden Landschaften«, den Kohl in den folgenden Wochen und Monaten immer wieder verwendete, um seine Zuversicht auszudrücken, dass die Wiedervereinigung gelingen werde, ganz dem Zeitgeist. Aber das damit verbundene Versprechen war nicht, wie viele offenbar glaubten, über Nacht einzulösen, der Wiederaufbau benötigte Zeit, die nun als Stagnation erschien. Dadurch verkehrte sich der Begriff in sein Gegenteil. Er wurde zum Sinnbild für die Deindustrialisierung Ostdeutschlands: Unter »blühenden Landschaften« wurden jetzt nicht renovierte Dörfer, pulsierende Städte und florierende Wirtschaftsparks verstanden, sondern stillgelegte Industrielandschaften und Rangierbahnhöfe, die zunehmend von der Natur zurückerobert wurden. Der Begriff geriet zur Karikatur seiner selbst, wie Peter Richter, ein gebürtiger Dresdner, der damals eine regelmäßige Glosse unter dem Titel »Blühende Landschaften« in der *Frankfurter Allgemeinen Sonntagszeitung* veröffentlichte, sinnfällig demonstrierte.[8]

Die verfügbaren Daten unterstreichen den dramatischen Verfall der ostdeutschen Wirtschaft nach 1990: Die Industrieproduktion, die bereits von 1989 bis zum Herbst 1990 um die Hälfte gesunken war, fiel bis April 1991 auf 30 Prozent ihres Ausgangsniveaus von 1989 und konnte sich in den folgenden Jahren kaum erholen. 1997 entfielen auf Ostdeutschland nur noch neun Prozent der Industrieproduktion und rund 10,5 Prozent der Industriebeschäftigten der Bundesrepublik (bei 30 Prozent der Fläche und einem Anteil von 21,5 Prozent der Bevölkerung); 1989 hatten die entsprechenden Anteile bei 20 bzw. 32 Prozent gelegen.[9] Das Bruttoinlandsprodukt sank 1990 um 30,5 Prozent und 1991 noch einmal um 2,2 Prozent, ehe sich eine – wenn auch sehr langsame – Verbesserung einstellte. Im Vergleich zu den alten Bundesländern betrug das Bruttoinlandsprodukt je Einwohner in Ostdeutschland 1991 nur 31,3 Prozent, die Lohnstückkosten jedoch 150,8 Prozent. Auch hier verschoben sich die

Relationen in den folgenden Jahren nur unwesentlich. So lag das Bruttoinlandsprodukt je Einwohner in Ostdeutschland 1998 immer noch bei 56,1 Prozent der westdeutschen Vergleichsgröße, die Lohnstückkosten bei 124,1 Prozent.[10]

Im Vergleich mit osteuropäischen Ländern wird deutlich, dass die ökonomischen Auswirkungen der Transformation in Ostdeutschland besonders stark ausfielen. So sank das Bruttoinlandsprodukt, das 1990 in Ostdeutschland um 30,5 Prozent zurückging, in Polen nur um 11,6 Prozent, in der Tschechoslowakei und Ungarn sogar nur um 1,2 bzw. 3,5 Prozent und zeitverzögert 1991 ebenfalls, wie in Polen, um 11,6 bzw. 11,9 Prozent.[11] Die Arbeitslosenquote, die in Ostdeutschland in den 1990er Jahren anfangs nahezu konstant bei 15 Prozent lag und ab 1997 auf über 18 Prozent anstieg, betrug in der Tschechoslowakei im gleichen Zeitraum zwischen vier und acht Prozent und in Ungarn sechs bis neun Prozent. Nur in Polen bewegte sie sich von 1993 bis 1999 auf höherem Niveau zwischen zehn und 14 Prozent und stieg erst nach dem Jahr 2000 auf bis zu 19 Prozent.[12]

Die Ursachen für den plötzlichen ökonomischen Kollaps der ostdeutschen Wirtschaft liegen klar auf der Hand. Die DDR-Betriebe waren in aller Regel unter marktwirtschaftlichen Bedingungen nicht konkurrenzfähig, da sie mit einem veralteten oder verschlissenen Maschinenpark operierten und Waren produzierten, für die sich nach der Öffnung des Landes nur noch wenige Interessenten fanden. Der Zusammenbruch der Binnennachfrage ging zudem mit einem drastischen Rückgang der Exporte in die osteuropäischen Länder des früheren Rates für Gegenseitige Wirtschaftshilfe (RGW) einher, da sich die ehemaligen Kunden die ostdeutschen Produkte, die nach der Währungsunion in D-Mark, das heißt in Devisen, zu bezahlen waren, nicht mehr leisten konnten. Darüber hinaus führten die Währungsumstellung im Verhältnis von 1:1 sowie die Übernahme der westdeutschen Sozialstandards zu einer Kostenexplosion in den ostdeutschen Betrieben – insbesondere bei den Löhnen –, die angesichts der geringen Produktivität den Stückpreis in die

Höhe schnellen ließ und die Waren praktisch unverkäuflich machte.[13]

Ob diese Entwicklung vermeidbar gewesen wäre, ist – obwohl in anderen Transformationsländern wie Polen, der Tschechoslowakei oder Ungarn vergleichbare wirtschaftliche Einbrüche ausblieben – allerdings fraglich. Die Währungsumstellung war ebenso politisch geboten wie die rasche Anhebung der Löhne, die zwar noch lange unter dem Niveau der alten Bundesrepublik blieben, aber doch nur in seltenen Fällen der Produktivität der Betriebe entsprachen. Hinzu kam, dass die Bundesbank die Stabilität der D-Mark garantierte, während in den osteuropäischen Ländern die Inflation galoppierte: In Polen stieg der Preisindex für Konsumgüter 1991 um 70,3 Prozent, in der Tschechoslowakei um 56,7 Prozent und in Ungarn um 35 Prozent. In anderen Ländern waren sogar dreistellige Inflationszuwächse zu verzeichnen: in Bulgarien 338,5 Prozent, in Litauen 216,4 Prozent, in Estland 202,0 Prozent, in Lettland 172,2 Prozent und in Rumänien 170,2 Prozent. In den zwölf Staaten der ehemaligen Sowjetunion, die jetzt »Gemeinschaft Unabhängiger Staaten« (GUS) hieß, betrug der Preisanstieg 148,9 Prozent. Gegenüber dem US-Dollar verlor der Rubel damit über ein Viertel seines Wertes, während die D-Mark zwischen Ende 1990 und Ende 1992 um 5,2 Prozent an Wert zunahm.[14] Der Weg in eine inflationsfinanzierte Nachfrage war auf diese Weise in Ostdeutschland ebenfalls verbaut.

Es war also eine Kombination von Faktoren, die in den ersten Jahren nach der Wiedervereinigung zur ökonomischen Misere in Ostdeutschland beitrug. Keine der Entscheidungen, die zu dieser Entwicklung führten, hätte sich indessen ohne weiteres vermeiden lassen. Der 1:1-Umtauschkurs wurde von der ostdeutschen Bevölkerung und von allen ostdeutschen Parteien mit großem Nachdruck gefordert. Ein Verzicht auf die sofortige Anhebung der Löhne hätte die Gefahr sozialer Unruhen mit sich gebracht oder eine Fortsetzung der Massenmigration nach Westdeutschland bewirkt. Die Devisenknappheit der ehemaligen RGW-Kunden war von westlicher Seite nicht zu beeinflussen. Und eine Inflationsfinanzierung der Nachfrage kam in Deutschland nach den Erinnerungen an 1923 und 1948 nicht in Betracht, zumal die Bundesbank schon in der Währungsumstellung vom 1. Juli 1990 eine Gefahr für die Stabilität der D-Mark sah. Damit aber blieb keine andere Wahl, als die ostdeutsche Wirtschaft einer »Schocktherapie« auszusetzen, die sie nicht überleben konnte.

Die Verantwortung dafür wurde vielfach der Treuhandanstalt angelastet, der Kritiker den »Ausverkauf« der ostdeutschen Wirtschaft vorwarfen, obwohl der ökonomische Verfall ganz andere Ursachen hatte.[15] Die Idee zur Gründung einer Treuhand-Gesellschaft geht auf Überlegungen einer Gruppe »Freies Forschungskollegium Selbstorganisation« in der DDR zurück, die das Ziel verfolgte, eine »Nomenklatura-Privatisierung«, wie sie in anderen Ländern Ost- und Mitteleuropas betrieben wurde, zu verhindern.[16] Am 26. Februar 1990 stellte die Bürgerbewegung »Demokratie Jetzt« am Runden Tisch in Hohenschönhausen den Antrag, das in »Volksbesitz« befindliche Eigentum in einer Holding zusammenzufassen, um die Anteilsrechte der DDR-Bürger zu wahren. Der DDR-Ministerrat unter Hans Modrow griff den Vorschlag auf und beschloss am 1. März 1990 die Errichtung der »Anstalt zur treuhänderischen Verwaltung des Volkseigentums (Treuhandanstalt)«. Diese war offenbar nicht zuletzt, wie das Düsseldorfer *Handelsblatt* feststellte, »der Versuch, den Ausverkauf der volkseigenen Betriebe durch deren Generaldirektoren rechtlich zu unterbinden«[17].

Modrows »Genossen-Treuhand«, die von seinem Stellvertreter im Ministerrat, Peter Moreth, geleitet wurde und in der viele Führungskader der DDR-Planwirtschaft ein neues Betätigungsfeld fanden, sah sich allerdings zunächst vorrangig als Instrument der staatlichen Industriepolitik in einer quasi-sozialistischen Gesellschaft. Erst nach der Volkskammerwahl vom 18. März 1990 erhielt die Privatisierung unter der Regierung de Maizière höhere Priorität. Mit dem »Gesetz zur Privatisierung und Reorganisation des volkseigenen Vermögens (Treuhand-Gesetz)« vom

17. Juni 1990 wurde die Notariatsstelle der Treuhand in eine Privatisierungsbehörde umgewandelt und wuchs nun rasch zu einer Großorganisation mit 3 000 Mitarbeitern heran, die teils in der Berliner Zentrale, teils in einem der 15 Regionalbüros tätig waren. Ihre Aufgabe bestand darin, den umfangreichen staatlichen Grundbesitz und die darauf befindlichen Liegenschaften sowie 127 zentrale und 95 regionale Kombinate mit insgesamt 12 993 industriellen Unternehmen zu privatisieren. Die Erwartung, durch die Privatisierung einen Erlös von etwa 350 Milliarden DM zu erzielen, erwies sich jedoch schon bald als unrealistisch. Eine Expertenkommission, die noch unter Modrow eingesetzt worden war, bewertete lediglich 40 Prozent der DDR-Unternehmen als rentabel, 30 Prozent als sanierungsbedürftig und die restlichen 30 Prozent als nicht sanierungsfähig.[18]

Allerdings hielt auch diese Bewertung der Wirklichkeit nicht lange stand. Der desolate Zustand der meisten Unternehmen machte eine Sanierung oder Privatisierung schwierig und in vielen Fällen unmöglich. Als die Treuhandanstalt nach gut vierjähriger Tätigkeit am 31. Dezember 1994 ihre Arbeit beendete, konnte sie dennoch eine positive Bilanz vorweisen: Von den 12 354 Unternehmen, die sich letztlich in ihrem Portfolio befanden, wurden 6 546 (53 Prozent) privatisiert, 1 588 (13 Prozent) reprivatisiert, 310 (2,5 Prozent) kommunalisiert und 3 718 (30 Prozent) liquidiert. Die Treuhandanstalt konnte dabei Einnahmen in Höhe von knapp 40 Milliarden DM verbuchen, denen Ausgaben in Höhe von 166 Milliarden DM gegenüberstanden. Das zahlungsbezogene Finanzierungsdefizit betrug demzufolge 126,4 Milliarden DM, zu denen weitere 72,7 Milliarden DM für Altkreditentschuldung und 5,3 Milliarden DM für sonstige Aufgaben hinzukamen. Insgesamt hinterließ die Treuhand somit ein Defizit von 204,4 Milliarden DM, das zum 1. Januar 1995 in den »Erblastentilgungsfonds« überführt wurde.[19]

Das Privatisierungsziel der Treuhand wurde also in vier Jahren erreicht – allerdings zu einem hohen Preis: Für jede D-Mark, die von privater Seite für den Kauf eines ostdeutschen

Unternehmens aufgewandt wurde, mussten drei D-Mark von der öffentlichen Hand zur Verfügung gestellt werden, um Altschulden abzutragen oder Umweltschäden zu beseitigen. Ohne diese öffentlichen Beiträge hätte es kaum Interessenten für die DDR-Unternehmen gegeben, da Erwerbungen sich betriebswirtschaftlich nicht gerechnet hätten. Dies bedeutete jedoch auch, dass jeder Privatisierungserfolg das finanzielle Defizit der Treuhand vergrößerte. Zugleich konnte die Treuhandanstalt aber darauf verweisen, dass ihrem Finanzierungsdefizit Investitionszusagen in Höhe von 211,1 Milliarden DM und rund 1,5 Millionen vertraglich garantierte Arbeitsplätze gegenüberstanden.

Gleichwohl befand sich die Treuhandanstalt praktisch seit Anbeginn im Kreuzfeuer der Kritik. Ihr wurde vorgeworfen, dass sie der Privatisierung Vorrang vor der Sanierung einräume, dass zu wenige ostdeutsche Investoren berücksichtigt würden und dass das Prinzip, Unternehmen an frühere Eigentümer zurückzugeben statt diese zu entschädigen, Investitionen verhinderte.[20] Auch die kriminellen Machenschaften und dubiosen Geschäfte einzelner Mitarbeiter trugen dazu bei, der Treuhandanstalt ein Negativ-Image zu verleihen, von dem sie sich nie mehr befreien konnte. Tatsächlich war die Wirtschaftskriminalität im Umfeld der Treuhand angesichts der hohen Summen, um die es ging, wohl nicht zu vermeiden. Insgesamt wurden rund 1 300 Ermittlungsverfahren eingeleitet, die bis September 1999 zu 180 Anklagen und 128 rechtskräftigen Verurteilungen führten. Die Dunkelziffer dürfte allerdings weit höher liegen. Der Schaden, der durch die vereinigungsbedingte Wirtschaftskriminalität entstand, wird vom ehemaligen Leiter der Zentralen Ermittlungsstelle Regierungs- und Vereinigungskriminalität, Manfred Kittlaus, auf einen hohen zweistelligen Milliardenbetrag geschätzt.[21]

Entscheidend für die Beurteilung der Treuhand durch die ostdeutsche Bevölkerung war jedoch die sogenannte »Abwicklung« der DDR-Unternehmen, die nach Auffassung vieler ehemaliger DDR-Bürger nur auf westlicher Profitgier und Kolonialherrenmentalität beruhte und zum Verlust von Arbeitsplätzen führte, die eigentlich zu erhalten gewesen wären. Obwohl es sich bei der weit überwiegenden Zahl der Mitarbeiter der Treuhandanstalt zunächst um Ostdeutsche handelte und nur die Führungsetagen mit Westdeutschen besetzt waren, stimmten in einer Umfrage bereits Mitte 1991 nicht weniger als 63 Prozent der Ostdeutschen der Aussage zu, die Westdeutschen hätten »die ehemalige DDR im Kolonialstil erobert«[22].

Auch wenn die meisten Vorwürfe sich bei nüchterner Betrachtung als ungerechtfertigt erwiesen, zeigten die gegen die Privatisierungen gerichteten Proteste und Demonstrationen, an denen Zehntausende von Menschen teilnahmen, doch Wirkung. Vor allem der Präsident der Treuhandanstalt, Detlev Karsten Rohwedder, der seit 1969 der SPD angehörte und sich in den 1980er Jahren einen Namen als erfolgreicher Sanierer der Dortmunder Hoesch AG gemacht hatte, galt vielen bald als »Knochenhand des Sensenmannes« und wurde praktisch zum Symbol für die umstrittene Politik der Privatisierung. Als er am 1. April 1991 in seinem Haus in Düsseldorf von einem Kommando der Terrororganisation »Rote Armee Fraktion« (RAF) mit der Begründung ermordet wurde, er sei »einer dieser Schreibtischtäter, die täglich über Leichen gehen«, wie es im Bekennerschreiben der RAF heuchlerisch hieß, wuchs allerdings die Nachdenklichkeit. Nicht wenige fragten, ob die Kritik an seiner Person berechtigt gewesen war oder ob man mit ihm nicht eine Figur zum Gegenstand öffentlichen Hasses gemacht hatte, die diese Ablehnung gar nicht verdiente.[23]

Die Nachfolge Rohwedders übernahm Birgit Breuel, bis 1990 Finanzministerin in Niedersachsen. Die »Eiserne Lady«, die schon unter Rohwedder dem Vorstand der Treuhand angehört hatte, verschärfte das Privatisierungstempo weiter und erwarb sich damit den Ruf einer »Jobkillerin«. Ihr »oberstes Ziel«, so der Pressesprecher der Fraktion Bündnis 90/Die Grünen im Bundestag und Autor eines Buches über den »Treuhand-Skandal«, Heinz Suhr, sei »die kreative Zerstörung der ehemals sozialistischen

Wirtschaft« gewesen.[24] Dazu zählte auch die Tatsache, dass Breuel im August 1991 nicht weniger als 1400 Ostmanager aus dem Dienst der Treuhand entließ, davon je 400 aus fachlichen Gründen oder aufgrund politischer Belastungen (wie inoffizieller Mitarbeit für das MfS), 100 wegen begangener Straftaten und 500 aus betrieblichen Erfordernissen. Ebenso energisch ging sie allerdings gegen Amtsmissbrauch in den eigenen Reihen vor, um zweifelhafte Geschäfte und kriminelles Verhalten so weit wie möglich auszuschließen.[25] Die grundsätzlichen Vorbehalte gegen die Treuhand und die »Yuppies« aus dem Westen, die als »Abwickler« im »Wilden Osten« auch vor Seilschaften mit den alten Genossen nicht zurückschreckten, konnte sie jedoch ebenso wenig abbauen wie ihr Vorgänger, so dass das Treuhand-Kapitel ungeachtet aller Erfolge eher zu den dunklen Abschnitten des deutschen Einigungsprozesses zählt.

Das Stasi-Problem

Die Besetzung der Zentrale des Ministeriums für Staatssicherheit (MfS) in der Berliner Normannenstraße durch Anhänger der DDR-Bürgerbewegungen Mitte Januar 1990 bildete den Höhepunkt öffentlicher Proteste gegen die sogenannte »Stasi«, die in den Jahren der SED-Herrschaft viel Hass auf sich gezogen hatte. Die Leitung des MfS hatte bereits im November 1989 erste Anweisungen zur Vernichtung von Akten erlassen, um eine spätere Untersuchung der operativen Tätigkeit des Dienstes zu erschweren. Im Dezember war es in einigen Bezirksstädten der DDR zu Besetzungen von Stasi-Dienststellen gekommen. Der »Sturm auf die Normannenstraße«, wie man damals in militant-übertriebener Rhetorik in den Reihen der Bürgerbewegung gern sagte, verhinderte nun, dass ein Großteil wichtiger Stasi-Akten im Reißwolf oder in der Müllverbrennung landete. Die Bürgerrechtler beharrten darauf, dass die Taten des MfS offengelegt und die Verantwortlichen zur Rechenschaft gezogen werden müssten. Diese Stimmung hielt jedoch nicht lange an.

Joachim Gauck – bis zur »Wende« Pfarrer in Rostock, Mitglied des »Neuen Forums« und von März bis Oktober 1990 Abgeordneter der Volkskammer sowie seit dem 3. Oktober 1990 Sonderbeauftragter der Bundesregierung für die personenbezogenen Unterlagen des ehemaligen Staatssicherheitsdienstes der DDR – schrieb bereits 1991, seitdem mit der Auflösung des Staatssicherheitsdienstes begonnen worden sei, habe es immer wieder den Vorschlag gegeben, sich »seines unheimlichen Erbes auf einfache Weise zu entledigen«. Die »kilometerlangen Bestände der Akten und Dateien« sollten »so schnell wie möglich vernichtet werden«. Das Aussparen bestimmter Probleme aus der öffentlichen Diskussion habe jedoch, so Gauck, noch keiner Gesellschaft geholfen – gerade das sei ja »eine Lehre aus dem Zusammenbruch der DDR«.[26]

So verabschiedete der Deutsche Bundestag 1991 mit großer Mehrheit ein Gesetz, das am 29. Dezember 1991 in Kraft trat und die Öffnung der Stasi-Akten für Betroffene, aber auch für Journalisten und Wissenschaftler regelte. Die auf der Grundlage dieses Gesetzes eingerichtete Behörde, deren Leitung Gauck übernahm, trug den etwas umständlichen Titel »Bundesbeauftragter für die Unterlagen des Staatssicherheitsdienstes der Deutschen Demokratischen Republik« (BStU) und wurde meist nur verkürzt nach ihrem Leiter »Gauck-Behörde« genannt.[27] Bis zum Ende der Amtszeit Gaucks im Oktober 2000 konnten über 1,7 Millionen Privatpersonen Einsicht in die Unterlagen nehmen, die der Staatssicherheitsdienst über sie geführt hatte. Zudem erschienen zahllose Presseberichte und wissenschaftliche Abhandlungen, die zu einem besseren Verständnis der Geschichte und Arbeitsweise der Stasi beitrugen.[28]

Schon Mitte der 1990er Jahre gab es jedoch nicht wenige, denen der Umgang mit den Stasi-Akten Unbehagen bereitete. In ähnlicher Weise, wie die zunächst herbeigesehnte wirtschaftliche Transformation inzwischen als »Zerstörung einer ›einheimischen‹ Wirtschaftsstruktur« und als »Ausbeutung der vorhandenen ökonomischen Ressourcen« durch Glückritter aus der

Bundesrepublik gedeutet wurde, beklagten Vereinigungskritiker nun auch die westliche »Siegerjustiz«, die zur »Zerstörung einer gewachsenen – wie auch immer problematischen – Identität einer Bevölkerung« beitrage.[29] Von »Hexenjagd« auf ehemalige MfS-Mitarbeiter war die Rede, sogar davon, dass die Gauck-Behörde »Munition für eine Menschenjagd« liefere, wie der letzte Innenminister der DDR, Peter Michael Diestel, behauptete.[30] Rückblickend hielt im Juni 1994 nur jeder dritte Ostdeutsche die DDR noch für einen »Unrechtsstaat«, vier Jahre später nicht einmal mehr jeder Vierte, und unter den Anhängern der PDS waren es gar nur vier Prozent. Die »Aufarbeitung« der Stasi-Vergangenheit, ursprünglich ein Kernanliegen der Bürgerbewegung in der DDR, hatte ihren Rückhalt in der Bevölkerung verloren und lag nun praktisch ausschließlich in den Händen weniger Spezialisten, die damit von Berufs wegen befasst waren.

Vereinigungskrise: Entfremdung in der Einheit

Die Kritik an der Treuhand und an der Behandlung des Stasi-Problems, das Ausmaß der Veränderung und Entwurzelung im Osten, aber auch wachsende Skepsis gegenüber der Wiedervereinigung im Westen ließen den Historiker Jürgen Kocka bereits 1995 von einer »Vereinigungskrise« sprechen. Es mangele, monierte er, »allenthalben an Patriotismus – nicht zu verwechseln mit Nationalismus –, der als Grundlage zur Legitimierung der Opfer und Neuverteilungen dienen könnte«.[31] Die Verwestlichung der DDR war an ihre Grenzen gestoßen, finanziell wie psychologisch, und war doch nicht mehr zu korrigieren. Das von Kocka zu Recht beklagte Legitimitätsdefizit wuchs im selben Umfang, in dem die Belastungen zunahmen und die erhofften positiven ökonomischen Resultate auf sich warten ließen. Das Wirtschaftswunder, das in den 1950er Jahren in der alten Bundesrepublik maßgeblich zur Akzeptanz der parlamentarischen Demokratie, der sozialen Marktwirtschaft und der Westintegration beigetragen hatte, blieb diesmal aus. Und eine gemeinsame ideologische Brücke oder ein in Ost und West gleichermaßen favorisiertes Zukunftsmodell der politischen, wirtschaftlichen und gesellschaftlichen Entwicklung, an dem man sich hätte orientieren können, gab es nicht.

Dennoch lässt sich nicht behaupten, dass der Wiedervereinigungsprozess statisch gewesen sei oder die Integration der beiden deutschen Staaten keine Fortschritte gemacht habe. So hat Rolf Reißig drei Phasen der Entwicklung unterschieden: Der erste Abschnitt, der mit der Öffnung der Mauer am 9. November 1989 begann und bis Ende 1990 dauerte, war durch die rasche, fast atemlose Herstellung der deutschen Einheit und die dadurch geprägten spezifischen Wahrnehmungsmuster gekennzeichnet. Alternativen, wie sie im Westen etwa von Oskar Lafontaine und im Osten von den Bürgerbewegungen, Reformsozialisten oder Oppositionsparteien artikuliert wurden, hatten dagegen keine Chance und wurden von der Entwicklung überrollt. Bei der Mehrheit der Ostdeutschen dominierten in dieser Zeit die Freude über die gewonnene Freiheit und Zukunftsoptimismus.

Die zweite Phase, die Anfang 1991 einsetzte und bis 1994/95 anhielt, war durch die Deindustrialisierung Ostdeutschlands und die Abwicklung wirtschaftlicher, sozialer, kultureller und wissenschaftlicher Einrichtungen der ehemaligen DDR geprägt. Die damit einhergehende Massenarbeitslosigkeit, die plötzliche Konfrontation mit einer völlig neuen ökonomischen und soziokulturellen Umwelt sowie die Entwertung bisheriger Institutionen, Normen und Leistungen lösten einen »Transformations- und Einheitsschock« aus, der verbreitet zu Verunsicherung, Enttäuschung und Resignation führte. Hieraus speiste sich der Begriff »Vereinigungskrise«.

In der dritten Phase, die Mitte der 1990er Jahre begann, als der Systemwechsel und der Institutionentransfer praktisch abgeschlossen waren, mischten sich gesellschaftliche Kritik und Distanz mit dem Ringen um Anerkennung, Selbstbehauptung und individuelle Anpassung. Man stellte sich subjektiv auf die

Wiedervereinigung ein und suchte sich in den neuen Strukturen zu orientieren. Je nach Erfolg oder Misserfolg wurden die neuen Verhältnisse dabei als Glücksfall, Chance und Herausforderung oder als Belastung, Ausgrenzung, Trauma und Ende bisheriger Lebensentwürfe begriffen. Dabei blieb aber zunächst mehrheitlich eine, im Westen nur vereinzelt anzutreffende, Nachdenklichkeit gegenüber der Demokratie und der Marktwirtschaft bestehen, die auch die Einstellung zur politischen Klasse und deren Politikinszenierung prägte. Die damit einhergehende Hinwendung zum Alltagsleben, zur Alltagskultur und zur eigenen Biografie und Lebenswelt sowie das sich entwickelnde »Wir-Gefühl« der Ostdeutschen – im Westen oft als nostalgische Reminiszenz abgetan – waren sozialpsychologische Strategien zur Bewältigung einer nicht mehr ganz fremden, aber auch noch nicht völlig akzeptierten, jedenfalls nicht als eigen begriffenen politisch-kulturellen und sozialen Umwelt, die mit ihren radikalen Veränderungen das gewohnte Dasein so grundlegend und so schnell erschütterte, dass dem Einzelnen keine Zeit blieb, sich dem geschichtlichen Umbruch anzupassen.[32]

Meinungsumfragen belegen diese Tendenz in vielen Punkten. So schätzten die Ostdeutschen ihre Lebenssituation in den 1990er Jahren zwar durchgängig schlechter ein als die Westdeutschen, aber es bestand ein deutlicher Aufwärtstrend: Während 1990 nur 38 Prozent der Ostdeutschen meinten, ihre Lebenssituation sei gut, waren 1993 bereits 42 Prozent und 1998 sogar 54 Prozent dieser Auffassung.[33] Die Vergleichszahlen für die Westdeutschen lagen in den 1990er Jahren durchweg zwischen 67 und 68 Prozent. Auf die Frage nach der Veränderung der Lebensbedingungen erklärten 1990 48 Prozent der Ostdeutschen, sie hätten sich verbessert, 29 Prozent meinten, sie seien gleich geblieben, und 23 Prozent waren der Auffassung, sie hätten sich verschlechtert. 1998 antworteten dagegen schon 59 Prozent, die Umstände hätten sich verbessert, 25 Prozent, sie seien gleich geblieben, und nur noch 16 Prozent, sie hätten sich verschlechtert. Bei den Westdeutschen meinte die überwiegende Mehrheit sowohl 1990 als auch 1998 (59 bzw. 60 Prozent), sie seien gleich geblieben, während ein gleich großer Teil (je 20 Prozent) angab, sie hätten sich verbessert bzw. verschlechtert.[34] Deutlichere Unterschiede offenbarten sich dagegen bei der Gerechtigkeitsproblematik. So glaubten 1996 immerhin 62 Prozent der Ostdeutschen – gegenüber 33 Prozent im Westen –, dass sie im Vergleich zu »anderen« nicht ihren gerechten Anteil erhielten.[35] In dieser Zahl kam die Unzufriedenheit über die allgemeine Entwicklung der Wiedervereinigung zum Ausdruck, obwohl sich die konkrete persönliche Lebenssituation zumeist verbessert hatte.

Auch bei den politischen Einstellungen gab es erhebliche Unterschiede zwischen Ost und West. So zeigten alle Umfragen in den 1990er Jahren, dass die Ostdeutschen eine geringere Demokratiezufriedenheit und auch ein geringeres Vertrauen in die staatlichen Institutionen besaßen als die Westdeutschen. Außerdem billigten sie wesentlich stärker als die Westdeutschen dem Staat eine gestaltende Rolle zu, waren aber zugleich überzeugt, die politische Klasse sei den an sie gestellten Anforderungen nicht gewachsen. In den 1990er Jahren ließ sich sogar ein Rückgang der Unterstützung für die Idee der Demokratie beobachten. Dasselbe galt für die Bewertung der Meinungsfreiheit, des Rechts auf Opposition und des Alternierens von Parteienregierungen. Auch wenn sich 1998 in den neuen Bundesländern noch eine Mehrheit von 61 Prozent als »kritische« oder »zufriedene« Demokraten bezeichnete, standen ihr immerhin 38 Prozent gegenüber, die sich in die Kategorien »opportunistische Demokraten« und »Nichtdemokraten« einreihten. 1994 hatte das Verhältnis noch 65 zu 34 Prozent betragen.[36] Die vom Institut für Demoskopie in Allensbach gestellte Frage »Glauben Sie, die Demokratie, die wir in der Bundesrepublik haben, ist die beste Staatsform, oder gibt es eine andere Staatsform, die besser ist?« beantworteten 1990 noch etwa 40 Prozent der Ostdeutschen positiv für die Bundesrepublik, 1998 nur noch 30 Prozent; in den alten Bundesländern lagen die Vergleichszahlen in dieser Zeit kontinuierlich zwischen 70 und 80 Prozent.[37]

Von einem erfolgreichen Zusammenwachsen der beiden deutschen Teilgesellschaften konnte somit – vor allem im Bereich der politischen Kultur – bis Ende der 1990er Jahre noch nicht die Rede sein. Auch wenn es übertrieben scheint, die »Mauer in den Köpfen« zu sehr zu betonen, da dieses Bild die in Ost und West erbrachten Leistungen für die Wiedervereinigung über Gebühr schmälert, waren die Unterschiede zwischen Ost und West nicht zu übersehen. Allerdings ist zu berücksichtigen, dass die Etablierung einer demokratischen politischen Kultur in der alten Bundesrepublik ebenfalls erst in den späten 1960er oder frühen 1970er Jahren abgeschlossen war; sie nahm also etwa zwei Jahrzehnte in Anspruch. Hier erfolgte der Wandel aber unter wesentlich günstigeren Rahmenbedingungen als nach 1989/90 im Bereich der ehemaligen DDR, weil das Wirtschaftswunder, die Modernisierung der Gesellschaft, die Etablierung eines integrationsfähigen Parteiensystems, vor allem jedoch das weit überwiegende Bewusstsein einer vollständigen Diskreditierung des vorangegangen nationalsozialistischen Regimes – einschließlich der totalen Niederlage im Krieg – in der Bundesrepublik als mächtige Antriebskräfte der politischen Neugestaltung wirkten.[38] Im vereinten Deutschland nach 1990 bestanden solche Bedingungen nur zum Teil. Deshalb ist damit zu rechnen – wie der Politikwissenschaftler Oscar W. Gabriel in Anlehnung an Willy Brandt betonte –, »dass es noch lange dauern wird, bis zusammengewachsen ist, was zusammen gehört«[39].

Reformstau: Fehlperzeption oder Wirklichkeit?

Ein ebenso wichtiger wie verständlicher Grund für die Unzufriedenheit der Ostdeutschen in den 1990er Jahren war die beständig hohe Arbeitslosigkeit. Die Ursachen dafür lagen allerdings nicht nur in der deutschen Einigung selbst – dem Zusammenbruch der ostdeutschen Unternehmen –, sondern auch im Prozess der ökonomischen Globalisierung. Die zunehmende Internationalisierung des Arbeitsmarktes, der Zuzug von Arbeitskräften aus Niedriglohngebieten außerhalb der Europäischen Gemeinschaft, vor allem aber der Kampf um Produktionsstandorte und die Verlagerung von Produktionsstätten in Länder mit vereinfachten Genehmigungsverfahren, geringeren Umweltauflagen, niedrigeren Steuern und minimalen Arbeitskosten übten schon lange vor der Vereinigung großen Druck auf den deutschen Arbeitmarkt aus. So war die Arbeitslosenzahl in der alten Bundesrepublik bereits seit den 1970er Jahren deutlich gestiegen. Die wachsende Bedeutung multinationaler Unternehmen und der wirtschaftliche Aufschwung der asiatischen Schwellenländer, aber auch der technische Fortschritt in der Kommunikationstechnologie trugen dann in den 1980er Jahren dazu bei, die Globalisierung zu fördern und in den westlichen Industrieländern einen Arbeitsplatzabbau und sogar eine allgemeine Rezession auszulösen. Der Zusammenbruch des Ostblocks verstärkte diese Tendenz weiter.[40]

Ohne die Wiedervereinigung wären die Folgen dieser Entwicklung für die Bundesrepublik schon früher spürbar gewesen. Durch den Einigungsboom, der sich aus den neuen Absatzchancen für die westdeutsche Wirtschaft im Osten Deutschlands ergab, setzten die Auswirkungen der Globalisierung hier jedoch erst mit Verzögerung ein. Während das Bruttoinlandsprodukt in Ostdeutschland 1990/91 um 30,5 Prozent zurückging, nahm es in den alten Bundesländern 1990 um real 5,7 Prozent und 1991 noch einmal um 5,0 Prozent zu. Während im Osten von 1989 bis 1994 etwa 3,5 Millionen Arbeitsplätze verloren gingen, stieg ihre Zahl im Westen in der gleichen Zeit um 1,2 Millionen auf knapp 29 Millionen an. Die Arbeitslosenquote sank dadurch im Westen 1990/91 von 7,9 auf 6,3 Prozent. Erst 1992/93 wirkte sich die weltweite Rezession mit einem Rückgang des Bruttoinlandprodukts um zwei Prozent im Jahre 1993 auch auf Westdeutschland aus.[41]

Obwohl die weltweite Konjunktur seit 1994 wieder anzog, konnte sich der deutsche Arbeitsmarkt von der inzwischen eingetretenen Entwicklung nicht mehr erholen. Drei Faktoren wirkten nun zusammen: Unter dem Druck der Globalisierung verlagerten die multinationalen Unternehmen ihre deutschen Produktionsstätten zunehmend in Billiglohnländer, um Kosten zu sparen; die Rezession wurde in Westdeutschland von den Unternehmen zu einer strukturellen Anpassung genutzt, die in der Regel mit dem Verlust von Arbeitsplätzen verbunden war. Die Leistungsfähigkeit der ostdeutschen Wirtschaft blieb auch Jahre nach dem Zusammenbruch, der mit einem dramatischen Rückgang der Beschäftigung einhergegangen war, trotz allmählich steigender Produktivität noch immer weit hinter derjenigen Westdeutschlands zurück, so dass die Arbeitslosigkeit hier von 14,9 Prozent 1995 auf 19,5 Prozent 1997 sogar noch zunahm.[42]

Zudem erforderten die Übertragung des westlichen Modells der Wirtschafts- und Sozialordnung auf die ehemalige DDR und die Notwendigkeit, die Lebensverhältnisse in den beiden Teilen Deutschlands einander anzugleichen, gigantische öffentliche Transferleistungen von West nach Ost. Allein in den Jahren 1991 bis 1995 beliefen sie sich auf netto 106 bis 140 Milliarden DM pro Jahr, zusammen also auf 615 Milliarden DM. Insgesamt dürften von 1991 bis 2003 mehr als zwei Billionen DM vom Westen in den Osten Deutschlands transferiert worden sein.[43] Diese Leistungen stellten eine erhebliche Belastung der öffentlichen Haushalte dar. Der Schuldenstand der Bundesrepublik, der 1989 noch bei 929 Milliarden DM gelegen hatte, stieg bereits bis 1995 auf mehr als das Doppelte – insgesamt 1 996 Milliarden DM.[44] Davon entfielen etwa 60 Prozent auf den Bund und ein Drittel auf die Länder, der Rest auf die Kommunen und Sozialversicherungsträger. Strukturelle Arbeitslosigkeit und Staatsverschuldung waren deshalb schon bald zentrale Themen der öffentlichen Auseinandersetzung, bei der es darum ging, wer die politische Verantwortung trug und wie Abhilfe geschaffen werden könnte.

Natürlich wurden die Probleme vorrangig der Regierung Kohl angelastet. Bereits bei der Bundestagswahl 1994 konnte die CDU/CSU-FDP-Koalition ihre Macht nur mit Mühe behaupten. Der eigentlich farblose SPD-Kanzlerkandidat Rudolf Scharping unterlag Bundeskanzler Kohl nur knapp. Die wirtschaftliche Rezession, die Globalisierung und die hohen Kosten der deutschen Einigung hatten politische Wirkung gezeigt. Sogar der »Wirtschaftsstandort Deutschland« schien in Frage gestellt.

Die Bundesregierung war deshalb zu Korrekturen gezwungen. Dabei neigten Union und FDP der Auffassung zu, dass eine Stärkung der Marktkräfte am besten geeignet sei, die Wettbewerbssituation Deutschlands zu verbessern. Durch Maßnahmen – wie die Senkung der Lohnfortzahlung im Krankheitsfall, die Aufhebung des Kündigungsschutzes für Betriebe mit höchstens zehn Beschäftigten und die Anhebung des Rentenalters oder die Kürzung der Arbeitslosenhilfe – sollten die Kosten für die Unternehmen gesenkt und die Flexibilität des Arbeitsmarktes verbessert werden. Für Opposition und Gewerkschaften bedeuteten derartige Schritte jedoch einen Frontalangriff auf den Sozialstaat. Wie zuvor in Ostdeutschland, wo bereits seit mehreren Jahren gegen »Sozialabbau« demonstriert worden war, kam es nun auch in Westdeutschland zu Massenprotesten. Als der Deutsche Gewerkschaftsbund (DGB) im Juni 1996 zu einer Kundgebung in Bonn gegen die Politik der Bundesregierung aufrief, beteiligten sich daran immerhin 350 000 Menschen.[45]

Parallel zu den öffentlichen Protesten nutzte die Opposition das Instrument des Bundesrates, in dem sie die Mehrheit besaß, um entsprechende Gesetzesvorhaben der Bundesregierung zu Fall zu bringen. So scheiterten in der Legislaturperiode von 1994 bis 1998 nicht weniger als 22 von 421 Gesetzen, die im Bundestag bereits beschlossen waren, an der Zustimmung des Bundesrates – so viele wie noch nie zuvor. Wesentlichen Anteil an dieser Blockadepolitik der Opposition hatte Oskar Lafontaine, der auf dem SPD-Parteitag in Mannheim am 16. November 1995 in einer Kampfkandidatur, die er mit 321 zu 190 Stimmen für sich entschied, Rudolf Scharping als Bundesvorsitzenden der SPD ablöste.[46]

Bereits als saarländischer Ministerpräsident und Bundesratspräsident vom 1. November 1992 bis zum 31. Oktober 1993 hatte Lafontaine daran mitgewirkt, einige von der Zustimmung der Ländermehrheit abhängige Gesetzesvorhaben der von Kohl geführten Bundesregierung im Bundesrat scheitern zu lassen. Jetzt, 1997, gelang es Lafontaine sogar, die geplante große Steuerreform – ein zentrales Reformvorhaben der Regierung – im Bundesrat blockieren zu lassen. Der Vorwurf der SPD, die Regierung habe einen »Reformstau« zu verantworten, war deshalb umso erstaunlicher, als sie selbst maßgeblich dazu beitrug, Reformen zu verhindern. Allerdings konnte die SPD darauf verweisen, dass die von der Bundesregierung geplanten Maßnahmen in der Bevölkerung wenig Widerhall fanden, während Union und FDP sich schwer taten, sozialdemokratische Vorstellungen zu berücksichtigen. So entwickelte sich ein politisches Patt, das notwendige Entscheidungen vor allem in der Innen-, Wirtschafts- und Steuerpolitik nicht mehr zuließ, weil die bestehenden Institutionen sich gegenseitig lähmten.

7 Machtwechsel zu Rot-Grün

Mit Gerhard Schröder als Kanzler, Oskar Lafontaine als Finanzminister und Joschka Fischer als Außenminister übernahm 1998 erstmals eine rot-grüne Koalition die Regierung in Deutschland.

Der Machtwechsel, der sich nach der Bundestagswahl am 27. September 1998 in der Bundesrepublik vollzog, hatte sich bereits seit längerer Zeit abgezeichnet. Die Ära Kohl, die 1982 mit einem konstruktiven Misstrauensvotum gegen Bundeskanzler Helmut Schmidt begonnen hatte, neigte sich nach 16 Jahren Dauer dem Ende zu, auch wenn Kohl selbst dies bis zuletzt nicht wahrhaben wollte. Andererseits lief die Entwicklung keineswegs zwangsläufig auf das »rot-grüne Projekt« zu.[1] Die rot-grüne Koalition erscheint nur im Rückblick als logisch, weil die SPD ideologisch einem Bündnis mit den Grünen nahestand und weil ihr Kanzlerkandidat Gerhard Schröder von 1990 bis 1994 in Niedersachsen bereits eine Koalitionsregierung mit den Grünen angeführt hatte. Im Bundestagswahlkampf 1998 spielte Schröder indessen bis zuletzt mit dem Gedanken, eine Große Koalition mit der CDU/CSU zu bilden, für die auf Seiten der Union insbesondere Bundesverteidigungsminister Volker Rühe und der ehemalige baden-württembergische Ministerpräsident Lothar Späth zur Verfügung standen. Erst das Wahlergebnis am Abend des 27. September, das für die Union das schlechteste Resultat nach 1949 bedeutete und überraschend ein Bündnis zwischen SPD und Grünen ermöglichte, ließ Schröder keine Alternative.

Beginn der Regierung Schröder-Fischer

Die Vorgeschichte des Machtwechsels zu Rot-Grün ist vielschichtiger, als zumeist angenommen wird. Die CDU/CSU-FDP-Koalition, die seit 1982 regierte, war 1994 zwar nur mit einer hauchdünnen Mehrheit von zwei Mandaten wiedergewählt worden, zu denen dann noch acht Überhangmandate hinzukamen. Aber die Spekulation, dass die Regierung Kohl das Ende der Legislaturperiode nicht mehr erleben werde, erwies sich als falsch. Grund dafür war nicht die Stärke der Union, sondern die Schwäche der Opposition. Auch wenn die SPD den Bundesrat kontrollierte und damit die Politik der Bundesregierung in wichtigen Punkten zu blockieren vermochte, konnte sie diesen Vorteil zunächst nicht nutzen, weil sie seit 1991, als Hans-Jochen Vogel aus Altersgründen auf dem Bundesparteitag in Bremen nicht mehr für den Parteivorsitz kandidiert hatte, innerlich zerstritten war.

Vogels Nachfolger, Björn Engholm, trat nach nur zweijähriger Amtszeit am 3. Mai 1993 nach Vorwürfen, er habe vor dem Untersuchungsausschuss in der Barschel-Affäre falsch ausgesagt, zurück.[2] Rudolf Scharping, der Engholm folgte, konnte sich in einer Urwahl der SPD-Mitglieder nur deshalb mit relativer Mehrheit gegen seine Rivalen Gerhard Schröder und Heidemarie Wieczorek-Zeul durchsetzen, weil er im Gegensatz zu Schröder nicht öffentlich erklärt hatte, dass er neben dem Parteivorsitz ebenfalls die Kanzlerkandidatur anstrebe, so dass auch diejenigen für ihn stimmen konnten, die sich Oskar Lafontaine als

Kanzler wünschten. Scharpings Niederlage bei der Bundestagswahl 1994 bildete folglich den Auftakt für einen innerparteilichen Machtkampf, den er nicht gewinnen konnte.[3]

In diesem Machtkampf, in dem sich Scharping hauptsächlich mit Lafontaine auseinandersetzen musste, kamen zu den persönlichen Differenzen bald auch inhaltliche Kontroversen hinzu, die teilweise auf offener Bühne ausgetragen wurden. Hier war es vor allem Gerhard Schröder, der mit dem wirtschaftsfeindlichen Kurs seiner Partei nicht einverstanden war, sondern – geprägt durch seine Erfahrung als Ministerpräsident in Niedersachsen und seine Verantwortung in Aufsichtsräten der Industrie, unter anderem bei Volkswagen – eine moderne Wirtschaftspolitik und eine enge Zusammenarbeit mit der Privatwirtschaft befürwortete.[4] Mit Lafontaine und Schröder konkurrierten somit Mitte der 1990er Jahre in der SPD zwei starke Persönlichkeiten, die weder inhaltlich noch menschlich harmonierten. Was beide verband, war nur der Wille zur Macht und die Gegnerschaft zu Kohl.

Es erstaunt daher kaum, dass die SPD 1995 bei Meinungsumfragen bundesweit nur noch 30 Prozent der Stimmen erhielt und zwischen 1995 und 1998 neun von elf Landtagswahlen verlor. Ausnahmen bildeten nur Niedersachsen am 1. März 1998, wo die Partei 3,6 Prozent hinzugewann, und Sachsen-Anhalt am 26. April 1998, wo sie sich um 1,9 Prozent verbesserte. Die CDU hingegen büßte nur bei vier Wahlen Stimmen ein, gewann jedoch sechs, und auch die CSU konnte bei der bayerischen Landtagswahl am 13. September 1998 ihr ohnehin bereits sehr gutes Ergebnis von 1993 um 0,1 Prozent auf 52,9 Prozent steigern, während die SPD mit 28,7 Prozent gegenüber 1993 nochmals knapp zwei Prozent verlor.

Diese Zahlen täuschen jedoch darüber hinweg, dass es für die SPD nach dem Mannheimer Parteitag – ungeachtet aller fortbestehenden Probleme in den Ländern – auf Bundesebene langsam aufwärts ging. Hauptgründe waren das nachlassende Wirtschaftswachstum und die zunehmende Arbeitslosigkeit, die von Lafontaine und Schröder konsequent der Regierung Kohl angelastet wurden. Beide machten dabei in der öffentlichen Diskussion einen kompetenten Eindruck, während Kohl, der sich noch nie besonders für Wirtschafts- und Finanzfragen interessiert hatte, seine Schwächen immer weniger verbergen konnte. Lafontaine und Schröder präsentierten sich damit als überzeugende Alternative zum amtierenden Kanzler. Offen war nur die Frage, wer von beiden die SPD 1998 als Kanzlerkandidat in den Wahlkampf führen sollte: Lafontaine besaß das Vertrauen der SPD-Basis, doch Schröder hatte nach Meinungsumfragen bessere Chancen, gewählt zu werden. Schließlich einigte man sich darauf, dass der Ausgang der Landtagswahl in Niedersachsen am 1. März über die Kanzlerfrage entscheiden sollte. Als Schröder dabei die absolute Mehrheit errang, kam dies nach acht Niederlagen der SPD bei Landtagswahlen in Folge einem Plebiszit für ihn gleich.

Nur zwei Wochen nach Schröders Wahlsieg in Niedersachsen verabschiedeten die Grünen auf ihrem Parteitag in Magdeburg ein Programm, das in weiten Teilen fundamentalistisch war und so unpopuläre Forderungen wie die Anhebung der Benzinsteuer auf fünf D-Mark je Liter aufwies. Schröder, der mit seinem Kurs der »Neuen Mitte« an die Angestellten, kleinen Geschäftsleute und Facharbeiter appellierte, die ihm schon in Niedersachsen zum Sieg verholfen hatten und die er nun auch bei der Bundestagswahl zu gewinnen suchte, erschienen solche Pläne abwegig. Seine Wahlstrategie setzte auf Wachstum und Arbeitsplätze, nicht auf Umweltschutz. Zwar gab es auch innerhalb der Grünen einen pragmatischen Flügel um Joschka Fischer, mit dem sich eine Zusammenarbeit vorstellen ließ. Aber die Magdeburger Beschlüsse waren für Schröder Grund, sich von den Grünen zu distanzieren und zu erklären, dass er hoffe, am Ende auch im Bund – wie in Niedersachen – ohne die Grünen regieren zu können. Er ließ die Koalitionsfrage damit bewusst offen, wobei er es ohnehin für fraglich hielt, ob überhaupt eine rechnerische Mehrheit für eine rot-grüne Koalition zustande kommen würde.

Im Bundestagswahlkampf trat Schröder stets mit Lafontaine als Team auf und demonstrierte damit nach außen eine Einigkeit, die im Innern nicht bestand. Doch die Arbeitsteilung zwischen ihnen funktionierte: Während Lafontaine die Kohl-Regierung scharf angriff, der er die hohe Arbeitslosigkeit und Sozialabbau – die 1996 vorgenommenen Rentenkürzungen, die Wiedereinführung einer Wartefrist bei der Lohnfortzahlung im Krankheitsfall sowie die Lockerung des Kündigungsschutzes für kleinere Betriebe – vorwarf, präsentierte sich Schröder als Vertreter der Neuen Mitte und malte die Zukunft eines sozialdemokratisch geführten Deutschlands in leuchtenden Farben.[5] Da er eine künftige Zusammenarbeit mit der Union keineswegs ausschloss, suchte er zudem ein Übermaß an Konfrontation zu vermeiden. Als die Grünen bei der Landtagswahl in Sachsen-Anhalt am 26. April 1998 an der Fünf-Prozent-Hürde scheiterten und als Koalitionspartner nicht mehr zur Verfügung standen, drängte er sogar darauf – allerdings vergeblich –, dass die SPD in Magdeburg eine Koalition mit der CDU eingehen sollte, anstatt sich als Alleinregierung von der PDS tolerieren zu lassen.

In den letzten Wochen vor der Wahl brachte Schröder das Thema Große Koalition auch auf Bundesebene erneut ins Gespräch.[6] Das Bündnis mit den Grünen erschien ihm inhaltlich und arithmetisch unsicher, und eine Koalition mit der Union hätte ihm innerparteilich den Spielraum verschafft, den er brauchte, um sein pragmatisches Sachprogramm durchzusetzen und sich der Parteilinken – einschließlich Oskar Lafontaine – zu erwehren. Außerdem zeigten Meinungsumfragen, dass die Wähler zwar das Ende der Ära Kohl, aber keineswegs eine grundlegende Änderung der Politik wünschten. In seinen Memoiren hat Schröder selbst dazu später nur einige vage Zeilen verfasst, die dennoch erkennen lassen, wie er damals dachte: »Ich wäre auch kein Gegner einer Großen Koalition gewesen. Im Gegenteil, der Berg von Problemen, den uns die Kohl-Regierung hinterlassen hatte, die Notwendigkeit von Reformen legten den Gedanken an eine Große Koalition nahe. Das glanzvolle Wahlergebnis von Rot-Grün am 27. September verwies derartige Überlegungen indessen in das Reich der Fantasie.«[7]

Das rot-grüne Bündnis nach der Bundestagswahl vom 27. September 1998 war somit für den neuen Bundeskanzler, anders als für viele seiner Parteigenossen, keine Herzensangelegenheit, sondern eher eine *coalition à contrecœur*, auf jeden Fall aber eine unvorhergesehene, erst aus dem Wahlergebnis geborene Zweckgemeinschaft, deren Zusammenspiel beträchtliche Konflikte erwarten ließ.[8] Probleme waren an zwei Fronten gleichzeitig zu befürchten: mit den Grünen aufgrund der unterschiedlichen Auffassungen zur Schließung der 19 Kernkraftwerke in Deutschland und der »*out of area*«-Einsätze der Bundeswehr im Rahmen der UNO und der NATO; und mit dem linken Flügel der SPD in Fragen der Wirtschafts- und Steuerpolitik, wobei Lafontaine – als Finanzminister – auch mit der Unterstützung der Gewerkschaften und der Öffentlichkeit rechnen konnte. Manche Beobachter hielten ihn für den mächtigsten Mann im Kabinett, stärker sogar als Schröder.[9]

Die solide Mehrheit von 21 Sitzen im Bundestag war dabei für Schröder kein Grund zur Beruhigung. Denn während knappe Mehrheitsverhältnisse zur Disziplin zwingen, bewirken scheinbar sichere Majoritäten leicht das Gegenteil: Zügellosigkeit und hemmungslose Forderungen der radikalen Flügel. Schröder ernannte deshalb Bodo Hombach, der erst im Sommer 1998 zum nordrhein-westfälischen Wirtschaftsminister berufen worden war, zum künftigen Leiter des Kanzleramtes im Range eines Bundesministers. Der selbstbewusste, hemdsärmelig-forsche Hombach, der in vielem an Horst Ehmke, den Kanzleramtsminister unter Willy Brandt, erinnerte, würde sein Amt, so durfte man vermuten, nicht als stiller Sekretär versehen, sondern eigene Akzente setzen, mit denen er Schröders Pragmatismus unterstützte. Noch ehe die Koalitionsverhandlungen beendet waren, meldete sich Hombach bereits mit einem Buch zu Wort, das den bezeichnenden Titel *Aufbruch. Die Politik der neuen Mitte* trug und Schröders Grundkonzeption programmatisch interpretierte.

Die meistzitierte Autorität darin war kein Linker, sondern Ludwig Erhard.[10]

Für die Grünen konnte das »glanzvolle Wahlergebnis«, das Schröder Rot-Grün in seinen Memoiren später bescheinigte, kaum gelten. Sie waren buchstäblich an die Macht gestolpert. Während die SPD sich mit 40,9 Prozent um 4,5 Prozent verbesserte, hatten die Grünen mit 6,7 Prozent der Wählerstimmen gegenüber 1994 0,6 Prozent verloren und lagen nur knapp vor der FDP mit 6,2 Prozent und der PDS mit 5,1 Prozent. Die CDU büßte 6,3 Prozent ein und erhielt 35,1 Prozent der Stimmen. Noch schlimmer als das Wahlergebnis war aber die innere Verfassung der Grünen, bei der in Magdeburg die alten Untugenden einer chaotischen basisdemokratischen Orientierung wieder aufgelebt waren. Schröder hatte deshalb schon im Wahlkampf klargestellt, wer in einer möglichen Koalition »Koch« und wer »Kellner« sein würde. Der designierte Außenminister Joschka Fischer und auch Jürgen Trittin, der die linke Mehrheit bei den Grünen repräsentierte und für das Amt des Bundesumweltministers vorgesehen war, zeigten jedoch Verständnis für Schröders Haltung. Beide akzeptierten seine Rollenverteilung, da sie selbst die Schwächen ihrer Partei, vor allem deren politische Unbefangenheit, am besten kannten. Fischer hatte die Grünen durch seinen Realismus, aber auch durch seinen Machtinstinkt auf Bundesebene erst regierungsfähig gemacht. Gemeinsam mit Trittin wirkte er nun als »Zuchtmeister« auf die Partei ein, angesichts der neuen Verantwortung den Dilettantismus und Voluntarismus des Magdeburger Parteitages unverzüglich zu überwinden.[11]

Inhaltlich einigten sich SPD und Grüne bei den Koalitionsverhandlungen vor allem darauf, das »Bündnis für Arbeit und Ausbildung« zwischen Regierung, Gewerkschaften und Arbeitgeberverbänden zu erneuern und eine »große Steuerreform« sowie eine »ökologische Steuerreform« auf den Weg zu bringen. Damit sollten zukunftsfähige Arbeitsplätze und ein »nachhaltiges Wachstum« entstehen. Auch eine »Innovationsoffensive in Bildung, Forschung und Wissenschaft« wurde in Aussicht gestellt, zudem als Sofortmaßnahme ein Programm, das 100 000 Jugendlichen Ausbildung und Beschäftigung bringen sollte. Zur Atompolitik wurde vereinbart, den »Ausstieg aus der Nutzung der Kernenergie [...] innerhalb dieser Legislaturperiode umfassend und unumkehrbar gesetzlich« zu regeln. Die von Kohl eingebrachte Rentenreform, die am 1. Januar 1999 in Kraft treten sollte, wurde ausgesetzt, ein neues Rentengesetz angekündigt. In der Außenpolitik bekannte man sich zur Unterstützung von friedenserhaltenden Einsätzen der UNO, allerdings verbunden mit dem Hinweis, dass dabei Völkerrecht und das deutsche Verfassungsrecht beachtet werden müssten.[12]

Nachdem Parteitage der Grünen und der SPD die Vereinbarungen gebilligt hatten – die Grünen wie gewohnt erst nach lebhafter Debatte, die SPD demonstrativ einmütig –, wurde Gerhard Schröder am 27. Oktober 1998 zum neuen Bundeskanzler gewählt. Von den anwesenden 666 Abgeordneten des Bundestages stimmten 351 für ihn – 16 mehr als die »Kanzlermehrheit« von 335 Stimmen. Mindestens sieben Abgeordnete der Oppositionsparteien mussten also für ihn votiert haben. Schröder erhielt damit als erster Kanzler in der Geschichte der Bundesrepublik mehr Stimmen, als das Regierungslager umfasste.[13] Helmut Kohl gratulierte seinem Nachfolger »gelassen und entspannt«, wie Beobachter vermerkten.

Anders als bei den Machtwechseln von 1982 und besonders 1969, in deren Umfeld das innenpolitische Klima aufgewühlt und belastet gewesen war, haftete dem Ereignis diesmal etwas Normales, Routinemäßiges an – ungeachtet der Tatsache, dass die Grünen erstmalig Regierungsverantwortung auf Bundesebene übernahmen. »Dieser Machtwechsel war gerade deshalb ein historisches Ereignis, weil man ihm die Geschichtlichkeit nicht anmerkte«, notierte rückblickend der Ressortleiter Innenpolitik der *Süddeutschen Zeitung*, Heribert Prantl. »Zum ersten Mal seit Bestehen der Bundesrepublik war das eigentlich Selbstverständliche selbstverständlich geworden. Das war der Zauber, der diesem Anfang innewohnte.«[14]

Kosovo-Konflikt und Krieg gegen Serbien

Doch Schröder war noch nicht gewählt, die neue Regierung noch nicht im Amt, als der erste große Streitpunkt, der die rot-grüne Koalition schon bald vor eine schwere Bewährungsprobe stellen sollte, seine Schatten voraus warf: der Kosovo-Konflikt. Am 12. Oktober 1998 entschied die alte Bundesregierung bei einem Treffen im Kanzleramt mit Gerhard Schröder, Oskar Lafontaine, Günter Verheugen und Joschka Fischer als den Vertretern der neuen Mehrheit, dass die Bundesrepublik sich beteiligen werde, wenn es wegen des Kosovo zum Krieg mit Serbien kommen werde. Der Bundestag, noch in seiner alten Zusammensetzung, billigte die Entscheidung vier Tage später.

Das Kosovo-Problem gehörte in den Zusammenhang der »Erbfolgekriege« und der Neuordnung auf dem Balkan nach dem Zerfall Jugoslawiens.[15] Während für Slowenien, Kroatien und Bosnien-Herzegowina inzwischen Lösungen gefunden worden waren, schwelte der Konflikt im Kosovo weiter. Das serbische Parlament hatte am 28. März 1989 die Autonomie der Provinz Kosovo unter Bruch der jugoslawischen Bundesverfassung aufgehoben, und der jugoslawische Präsident Slobodan Milošević zögerte danach nicht, das Parlament und die Regierung des Kosovo im Zuge seiner sogenannten »antibürokratischen Revolution« aufzulösen. Die Kosovo-Albaner riefen daraufhin zwar im September 1991 nach einem geheimen Referendum die »Republik Kosova« aus und wählten 1992 den Schriftsteller Ibrahim Rugova zu ihrem Präsidenten. Doch die von Rugova ernannte Regierung konnte ihre Amtsgeschäfte nur aus dem Exil wahrnehmen.

Auch das 1995 unter Führung der USA geschlossene Abkommen von Dayton über Kroatien und Bosnien-Herzegowina brachte für die Kosovaren keine Verbesserung, da es für ihr Land keinerlei Perspektiven enthielt. 1996 begann deshalb die UCK – die Untergrundarmee der Kosovo-Albaner, die im deutschen Verfassungsschutzbericht 1998 als »in ihrer Heimat terroristisch operierend«[16] eingestuft wurde – mit Angriffen gegen serbische Einrichtungen und Zivilisten. Einheiten der jugoslawischen Armee und serbische Sonderheiten hielten sich dagegen zunächst zurück. Erst im März 1998 unternahmen sie eine größere Offensive gegen die UCK, bei der es auch zu Übergriffen gegen die Kosovo-albanische Bevölkerung kam. Danach rissen die Zwischenfälle nicht mehr ab. Im Sommer 1998 befanden sich bereits etwa eine Viertelmillion Menschen auf der Flucht.

Anders als bei den vorangegangenen Balkan-Kriegen reagierte die UNO diesmal sofort. Der Weltsicherheitsrat äußerte sich am 24. August 1998 besorgt über die »heftigen Kämpfe im Kosovo, die verheerende Auswirkungen auf die Zivilbevölkerung« hätten, und beklagte »zunehmende Verstöße gegen das humanitäre Völkerrecht«. In Anbetracht der wachsenden Zahl der Vertriebenen und des herannahenden Winters könne sich die Situation sogar »zu einer noch größeren humanitären Katastrophe entwickeln«. Deshalb sei »eine sofortige Waffenruhe« erforderlich. Alle Flüchtlinge und Vertriebenen hätten das Recht, »an ihre Heimstätten zurückzukehren«.[17] Nur wenig später, am 23. September 1998, verabschiedete der Sicherheitsrat der Vereinten Nationen die Resolution 1199, in der auf »die exzessive und wahllose Gewaltanwendung seitens der serbischen Sicherheitskräfte und der jugoslawischen Armee« hingewiesen wurde, die zu »zahlreichen Opfern unter der Zivilbevölkerung« geführt hätten und nach Schätzungen »die Ursache für die Vertreibung von mehr als 230 000 Menschen« seien. In der Resolution wurden außerdem die Bundesrepublik Jugoslawien und die Führung der Kosovo-Albaner aufgefordert, »sofort in einen sinnvollen Dialog ohne Vorbedingungen und unter internationaler Beteiligung sowie nach einem klaren Zeitplan einzutreten, der zu einem Ende der Krise und zu einer politischen Verhandlungslösung der Kosovo-Frage führt«.[18]

Der Rat unterließ es jedoch, weitergehende Maßnahmen für den Fall anzudrohen, dass man dieser Aufforderung nicht folgte. Zwar hätte Kapitel VII der UN-Charta, unter dem die Resolution 1199 beschlossen worden war, wirtschaftliche und politische Sanktionen und sogar Militäreinsätze erlaubt. Doch derartige

Aktionen waren von der UNO nicht zu erwarten, da Russland – als traditionelle »Schutzmacht« Serbiens – dagegen sein Veto einlegen würde, wie der russische Außenminister Igor Iwanow seiner amerikanischen Amtskollegin Madeleine Albright bei einem Treffen in Moskau zu verstehen gab.[19] Die westlichen Sicherheitsratsmitglieder verlagerten ihre Beratungen daher in den NATO-Rat, in dem Russland nicht vertreten war. Nur ein glaubwürdiges Ultimatum, meinten sie, werde nach den Erfahrungen in Kroatien und Bosnien-Herzegowina bei Milošević Wirkung zeigen. Außerdem drängte die Zeit, wenn man noch vor dem Einbruch des Winters eine Lösung finden wollte. Vor allem aber durfte sich ein Massaker wie im Juli 1995 in Srebrenica, wo schätzungsweise 8000 bosnische Männer und Jungen ermordet worden waren, nicht wiederholen.[20]

Nachdem der NATO-Rat sich auf die Androhung von Luftschlägen gegen Serbien geeinigt hatte, wurde Richard Holbrooke, der schon beim Dayton-Abkommen eine Schlüsselrolle gespielt hatte, als Sonderbotschafter des amerikanischen Präsidenten nach Belgrad entsandt. Doch die serbische Führung zeigte sich kompromisslos. Am 11. Oktober meldete Holbrooke, Milošević setze darauf, dass Deutschland sich nach Bildung der rot-grünen Regierung an Militäraktionen der NATO nicht beteiligen werde und dass danach auch andere NATO-Staaten ihre Teilnahme verweigern würden. Das Bündnis wäre damit gespalten, seine Handlungsfähigkeit eingeschränkt. Er, Holbrooke, brauche deshalb unbedingt ein Zeichen für die Geschlossenheit der Allianz, um Milošević zum Einlenken bewegen zu können.

Das war der Stand, als Bundeskanzler Kohl, Außenminister Klaus Kinkel, Verteidigungsminister Volker Rühe und die Fraktionsvorsitzenden von CDU/CSU und FDP am 12. Oktober im Bonner Kanzleramt mit Schröder, Lafontaine, Verheugen und Fischer zusammentrafen, um über die aktuelle Entwicklung in der Kosovo-Frage und eine Mobilisierungsentscheidung der NATO (*Activation Order*) zu beraten. Kam es dazu, würde der Einsatzbefehl allein beim Oberbefehlshaber der NATO liegen; erteilte dieser – nach Rücksprache mit Washington – einen entsprechenden Befehl, bedeutete dies Krieg.

Tatsächlich ging es in der Runde im Kanzleramt aber nicht nur um die NATO und den Kosovo, sondern auch um das wahrscheinliche, jedoch noch nicht beschlossene Bündnis von Rot-Grün. So griff Volker Rühe, der die Hoffnung auf eine Große Koalition mit Schröder als Kanzler und sich selbst als Außenminister noch nicht aufgegeben hatte, in der Aussprache, in der sich alle Beteiligten des Ernstes der Situation bewusst waren, Fischer und die Grünen ungewöhnlich scharf an. Auch vier Tage später im Bundestag, am 16. Oktober, beschäftigte sich Rühe mehr mit den Grünen als mit dem Kosovo. Schröder hingegen hatte seine Entscheidung längst getroffen. Für ihn genoss die Verlässlichkeit Deutschlands im Bündnis oberste Priorität. Daher fragte er Fischer, ob er dies ebenfalls so sehe. Auch Fischer, der keine Möglichkeit gehabt hatte, sich vor dem Gespräch im Kanzleramt mit seiner Partei abzustimmen, schwankte nicht: »In der Sache war die Entscheidung richtig und unaufschiebbar«, bemerkte er dazu in seinen Erinnerungen. »Deutschland konnte sich nicht mehr heraushalten und eine Spaltung des Bündnisses riskieren. Machtpolitisch war sie alternativlos. Also hieß dies Zustimmung. Ich nickte als Antwort auf die Frage von Gerhard Schröder mit dem Kopf. ›Dann machen wir das so‹, war seine Feststellung. Danach folgte noch die Erörterung parlamentarischer Verfahrensfragen und der Termine für die Sondersitzung des Deutschen Bundestages.«[21]

Fischers Kopfnicken am 12. Oktober im Kanzleramt bedeutete die eigentliche Geburtsstunde der rot-grünen Koalition. Hätte er sich verweigert, wäre die Koalition nicht zustande gekommen. Schröder hätte keine andere Wahl gehabt – und wohl auch nicht gezögert –, eine Große Koalition mit Volker Rühe als Außenminister und Vizekanzler zu bilden. Fischers Zustimmung hingegen schuf die Basis für die rot-grüne Regierung. Der Effekt zeigte sich auch in außenpolitischer Hinsicht sofort: Das Ultimatum der NATO, das Luftangriffe gegen Serbien androhte, falls Belgrad seine Politik gegenüber dem Kosovo nicht änderte, blieb glaubwürdig, und Holbrooke gelang es noch am selben Tag, Milošević zum Einlenken zu bewegen. Ihre Vereinbarung sah den Rückzug serbischer Sicherheitskräfte aus den Kampfgebieten im Kosovo sowie Garantien für die Rückkehr der aus ihren Dörfern gewaltsam vertriebenen Kosovo-Albaner vor. Außerdem sollten internationale Beobachter der Organisation für Sicherheit und Zusammenarbeit in Europa (OSZE) vor Ort die Einhaltung der Vereinbarungen überwachen. Die NATO sollte das Recht erhalten, Aufklärungsflüge im Luftraum über dem Kosovo durchzuführen.

Als Joschka Fischer am 28. Oktober seine Antrittrede als Außenminister im Parlament hielt, spielte der Kosovo-Konflikt darin allerdings keine große Rolle. »Noch hielt ja die Holbrooke-Milošević-Vereinbarung. [...] Vielleicht hatten wir ja Glück und sollten tatsächlich an einer heißen Konfrontation vorbeikommen«, notierte er später.[22] Doch die Hoffnung erfüllte sich nicht. Bereits im Januar 1999 flammten die Kämpfe im Kosovo wieder auf. Nach einem Massaker in Račak, bei dem nach Berichten, die allerdings nur schwer zu verifizieren waren, 40 Kosovo-Albaner ermordet wurden, erneuerte die NATO ihr Ultimatum an Serbien. Friedensgespräche, die seit dem 6. Februar 1999 auf Schloss Rambouillet bei Paris und in der französischen Hauptstadt selbst stattfanden, endeten am 19. März ohne Ergebnis, da die Regierung in Belgrad die Stationierung von NATO-Truppen zur Überwachung des Friedensprozesses in ihrem Land und auch im Kosovo ablehnte. Vier Tage später, am 23. März, hoben vier deutsche »Tornado«-Kampfjets der Luftwaffe von ihrer Basis im italienischen Piacenza ab, um sich an der Bombardierung Restjugoslawiens zu beteiligen. Es war der erste Kampfeinsatz deutscher Streitkräfte seit dem Zweiten Weltkrieg – angeordnet ausgerechnet von einer rot-grünen Koalitionsregierung, dazu noch ohne klares Mandat der UNO.[23]

Der Luftkrieg, der ursprünglich nur für wenige Tage geplant gewesen war, dauerte bis zum 10. Juni und entwickelte sich zum

»rot-grünen Albtraum«[24]. Am Ende drohte sogar der Einsatz von Bodentruppen. Außenminister Fischer musste dafür auch persönlich büßen: Auf einem von Tumulten begleiteten Sonderparteitag der Grünen am 13. Mai 1999 in Bielefeld traf ihn mit großer Wucht ein Farbbeutel am Ohr. Die Atmosphäre in der Halle war hasserfüllt. Mit Sprechchören, Transparenten und Trillerpfeifen protestierten die Delegierten lautstark gegen den Krieg. Fischer wurde als Mörder, Kriegshetzer und Verbrecher beschimpft. Die Berliner *taz* sprach am folgenden Tag vom »Bodenkrieg in Bielefeld«[25]. Fischer selbst, der noch am 8. März in Belgrad versucht hatte, Milošević von seinem Konfrontationskurs abzubringen, und während des Krieges eine zentrale Rolle bei den Vermittlungsbemühungen spielte, indem er unter anderem darauf drängte, Russland an den Verhandlungen zu beteiligen, erklärte anschließend vor dem Parteitag: »Ich freue mich ja, wenn gesagt wird – von Christian Ströbele und anderen –, sie wollen, dass Joschka Fischer Außenminister bleibt. Aber dann müsst Ihr die Bedingungen auch dafür schaffen, dass ich erfolgreich Außenminister sein kann! [...] Ich sage euch: Ich halte zum jetzigen Zeitpunkt eine einseitige Einstellung – unbefristete Einstellung der Bombenangriffe – für das grundfalsche Signal. Milošević würde dadurch gestärkt und nicht geschwächt. Ich werde das nicht umsetzen, wenn Ihr das beschließt – damit das klar ist!«[26]

Tatsächlich lenkte Milošević erst ein, als Russland, das sich unter Präsident Boris Jelzin nach dem Zerfall der Sowjetunion diplomatisch wieder ins Spiel zu bringen suchte, zu verstehen gab, dass es Serbien bei seiner gewaltsamen Eroberungspolitik auf dem Balkan nicht mehr zu unterstützen gedachte. Die Beteiligung Russlands an der sogenannten »Kosovo-Troika«, die seit Mai 1999 über einen Friedensschluss für den Kosovo verhandelte, war deshalb essenziell. Die Troika bestand aus den Unterhändlern Viktor Tschernomyrdin für Russland, Strobe Talbott für die USA und dem finnischen Präsidenten Martti Ahtisaari für die Europäische Union. Ihr gelang es schließlich am 1./2. Juni auf dem Bonner Petersberg, eine Einigung zu erzielen. Nach einigen

Ergänzungen hinsichtlich ihrer militärischen Umsetzung wurde der Text für eine Resolution des UN-Sicherheitsrates am 8. Juni von den Außenministern der G 8-Staaten im Kölner Gürzenich verabschiedet. Das dazugehörige militärisch-technische Abkommen konnte bereits am folgenden Abend im mazedonischen Kumanovo unterzeichnet werden. Die serbischen Truppen zogen aus dem Kosovo ab. Eine von der NATO geführte Friedenstruppe (KFOR), an der sich auch Deutschland beteiligte, rückte unter UN-Mandat am 12. Juni in den Kosovo ein. Der Krieg war vorbei.[27]

Die Diskussion über seine Berechtigung ging indes weiter. Vor allem die Frage des Mandats blieb umstritten, da es keine Resolution des UN-Sicherheitsrates gegeben hatte, um den Krieg gegen Serbien zu legitimieren. Allerdings hätte es eine solche Resolution aufgrund des angekündigten russischen Vetos auch gar nicht geben können. Doch war unter solchen Bedingungen eine Teilnahme deutscher Truppen völkerrechtlich überhaupt vertretbar gewesen? Klar war, dass in der ersten März-Hälfte 1999 serbische Streitkräfte in beträchtlichem Umfang an den Grenzen zum Kosovo aufmarschierten und offenbar den Befehl hatten, die Kosovo-Albaner zu vertreiben. Entsprechende Berichte lagen den westlichen Regierungen nicht nur von den eigenen Geheimdiensten vor, sondern wurden ihnen auch vom russischen Außenminister Igor Iwanow übermittelt: Die Serben hätten »große Truppenkontingente zusammengezogen [...], um in den Kosovo einzumarschieren«[28], erklärte er am Abend des 13. März telefonisch gegenüber Bundesaußenminister Fischer. In der Tat begann die serbische Offensive am 20. März – vier Tage vor den ersten Luftangriffen der NATO gegen Serbien. Nicht klar ist bis heute, ob es dafür einen konkreten Plan gab, etwa den »Hufeisen-Plan«, von dem die bulgarische Außenministerin Nadeshda Michaelowa am Rande einer humanitären Hilfskonferenz am 1. April auf dem Petersberg sprach und der angeblich dem bulgarischen Geheimdienst vorlag.[29]

Das Vorgehen der Serben ließ jedenfalls auf eine systematische Koordinierung der Aktionen schließen, und die humanitäre

Katastrophe, die sich damit im Kosovo anbahnte, erinnerte fatal an die Entwicklung in Bosnien-Herzegowina von 1992 bis 1995. Damals hatte die internationale Staatengemeinschaft drei Jahre lang der Zerstörung eines ganzen Landes beinahe tatenlos zugesehen. Und auch das Massaker in Srebrenica war von der UNO mit verschuldet worden, weil die niederländischen Blauhelm-Soldaten vor Ort untätig geblieben waren, als die Truppen von General Ratko Mladić mit ihrem Morden begannen. Erneut auf eine höhere Einsicht der UNO zu warten, wäre vor diesem Hintergrund nach Auffassung der rot-grünen Regierung unverantwortlich gewesen. Verteidigungsminister Scharping argumentierte deshalb bereits am 31. März 1999 in einem Interview mit dem *Spiegel*, dass der UN-Sicherheitsrat »nicht die einzige Quelle des internationalen Rechts« sei. Die UN-Charta, die Sicherheitsratsresolutionen des vorangegangenen Jahres und das »Recht auf Nothilfe« böten zusammen eine ausreichende Legitimation für die bewaffneten Aktionen gegen Serbien auf der Grundlage des Völkerrechts.[30] Andere, wie der Friedensforscher Ernst-Otto Czempiel, erklärten dagegen, mit dem Fehlen eines UN-Mandats sei »ein Rubikon überschritten«, wodurch die USA und die NATO in die Lage versetzt würden, »bestimmte Länder als Schurkenstaaten zu brandmarken« und die NATO anstelle der EU oder der OSZE zum dominierenden Element der europäischen Sicherheitsordnung zu machen.[31]

Der Rücktritt Oskar Lafontaines

Derjenige, der sich innerhalb der rot-grünen Bundesregierung überraschend wenig zum Thema Kosovo äußerte, war Oskar Lafontaine. Wenn man seine früheren Äußerungen zu militär- und sicherheitspolitischen Fragen zugrunde legte, konnte man zwar vermuten, dass er dem Verhalten der Bundesregierung in dieser Krise skeptisch gegenüberstand. Aber er blieb – zumal öffentlich – in den Wochen vor Kriegsbeginn weitgehend stumm.

Am 11. März 1999 wurde der Grund für seine Zurückhaltung vor aller Welt sichtbar: An diesem Tag trat Lafontaine von sämtlichen Ämtern in Partei und Regierung zurück und legte auch sein Bundestagsmandat nieder. Die später verbreitete Behauptung, er habe die sich abzeichnende Kriegsbeteiligung Deutschlands nicht mittragen können, reicht dafür als Erklärung allerdings nicht aus.[32] Zwar hatte er, wie er am 1. Mai 1999 in einer Rede in Saarbrücken erläuterte, während des Entscheidungsprozesses zwischen Oktober 1998 und März 1999 mehrfach kritische Fragen zum Verfahren möglicher Militäroperationen gestellt. Doch im Grundsatz teilte er die Einschätzung seiner Regierungskollegen über Milošević und verurteilte wie sie das Vorgehen der Serben. Im Kabinett oder bei zahlreichen anderen Gelegenheiten, bei denen dies möglich gewesen wäre, legte er deshalb keinen Widerspruch gegen die Politik der Bundesregierung ein, ja er machte noch nicht einmal seinen Standpunkt deutlich – sofern seine Meinung von derjenigen der anderen überhaupt abwich. Sein Rücktritt jedenfalls musste andere Ursachen haben.

Auslöser waren offenbar längere Ausführungen des Bundeskanzlers im Kabinett am Vortag, in denen sich Schröder grundsätzlich zum wirtschaftspolitischen Kurs der Bundesregierung geäußert hatte. Zwar waren seine vorwurfsvollen Bemerkungen dabei nicht direkt gegen Lafontaine, sondern gegen Jürgen Trittin gerichtet gewesen, bei dem er alles bemängelte, was dieser gerade propagierte: Altautoverordnung und Atomausstieg, Smogverordnung und Energiekonsens. Die »Politik der Nadelstiche« gegenüber der Wirtschaft, so Schröder, müsse beendet werden. Das Vertrauen zwischen der rot-grünen Bundesregierung und der deutschen Wirtschaft sei »überlebensnotwendig«. Er werde keine neuen Gesetzesvorhaben dulden, die gegen die Interessen der Wirtschaft gerichtet seien. Es gebe, drohte er, einen Punkt, bei dem er die Verantwortung für eine solche Politik nicht mehr übernehmen könne.[33]

Tatsächlich war es kein Zufall, dass Schröder umwelt- und wirtschaftspolitische Themen in den Vordergrund seiner Bemerkungen stellte. Denn was er in seinen Memoiren zurückhaltend als »interne Spannungen«[34] bezeichnete, waren in Wirklichkeit unüberbrückbare Meinungsverschiedenheiten zwischen ideologischen Lagern über Fragen der Ökologie und Ökonomie. Diesen Kontroversen war als erster der parteilose Jungunternehmer Jost Stollmann zum Opfer gefallen, der als Wirtschaftsminister vorgesehen gewesen war und noch im Prozess der Regierungsbildung das Handtuch geworfen hatte. Stollmann, ein in der SPD nicht verwurzelter Seiteneinsteiger, hätte in dieser Position viel zu jener Wirtschaftsnähe beitragen können, die Schröder gerade in einer rot-grünen Koalition für unverzichtbar hielt. Doch Stollmann war gescheitert – nicht nur an seiner mangelnden politischen Professionalität, sondern auch an Lafontaine, der sich im Kabinett ein Schatzkanzleramt nach britischem Vorbild zu schneidern suchte und zu diesem Zweck wesentliche Teile aus Stollmanns Wirtschaftsressort herausbrechen ließ, darunter das Referat für den Jahreswirtschaftsbericht, um seine Machtstellung zu vergrößern. Wie in der Londoner *Downing Street*, wo der Premierminister in Nr. 10 und der *»Chancellor of the Exchequer«*, also der Schatzkanzler, in Nr. 11 Tür an Tür residieren, sah sich wohl auch Lafontaine als eine Art »Nebenkanzler«, selbst wenn eine solche Position in der Verfassung nicht vorgesehen war. Wenn er schon nicht die Spitzenstellung innehaben konnte, die ihm nach eigener Auffassung gebührte, wollte er wenigstens mit so viel Macht ausgestattet sein, dass er es, wie Schröder ironisch bemerkte, für gleichgültig halten konnte, wer unter ihm Bundeskanzler war.[35]

Indes, Lafontaine ging es nicht um Macht an sich. Er brauchte den Bedeutungszuwachs seines Finanzressorts, um eine keynesianische Fiskalpolitik durchsetzen zu können, die Schröder ebenso wie Stollmann, der als Marktwirtschaftler im Sinne Ludwig Erhards galt, ablehnten. Mit Hilfe seiner Staatssekretäre Heiner Flassbeck und Claus Noé konzipierte Lafontaine daher eine nachfrageorientierte Finanz- und Steuerpolitik, die ganz auf höhere Löhne, steigende Sozialleistungen und niedrigere Zinsen setzte. Unverzüglich machte er auch eine Reihe von Gesetzen rückgängig, die unter Kohl beschlossen worden waren – wie die Einführung einer Frist zur Lohnfortzahlung im Krankheitsfall, die Beschränkung des Kündigungsschutzes in kleineren Betrieben und die Abschaffung des Schlechtwettergelds. Gründe für Konflikte mit dem Kanzler gab es deswegen genug. Strittig waren zudem vor allem die im Wahlprogramm der SPD von 1998 vorgesehene Sozialversicherungspflicht für 630-DM-Jobs sowie die Unternehmensbesteuerung, die nach Schröders Willen und entgegen den Absprachen vor der Wahl auf 35 Prozent gesenkt werden sollte, und die Ökosteuer, die der Kanzler auf sechs Pfennige pro Liter Benzin begrenzen wollte.

Lafontaine konnte sich zwar weiterhin auf die SPD-Linke und die Gewerkschaften stützen. Doch er besaß nicht nur in Schröder einen Gegner, der sich um die Wettbewerbsfähigkeit Deutschlands in der Weltwirtschaft sorgte, sondern war bald auch in den europäischen und internationalen Gremien, in denen er auftrat, isoliert. Der Finanzminister musste erkennen, dass er für seine finanz- und wirtschaftspolitischen Positionen im In- und Ausland wenig Zustimmung fand. Außerdem zeichnete sich ab, dass die Beratungen über den Bundeshaushalt 2000 »für ihn ganz persönlich zur Stunde der Wahrheit« werden würden, weil er »unter dem objektiven Sparzwang viele seiner Wahlversprechen wieder einsammeln und Dinge tun« musste, »die dem Sozialdemokraten Lafontaine zutiefst zuwider waren«.[36] Es war der alte Konflikt zwischen dem Wünschenswerten und dem Machbaren, den Lafontaine nicht befriedigend zu lösen vermochte.

Auch Schröder sprach später davon, dass Lafontaine sich »in eine isolierte Position sowohl innerhalb als auch außerhalb des Kabinetts« gebracht habe. Statt seine Ziele strategisch anzulegen und Verbündete zu gewinnen, habe er sich »in kürzester Zeit zum Gespött der Zunft« gemacht.[37] Die Unzufriedenheit nahm zu, Verstimmungen häuften sich. Die Medien, die Lafontaine anfangs hoch gelobt hatten, wandten sich nun zunehmend gegen ihn. Der »Zweikampf« zwischen ihm und dem Kanzler wurde zum »medialen Hit«. Die Opposition kostete den Konflikt genüsslich aus. In den Meinungsumfragen schnitt die rot-grüne Regierung von Woche zu Woche schlechter ab. Das war auch ein Grund, weshalb Schröder am 10. März im Kabinett die Reißleine zog – und weshalb man am folgenden Tag ganze Passagen der Kanzlerworte im Kabinett in der *Bild*-Zeitung nachlesen konnte: offenbar eine gezielte Indiskretion von ganz oben. Der Artikel trug die Überschrift »Schröder droht mit Rücktritt«[38]. Doch nicht Schröder trat zurück, sondern Lafontaine, und nicht wenige fragten mit Bedauern, warum ein Mann mit so viel Talent seine Fähigkeiten verschwendete, anstatt sie konstruktiv in den Dienst der *res publica* zu stellen, an der ihm doch angeblich so viel gelegen war.

Die Parteispendenaffäre der CDU

Der Krieg im Kosovo und die inneren Probleme der SPD bildeten den Auftakt für ein Krisenjahr der deutschen Politik, das an seinem Ende auch die Opposition erfassen sollte. Bereits im August 1995 war der Leiter der Augsburger Staatsanwaltschaft, Jörg Hillinger, bei Ermittlungen gegen den Unternehmer und Waffenlobbyisten Karlheinz Schreiber eher zufällig auf mögliche Schmiergeldzahlungen an Spitzenpolitiker der CSU und CDU gestoßen. In Kalendern des Waffenhändlers aus den Jahren 1991 und 1994 fanden sich unter anderem Hinweise auf Walther Leisler Kiep, Max Strauß und Wolfgang Schäuble. Die Notizen waren jedoch verschlüsselt; ein Fall ließ sich daraus nicht konstruieren. Als Hillinger am 28. April 1999 bei einem Verkehrsunfall ums Leben kam[39], setzte Staatsanwalt Winfried Maier die Ermittlungen fort, teilweise in Reibereien mit der bayerischen Oberstaatsanwaltschaft unter Generalstaatsanwalt Hermann Froschauer in München, und erließ schließlich am 3. November 1999 Haftbefehl wegen des Verdachts der Steuerhinterziehung gegen Walther Leisler Kiep, der von 1971 bis 1992 Bundesschatzmeister der CDU gewesen war.

Damit kam eine Lawine ins Rollen, die bald ungeahnte Dimensionen annahm. Der Vorwurf, Kiep habe 1991 von dem Waffenhändler Schreiber eine Million DM als Spende für die CDU erhalten und nicht versteuert, führte innerhalb weniger Wochen zu dem Eingeständnis, dass während der Ära Kohl »schwarze Konten« geführt worden seien, wie der frühere CDU-Generalsekretär Heiner Geißler am 26. November im WDR-Mittagsmagazin nach einem Bericht der *Süddeutschen Zeitung* vom gleichen Tage einräumte. Tatsächlich bestätigte Kohl nach einer Präsidiumssitzung der CDU am 30. November vor der Presse in Berlin, er habe die »vertrauliche Behandlung bestimmter Sachverhalte wie Sonderzuwendungen an Parteigliederungen und Vereinigungen, zum Beispiel unabweisbare Hilfe bei der Finanzierung ihrer politischen Arbeit, für notwendig erachtet«. Er bedaure, erklärte er, »wenn die Folge dieses Vorgehens mangelnde Transparenz und Kontrolle sowie möglicherweise Verstöße gegen Bestimmungen des Parteiengesetzes sein sollte«.[40] Am 16. Dezember gab Kohl dann in der ZDF-Sendung »Was nun, Herr Kohl?« zu, er habe »zwischen 1993 und 1998 Spenden entgegengenommen in einem Umfang, der zwischen anderthalb und zwei Millionen liegt«[41]. Allerdings weigerte er sich, die Identität der Spender preiszugeben, da er ihnen sein »Ehrenwort« gegeben haben, keine Namen zu nennen. Einen Verstoß gegen geltendes Recht oder gar gegen die Verfassung erkannte er darin nicht. Ebenso wies er in den folgenden Wochen alle Vorwürfe zurück, politische Entscheidungen, etwa bei Waffenlieferungen oder dem Verkauf der Mineralölraffinerien in Leuna, seien in seiner Amtszeit käuflich gewesen.

Ein Untersuchungsausschuss zur Finanz- und Spendenaffäre, der am 2. Dezember 1999 vom Bundestag eingesetzt wurde und bis Juni 2002 mehr als eineinhalb Jahre lang tagte, ergab indessen, dass die CDU zahlreiche »Schattenkonten« besaß, darunter eine »Stiftung Norfolk« in Liechtenstein, und dass mit den darauf eingezahlten Geldern im sogenannten »System Kohl« nicht nur die nach der Wiedervereinigung notleidenden Landesverbände der CDU in Ostdeutschland, sondern auch Wahlkämpfe von Kandidaten unterstützt worden waren, die der Kanzler persönlich für förderungswürdig hielt.[42] Kurz vor Heiligabend 1999 erklärte daher die CDU-Generalsekretärin Angela Merkel in einem Artikel der *Frankfurter Allgemeinen Zeitung*, Kohl habe »der Partei Schaden zugefügt«[43]. Er möge alle Ämter niederlegen, seine Ära sei beendet.

Kohl konnte daher nicht umhin, am 18. Januar 2000 auf Druck des Präsidiums und des Vorstandes der CDU sein Amt als Ehrenvorsitzender ruhen zu lassen. Zudem sagte die Union am 23. Februar alle Empfänge zum 70. Geburtstag Kohls am 3. April 2000 ab.[44] Inzwischen zog die Affäre immer weitere Kreise, wobei es in Hessen noch zu einer zweiten Spendenaffäre kam, in die vor allem der ehemalige Bundesinnenminister und Generalsekretär der hessischen CDU, Manfred Kanther, sowie Schatzmeister Casimir Prinz zu Sayn-Wittgenstein und Ministerpräsident Roland Koch verwickelt waren, dem es allerdings gelang, die gegen ihn gerichteten Vorwürfe politisch zu überstehen. Wolfgang Schäuble, der erst nach der Bundestagswahl 1998 den Vorsitz der Bundes-CDU von Kohl übernommen hatte, war in dieser Hinsicht weniger glücklich: Nachdem er bereits am 10. Januar 2000 eingeräumt hatte, vom Waffenhändler Schreiber 1994 eine Bar-Spende von 100 000 DM für die CDU entgegengenommen zu haben, die im Rechenschaftsbericht der Partei nicht auftauchte, musste er schließlich den Vorsitz sowohl der Partei als auch der CDU/CSU-Bundestagsfraktion aufgeben. Friedrich Merz wurde neuer Fraktionsvorsitzender; Angela Merkel übernahm den Parteivorsitz.

»Schattenkonten«, wie sie von der CDU geführt worden waren, stellten einen Verstoß gegen das Parteiengesetz dar. Bundestagspräsident Wolfgang Thierse verhängte deswegen Mitte Februar 2000 gegen die CDU eine Geldbuße von 41,3 Millionen DM wegen falscher Rechenschaftsberichte. Im Dezember 2000 verlor die CDU als Folge der von Kohl gesammelten Spenden nochmals 7,7 Millionen DM aus der staatlichen Parteienfinanzierung. Als

Konsequenz der Affäre wurde außerdem das Parteiengesetz verschärft, das jetzt mehr Transparenz für Parteispenden vorschreibt. So dürfen seit Juli 2002 nicht mehr als 1 000 Euro in bar gespendet werden, anonym maximal 500 Euro.

Die juristischen Folgen der Parteispendenaffäre blieben dagegen begrenzt. Die Staatsanwaltschaft Bonn stellte ihr Ermittlungsverfahren wegen Untreue gegen Kohl ein, der lediglich eine Geldstrafe von 300 000 DM zahlen musste; die Namen der Spender behielt er für sich. Die Verfahren gegen Schäuble, Kiep, Kanther und Prinz zu Sayn-Wittgenstein verliefen, wie die meisten anderen Ermittlungen, mehr oder weniger im Sande. Ein Verfahren gegen Schäuble wegen uneidlicher Falschaussage im Zusammenhang mit der fraglichen Spende wurde ebenfalls eingestellt.[45] Hans Leyendecker, der als Redakteur der *Süddeutschen Zeitung* maßgeblich dazu beitrug, die »Affäre Kohl« aufzudecken, bemerkte zu den politischen Folgen: »Das Vertrauen in die Politik, das in den Monaten des Skandals verlorenging, die Glaubwürdigkeit, die sie in diesen Monaten verloren hat, wird nur sehr schwer zurückzugewinnen sein. Demokratie ist aber auf das Vertrauen der Wählerinnen und Wähler in ihre eigenen Vertreter angewiesen.«[46]

8 Der 11. September 2001

Nach dem 11. September 2001 blieb nichts, wie es war – auch wenn Gerhard Schröder dem US-Präsidenten George W. Bush die »uneingeschränkte Solidarität« Deutschlands zusicherte.

Mit den Terroranschlägen auf das World Trade Center in New York und das Pentagon-Gebäude des amerikanischen Verteidigungsministeriums in Washington am 11. September 2001 endete der Traum von einer besseren Welt nach dem Ende des Kalten Krieges. Eine neue, globale Auseinandersetzung zwischen Religionen und Kulturen zeichnete sich ab, für die Samuel Huntington, Professor an der *Harvard University*, bereits 1996 mit seinem Wort vom *Clash of Civilizations* eine griffige Formel geprägt hatte.[1] Die Hoffnung auf das »Ende der Geschichte«[2], von dem der Politikwissenschaftler Francis Fukuyama im Sommer 1989 ebenso optimistisch wie erwartungsvoll gesprochen hatte, erwies sich damit als verfrüht. Jetzt ging es indessen nicht mehr um Kapitalismus oder Kommunismus, sondern um den richtigen Weg zu Gott.

Die deutsche Reaktion

In Berlin hatte Außenminister Fischer am 11. September das Gefühl, als sei »in der Weltpolitik erneut die Büchse der Pandora geöffnet worden«[3]. Der Tag war zum *defining moment* einer neuen Ära geworden, die durch den Terrorismus und die Verantwortung derjenigen Länder bestimmt wurde, die Terroristen unterstützten, beherbergten, finanzierten – oder bekämpften. Die USA würden zurückschlagen und in der zu erwartenden Auseinandersetzung eine führende Rolle spielen, wobei sie die Unterstützung ihrer Verbündeten erwarteten. Nicht zufällig wurden deshalb die Ereignisse von New York und Washington mit dem japanischen Angriff auf die amerikanische Pazifikflotte in Pearl Harbor auf Hawaii im Dezember 1941 verglichen, der Amerikas Eintritt in den Zweiten Weltkrieg nach sich zog.

Als Bundeskanzler Schröder am Nachmittag des 11. September gegen 15 Uhr von den Anschlägen erfuhr, bat er sogleich Außenminister Fischer, Innenminister Schily und Verteidigungsminister Scharping zu sich ins Kanzleramt. Es folgten zahlreiche Telefonate: mit Bundestagspräsident Thierse, den Vorsitzenden der im Bundestag vertretenen Parteien, den Fraktionsvorsitzenden und auch mit Bundespräsident Johannes Rau. Im Ausland rief Schröder den französischen Präsidenten Jacques Chirac, den britischen Premierminister Tony Blair und den russischen Präsidenten Wladimir Putin an. Dem amerikanischen Präsidenten George W. Bush sprach er in einem Telegramm sein »tief empfundenes Beileid« aus und sicherte ihm seine »uneingeschränkte Solidarität« zu. Nach einer Sitzung des Bundessicherheitsrates um 17 Uhr gab Schröder eine kurze öffentliche Stellungnahme ab, in der er bemerkte, dies sei »eine Kriegserklärung gegen die gesamte zivilisierte Welt«. Wer den Terroristen helfe oder sie schütze, verstoße »gegen alle fundamentalen Werte, die das Zusammenleben der Völker, auch untereinander, begründen«.[4]

Ähnlich äußerte sich Schröder am nächsten Tag im Bundestag.[5] Anschließend verständigte sich der Bundessicherheitsrat darauf, die Bildung einer internationalen Koalition gegen den

Terror zu unterstützen und der Ausrufung des Bündnisfalls gemäß Artikel 5 des NATO-Vertrages zuzustimmen. Noch am selben Abend wurde dieser Schritt erstmals seit Bestehen der Allianz durch den Nordatlantikrat vollzogen. Schröder, der fest von einem militärischen Vorgehen der USA ausging, hob daher in einer Unterredung mit Bundespräsident Rau hervor, dass er auch den Einsatz der Bundeswehr nicht ausschließe.[6] Tatsächlich musste man mit allem rechnen. Zwar lagen keine Hinweise auf eine unmittelbare Gefährdung der Bundesrepublik vor. Dennoch ließ Innenminister Schily die Grenzkontrollen verstärken und die Sicherheitsstufe auf den Flughäfen bei bestimmten Fluggesellschaften erhöhen. Verteidigungsminister Scharping intensivierte die Luftraumüberwachung und stellte die deutschen Liegenschaften der amerikanischen Armee unter den Schutz der Bundeswehr.

Der von der NATO ausgerufene Bündnisfall stand allerdings unter dem Vorbehalt, dass ein aus dem Ausland geführter Angriff gegen die USA erst noch nachgewiesen werden musste.[7] Die Beweise dafür waren jedoch bald erbracht: Innerhalb weniger Tage wurden die Attentäter als Mitglieder des Terrornetzwerks Al-Qaida identifiziert, das unter Führung des aus Saudi-Arabien stammenden Islamisten Osama bin Laden von Afghanistan aus operierte. Dort unterhielt Al-Qaida seit Mitte der 1990er Jahre zahlreiche Lager, in denen islamistische Kämpfer aus der ganzen Welt ausgebildet wurden, um anschließend in »den Kampf auf dem Wege Gottes« (*al-dschihādu fī sabīl illāh*), also in den »Dschihad« – den »Heiligen Krieg« gegen die Feinde des Islam – zu ziehen. Das Al-Qaida-Netzwerk stand dabei in Afghanistan unter dem Schutz der radikal-islamischen Taliban, die 1996 die Macht an sich gerissen hatten und etwa 90 Prozent des afghanischen Territoriums kontrollierten.[8]

Nachdem diese Zusammenhänge bekannt geworden waren, wurde der Bündnisfall-Vorbehalt der NATO am 1. Oktober aufgehoben. Jetzt befand sich die Atlantische Allianz offiziell im Krieg. Am 4. Oktober vereinbarten die 19 Mitgliedsstaaten eine

Reihe von Maßnahmen, um die USA in ihrem militärischen Vorgehen gegen das Taliban-Regime und das Al-Qaida-Netzwerk zu unterstützen. Dazu zählten der Austausch nachrichtendienstlicher Informationen, die Gewährung uneingeschränkter Überflugrechte, die Nutzung von Häfen und Flugplätzen sowie die Entsendung eines ständigen Flottenverbandes der NATO in das östliche Mittelmeer.

In der Bundesrepublik wurde inzwischen Innenminister Schily zur »Symbolfigur« im Anti-Terror-Kampf. Die Gesetzespakete, die er dem Bundestag im Eilverfahren vorlegte und die von den Abgeordneten halb spöttisch, halb respektvoll »Otto-Kataloge« genannt wurden, fanden im Parlament allerdings keinen ungeteilten Beifall. Die ersten Vorlagen, denen auch die Oppositionsparteien zustimmten, wurden bereits am 19. September beschlossen.[9] Zu diesem »Sicherheitspaket I« gehörten unter anderem die Ergänzung des Paragrafen 129a des Strafgesetzbuches, das die Strafverfolgung ausländischer Organisationen ermöglichte, sowie die Streichung des Religionsprivilegs im Vereinsrecht. Damit wurde verhindert, dass extremistische Organisationen sich weiterhin einem Verbot entziehen konnten, indem sie sich auf die Freiheit der Religionsausübung beriefen und verfassungsfeindliche Auffassungen und Aktivitäten religiös tarnten.[10]

Umstritten war dagegen das »Sicherheitspaket II«, das Schily Mitte Oktober dem Bundestag präsentierte. Es enthielt Vorschläge für Präventivmaßnahmen, die einer vorbeugenden Terrorismusbekämpfung dienen sollten. Einwände dagegen kamen in erster Linie von den Grünen, der PDS und der FDP. Aber auch in der eigenen Fraktion wurde Schily kritisiert. Besonders der geplante Datenaustausch der Ermittlungsbehörden weckte Befürchtungen, dass der deutsche Rechtsstaat sich zu einem Überwachungsstaat entwickeln könnte.[11] Nur die CDU/CSU, die sogar noch ein »Sicherheitspaket III« forderte, um den Einsatz militärischer Mittel in der Anti-Terror-Politik zu verstärken, stimmte dem Schily-Entwurf ohne Einschränkung zu.[12] Tatsächlich weitete das Sicherheitspaket II, das am 30. November trotz der bestehenden Bedenken verabschiedet wurde und am 1. Januar 2002 in Kraft trat, die Kompetenzen der deutschen Sicherheitsbehörden erheblich aus. So wurden der Datenaustausch genehmigt und Ergänzungen des Pass- und Personalausweisgesetzes vorgenommen, um verdächtige Personen zuverlässiger identifizieren zu können. Zudem verstärkten die deutschen Behörden mit dem Geld, das durch das »Gesetz zur Finanzierung der Terrorbekämpfung« bereitgestellt wurde, unter anderem die Visa-Abteilungen in den Botschaften, um Personen, die ein Sicherheitsrisiko darstellen konnten, schon an der Einreise in die Bundesrepublik zu hindern. Darüber hinaus wurden das Bundeskriminalamt und der Verfassungsschutz personell verstärkt und materiell besser ausgestattet. Insgesamt, so hoffte man, würden die Sicherheitsorgane durch die beschlossenen Maßnahmen in die Lage versetzt werden, terroristische Aktivitäten früher zu erkennen und geplante Anschläge zu vereiteln.[13]

Wie schmal der Grat war, auf dem sich Politik und öffentliche Meinung dabei bewegten, zeigt die Diskussion um die Einfügung des Paragrafen 129b in das Strafgesetzbuch. Dieser Paragraf, der darauf abzielte, terroristische Vereinigungen und Aktivitäten im Ausland unter Strafe zu stellen, hätte schon im Sicherheitspakt I enthalten sein sollen. Bedenken innerhalb der SPD und unterschiedliche Auffassungen zwischen den Parteien verhinderten jedoch die Zustimmung des Parlaments. Erst nachdem am 11. April 2002 auf der Urlaubsinsel Djerba in Tunesien 14 deutsche Touristen einem Anschlag des Terrornetzwerks Al-Qaida auf eine Synagoge zum Opfer gefallen waren, folgte der Bundestag auch in diesem Punkt den Vorschlägen Schilys.[14]

Unmittelbar nach den Anschlägen vom 11. September 2001 regte Bundeskanzler Schröder überdies einen Sondergipfel des Europäischen Rates an, der am 21. September im finnischen Tampere stattfand. Dort wurde ein Aktionsprogramm verabschiedet, das unter dem Titel »Europäische Politik zur Bekämpfung des Terrorismus« eine Intensivierung der polizeilichen und justiziellen Zusammenarbeit, die Weiterentwicklung der internationalen Rechtsinstrumente im Bereich der Terrorismusbekämpfung, die Verhinderung der Finanzierung des Terrorismus sowie eine Verstärkung der Flugsicherheit vorsah. Außerdem sollte der Kampf gegen den Terror stärker in die Gemeinsame Außen- und Sicherheitspolitik einbezogen werden, wobei in den Beziehungen zu Drittländern künftig systematisch zu bewerten sei, »ob diese Länder dem Terrorismus Unterstützung gewähren«[15]. Damit näherte sich die EU weitgehend der Haltung der USA und der Vereinten Nationen an. Was dies bedeutete, sollte sich schon bald erweisen, als die USA, versehen mit einem Mandat der UNO, militärisch gegen das Taliban-Regime und das Al-Qaida-Netzwerk in Afghanistan vorgingen.

Der Krieg in Afghanistan

Am 7. Oktober 2001 begann die Operation »*Enduring Freedom*«, die unter Beteiligung von insgesamt etwa 70 Ländern in vier Regionen durchgeführt wurde: in Afghanistan, am Horn von Afrika, auf den Philippinen und in Afrika innerhalb und südlich der Sahara.[16] Der Schwerpunkt der Kämpfe lag jedoch in Afghanistan.

Der UN-Sicherheitsrat hatte zuvor in seinen Resolutionen 1368 und 1373 vom 12. und 28. September die Anschläge von New York und Washington als »Bedrohung für den internationalen Frieden sowie die internationale Sicherheit« verurteilt und das Recht zur individuellen und kollektiven Selbstverteidigung bestätigt. Nach Artikel 51 der UN-Charta waren die USA damit ermächtigt, alle erforderlichen Schritte zu unternehmen, um zukünftige Bedrohungen abzuwenden.[17] Mehrere Ultimaten an die Adresse der Taliban, Osama bin Laden auszuliefern, waren ergebnislos verstrichen. Jetzt griffen amerikanische und britische Luftstreitkräfte Afghanistan mit land- und seegestützten Kampfflugzeugen sowie *Cruise Missiles* an, um die Taliban zu stürzen, die Machtbasis der Al-Qaida zu beseitigen und, wenn möglich, deren Führer gefangen zu nehmen oder zu töten. Zu den Angriffszielen gehörten Ausbildungseinrichtungen für Terroristen, aber auch Kommandozentralen, Nachrichtenverbindungen sowie die Infrastruktur des Taliban-Regimes und des Al-Qaida-Netzwerks. Am Boden operierten *Special Forces* Seite an Seite mit der »Nordallianz«, einem Zusammenschluss verschiedener Oppositionsgruppen, die sich im Norden Afghanistans gegen die Herrschaft der Taliban auflehnten.[18]

Bereits am 9. November eroberten Truppen der Nordallianz mit Hilfe der *Special Forces* und amerikanischer Luftunterstützung die Stadt Mazar-i-Sharif im Norden Afghanistans. Danach rückten sie binnen weniger Tage auf die Hauptstadt Kabul vor, die unerwartet von den Taliban geräumt wurde. Am 13. November war Kabul in der Hand der Nordallianz. Zwei Wochen später, am 26. November, fiel Kunduz, die letzte von den Taliban gehaltene Stadt im Norden, weitere zwei Wochen später, am 7. Dezember, auch Kandahar, die Taliban-Hochburg im Süden. Schließlich konzentrierten sich die Kämpfe auf die unzugängliche Bergregion entlang der Grenze zu Pakistan und dort vor allem auf das Gebiet von Tora-Bora, wohin sich die verbliebenen Verbände der Taliban und der Al-Qaida zurückgezogen hatten, sofern sie nicht bereits nach Pakistan ausgewichen waren. Auch Osama bin Laden wurde in Tora-Bora vermutet.[19] Die Kämpfe in diesem schwierigen Terrain dauerten bis Ende Dezember. Danach gab es zunächst kaum noch größere Operationen.

Deutschland beteiligte sich an *»Enduring Freedom«* mit einem Kontingent von bis zu 3900 Soldaten, der größte Teil davon – etwa 1800 Soldaten – See- oder Seeluftstreitkräfte, ferner 800 ABC-Abwehrkräfte, 250 Sanitätskräfte, 100 Spezialkräfte, 500 Lufttransportkräfte und 450 Unterstützungskräfte. Der entsprechende »Antrag der Bundesregierung auf Einsatz bewaffneter deutscher Streitkräfte« wurde am 7. November 2001 vom Bundeskabinett beschlossen; der Bundestag befand darüber am 16. November.[20] Völkerrechtliche Grundlage war die Resolution 1368 des UN-Sicherheitsrates in Verbindung mit Artikel 51 der Satzung der Vereinten Nationen und Artikel 5 des Nordatlantikvertrages. Verfassungsrechtlich stützte die Bundesregierung ihren Antrag auf Artikel 24 Absatz 2 des Grundgesetzes, in dem es heißt, dass »der Bund [...] sich zur Wahrung des Friedens einem System gegenseitiger kollektiver Sicherheit einordnen« kann. Darüber hinaus machte die Bundesregierung deutlich, dass sie mit der Bereitstellung der Soldaten die Zusage einlösen wollte, die der Bundestag am 19. September mit seiner Zustimmung zur Ausrufung des Verteidigungsfalls der NATO gegeben hatte. In politischer Hinsicht fiel schließlich noch die Tatsache ins Gewicht, dass die Deutschen, wie der stellvertretende NATO-Oberbefehlshaber in Europa, General Dieter Stöckmann, in einem Telefoninterview mit dem *Deutschlandfunk* am 18. September erklärte, »im Kalten Krieg den größten Nutzen und den Schutz dieses Bündnisses genossen« hätten und daher »in besonderer Weise verpflichtet« seien, ihre »Solidarität deutlich zu machen, nicht nur durch Lippenbekenntnisse«.[21]

Hinzu kam, dass die wichtigsten Figuren der Anschläge vom 11. September aus einer Terrorzelle in Hamburg stammten, wo sie unverdächtig als Studenten gelebt hatten. Deutschland war also, wie Bundeskanzler Schröder später in seinen Memoiren bemerkte, »so etwas wie ein Stützpunkt und Rückzugsgebiet für einen Teil der in Afghanistan ausgebildeten Attentäter«[22] gewesen. Und auch wenn sich amerikanische Vorwürfe nicht bestätigten, dass die deutschen Sicherheitsbehörden die Planung der Anschläge hätten aufdecken können, sah sich die Bundesregierung dadurch doch unter Druck gesetzt, die amerikanischen Maßnahmen gegen den internationalen Terrorismus zu unterstützen.

Allerdings war die Regierungskoalition gespalten, als es um die Frage einer konkreten deutschen Kriegsbeteiligung ging. Bereits im Vorfeld der Kabinettsentscheidung vom 7. November kam es deshalb zu heftigen Diskussionen. Insbesondere bei den Grünen, denen schon die Zustimmung zum Kampfeinsatz im Kosovo-Konflikt schwer gefallen war, gab es zahlreiche Gegner einer erneuten Kriegsbeteiligung. Sie fürchteten um ihr »Image einer Friedenspartei«. »Wenn wir wieder einem Kampfeinsatz zustimmen, wer soll uns denn dann noch wählen?«, fragte eine Parlamentarierin. Die Unterstützung eines weiteren Kampfeinsatzes sei gleichbedeutend mit einem »Todesurteil für die Partei«.[23] Die Führungsspitze der Grünen, die sich eindeutig zur internationalen Verantwortung der Bundesrepublik in dieser Frage bekannte und immer wieder auf die notwendige Koalitionsdisziplin verwies, konnte also nicht sicher sein, alle Abgeordneten ihrer Fraktion im Bundestag am 16. November zur Zustimmung zu bewegen. Auch in der SPD, vor allem bei der Parteilinken, gab es erhebliche Bedenken gegen den Antrag der Regierung.

Bundeskanzler Schröder verband daher die Abstimmung im Bundestag am 16. November mit der Vertrauensfrage, so dass nicht nur die PDS, die prinzipiell gegen einen Kriegseinsatz war, sondern auch CDU und CSU gegen den Antrag votierten, obwohl sie ihn in der Sache durchaus befürworteten. Am Ende stimmten 336 Abgeordnete für den Antrag – zwei mehr als erforderlich. »Eine klare Mehrheit der Regierungskoalition«[24] nannte Schröder, offenbar nicht ohne Ironie, später die Entscheidung. Doch er wusste selbst am besten, wie gefährdet diese Mehrheit war: Allein 77 Abgeordnete der SPD und der Grünen hatten zu ihrem Votum persönliche Erklärungen abgegeben, in denen sie deutlich machten, dass sie den Kriegseinsatz ablehnten und nur deshalb für den Antrag gestimmt hatten, weil sie die rotgrüne Regierung nicht scheitern lassen wollten. Zwei Kriege innerhalb von drei Jahren waren mehr, als man dieser Koalition, die doch – nach eigener Einschätzung – im Zeichen des Friedens angetreten war, eigentlich zumuten durfte. Umso wichtiger war die deutsche Rolle bei den folgenden Friedensgesprächen, in denen Bundesaußenminister Fischer von Anfang an deutlich machte, dass der Krieg kein Selbstzweck gewesen war, sondern nur darauf abgezielt hatte, dem Recht und der Menschlichkeit im Sinne der Charta der Vereinten Nationen zum Durchbruch zu verhelfen.

Die Vorbereitungen für den Frieden in Afghanistan begannen bereits, als die Kämpfe noch andauerten. Am 14. November, einen Tag nach dem Fall von Kabul, forderte der UN-Sicherheitsrat in seiner Resolution 1378 die Einrichtung einer Übergangsverwaltung zur Bildung einer neuen Regierung. Sie sollte multiethnisch sein, das gesamte afghanische Volk repräsentieren und »die Menschenrechte aller Afghanen ungeachtet des Geschlechts, der ethnischen Zugehörigkeit oder der Religion achten«. Die UNO selbst sollte bei der Einrichtung der neuen Übergangsverwaltung eine »zentrale Rolle« spielen.[25] Gastgeber der Friedensgespräche, die am 27. November 2001 auf dem Petersberg bei Bonn eröffnet wurden, war indes die Bundesregierung, die sich unter Federführung von Außenminister Fischer besonders intensiv um eine politische Lösung für das Afghanistan-Problem nach dem Sturz der Taliban bemühte.

Die Tatsache, dass Deutschland diese hervorgehobene Rolle zu spielen vermochte, war nicht zuletzt eine Folge der traditionell guten deutsch-afghanischen Beziehungen. Diese reichten bis zum Ersten Weltkrieg zurück, als eine Expedition unter Leitung des bayerischen Offiziers Oskar Ritter von Niedermayer und des Legationssekretärs im Auswärtigen Amt, Werner Otto von Hentig, im September 1915 in Kabul versucht hatte, Emir Habibullah zu überzeugen, Britisch-Indien und Russland den Krieg zu erklären. Zwar musste die Delegation im Frühjahr 1916 unverrichteter Dinge wieder abreisten. Aber sie hinterließ bei den Afghanen den Eindruck, dass Deutschland ein gleichberechtigtes Bündnis anstrebte und keinerlei koloniale Ansprüche verfolgte, zumal das Deutsche Reich sogar im Vorgriff auf spätere Autonomiebestrebungen als erstes Land überhaupt die Unabhängigkeit Afghanistans anerkannte.[26] Kronprinz Amanullah bemühte sich daraufhin nach seiner Thronbesteigung 1919 um engere Kontakte, so dass nun immer mehr deutsche Geschäftsleute und Techniker nach Afghanistan kamen, während in der Gegenrichtung ab 1921 junge Afghanen im Rahmen staatlich geförderter Programme eine Ausbildung in Deutschland erhielten. 1923 erfolgte die Gründung der »Deutsch-Orientalischen Handelsgesellschaft AG«, die 1925 in »Deutsch-Afghanische Compagnie AG« umbenannt wurde. 1924 wurde in Kabul die deutschsprachige Nejat-Oberrealschule eröffnet, die zu Ehren Amanullahs heute Amani-Schule heißt.[27] Damit war das Fundament für eine dauerhafte deutsch-afghanische Kooperation gelegt, an die in den 1950er Jahren auch die Bundesrepublik anknüpfte. Zahlreiche deutsche Firmen und Hilfsorganisationen waren in den folgenden Jahrzehnten in Afghanistan tätig, und das Goethe-Institut in Kabul entwickelte sich zu einer attraktiven Kultureinrichtung und beliebten Anlaufstation für afghanische Deutschland-Interessierte.[28]

Als die Bundesregierung nun, im November 2001, Vertreter aller Völker und relevanten Gruppen Afghanistans mit Ausnahme der Taliban für den 27. November 2001 zu einer UN-Konferenz über die Zukunft ihres Landes auf den Petersberg bei Bonn einlud, wurde diese Initiative von den afghanischen Teilnehmern sofort mit großer Zustimmung aufgenommen. Außenminister Fischer und das Auswärtige Amt bereiteten die Konferenz vor. Dazu gehörte auch ein Sieben-Punkte-Plan, der Grundzüge eines möglichen Kompromisses enthielt und von Deutschland zu Beginn der Gespräche vorgelegt wurde. Ergebnis der Konferenz war ein »Übereinkommen über vorläufige Regelungen in Afghanistan bis zur Wiederherstellung dauerhafter staatlicher Institutionen«, das am 5. Dezember 2001 unterzeichnet wurde. Mit diesem sogenannten »Petersberg-Abkommen« wurde eine provisorische Verwaltung eingesetzt, die aus einer Interimsregierung, einer Unabhängigen Sonderkommission für die Einberufung einer außerordentlichen Loya Jirga – der traditionellen »Großen Versammlung« – und einem Obersten Gerichtshof bestehen sollte.[29] Zum Vorsitzenden der Übergangsregierung wurde in Abwesenheit Abdul Hamid Karzai bestimmt.

Karzai, ein 1957 in der Nähe von Kandahar geborener Paschtune, repräsentierte die mit etwa 40 Prozent größte Volksgruppe Afghanistans und verfügte weiterhin über gute Verbindungen zu den gemäßigten Taliban, seitdem er 1992 nach dem Sturz des von Moskau gestützten Regimes von Muhammad Najibullah durch die Taliban Stellvertretender Außenminister in der Regierung von Burhanuddin Rabbani geworden war. Außerdem genoss er die Unterstützung der USA.[30] Allerdings konkurrierten in Afghanistan zahlreiche Gruppierungen um Macht und Einfluss: Anhänger des Ex-Königs Zahir Schah, die Nordallianz mit den Mujaheddin der Dschamiat-Islami unter Rabbani, die sogenannte »Zypern-Gruppe« um den Schwiegersohn des Fundamentalisten Gulbuddhin Hekmatyar und schließlich die »Peschawar-Gruppe« unter Abdul Ahmed Gailani, einem Verwandten von Zahir Schah.

Keine dieser Gruppierungen hätte von sich aus auf Karzai gesetzt. Es war deshalb klar, dass Karzai sich nicht lange an der Macht halten konnte, wenn seine Übergangsregierung nicht durch eine internationale Friedenstruppe geschützt wurde. Auch dazu fanden sich im Petersberg-Abkommen Regelungen, in denen der UN-Sicherheitsrat die Teilnehmer ersuchte, »die baldige Entsendung einer Truppe im Rahmen eines Mandats der Vereinten Nationen in Erwägungen zu ziehen«[31]. Das war die Grundlage für die *International Security Assistance Force* (ISAF), deren Aufstellung der Weltsicherheitsrat am 20. Dezember 2001 beschloss und an der sich insgesamt 36 Nationen beteiligten, darunter auch die Bundesrepublik.[32]

Das erste Vorauskommando der Bundeswehr wurde am 8. Januar 2002 nach Afghanistan entsandt. Danach wuchs das deutsche Kontingent schrittweise auf bis zu 3 900 Soldatinnen und Soldaten an, die gemeinsam mit den afghanischen Sicherheitskräften verhindern sollten, dass Afghanistan wieder zum Rückzugsraum für Terroristen wurde. Ihr Auftrag bestand aber auch darin, die staatlichen Strukturen zu stärken und den Wiederaufbau des Landes zu fördern. Mitte 2006 übernahm Deutschland die Verantwortung für die Operationen im gesamten Norden Afghanistans und stellte in Kunduz und Feyzabad zwei der fünf regionalen Wiederaufbauteams (PRT – *Provincial Reconstruction*

Team). Zudem unterstützte die Bundeswehr die ISAF landesweit mit Kräften für Lufttransport, medizinische Evakuierung und Führungsunterstützung. Dazu waren auch Soldaten der Bundeswehr in Kabul und Fernmeldespezialisten im südafghanischen Kandahar stationiert.[33]

Der Irak-Konflikt

»Und nun gegen Saddam?«, fragte am 13. Dezember 2001 die Hamburger Wochenzeitung *Die Zeit* in der Überschrift eines Beitrages von Thomas Kleine-Brockdorff und Constanze Stelzenmüller aus Washington. Der Artikel befasste sich mit Richard Perle, Vorsitzender des »Verteidigungsbeirats« des amerikanischen Verteidigungsministers Donald Rumsfeld und seit Beginn der Bush-Regierung einer der wichtigsten und einflussreichsten politischen Vordenker in der Außen- und Sicherheitspolitik der USA. Jetzt erklärte er, dass im Kampf gegen den Terrorismus nicht einzelne Kriminelle, sondern Staaten als Hauptgegner zu betrachten seien. »Acht oder zehn« solcher Staaten gebe es, so Perle, die Terroristen gestatteten, »jeden Morgen ohne Angst in ihr Trainingslager zu gehen«. Nicht gegen alle müsse Amerika Krieg führen, wohl aber gegen jenes Land, das die größte Bedrohung darstelle: Irak.[34]

Der irakische Präsident Saddam Hussein, erklärte Perle, habe schon früher Terroristen Unterschlupf gewährt. Er besitze Massenvernichtungswaffen, die er gegen den Iran und gegen die Kurden im eigenen Land sogar schon eingesetzt habe. Und er habe die UN-Inspektoren aus dem Irak verwiesen, die hier nach dem Golf-Krieg 1991 die Einhaltung der von den Vereinten Nationen verhängten Restriktionen bei den irakischen Waffenprogrammen überwachen sollten. Er müsse daher etwas zu verbergen haben.[35]

Diese Abneigung gegen Saddam Hussein war in den USA keineswegs neu. Bereits mit dem Krieg gegen den Iran 1980 bis 1988 und dem Einmarsch in Kuwait 1990 hatte Saddam Hussein aus amerikanischer Sicht seine Ruchlosigkeit bewiesen.[36] Auch nach dem Golf-Krieg war er immer wieder unangenehm aufgefallen, als er gegen internationale Auflagen verstieß und im Sommer 1998 schließlich begann, die Tätigkeit der UN-Waffeninspektoren endgültig unmöglich zu machen. Danach hatte selbst Präsident Clinton einen Regimewechsel in Bagdad angestrebt, allerdings wenig getan, um ihn wirklich herbeizuführen. Daran änderte sich auch nichts, als der amerikanische Senat am 7. Oktober 1998 den *»Iraq Liberation Act«* beschloss, mit dem er die Administration zu verpflichten suchte, auf den Sturz des Baath-Regimes im Irak hinzuarbeiten.[37] Bei den Neokonservativen, die mit Präsident George W. Bush im Januar 2001 wieder an die Macht gelangten, stand Saddam Hussein deshalb ganz oben auf der Liste der Feinde, die es zu beseitigen galt. Der 11. September bot dafür eine gute Gelegenheit.

Am 29. Januar 2002 reihte Präsident Bush in seiner ersten Rede zur Lage der Nation vor dem Kongress den Irak folgerichtig in die »Achse des Bösen« ein, die vom Irak über den Iran bis nach Nordkorea reiche. Wörtlich erklärte Bush: »Unser [...] Ziel ist es, Regime, die den Terrorismus unterstützen, davon abzuhalten, Amerika oder unsere Freunde und Verbündeten mit Massenvernichtungswaffen zu bedrohen. Einige dieser Regime haben sich seit dem 11. September recht ruhig verhalten. Aber wir kennen ihre wahre Natur. Das Regime in Nordkorea rüstet mit Raketen und Massenvernichtungswaffen auf, während es seine Bürger verhungern lässt. Der Iran strebt aggressiv nach diesen Waffen und exportiert Terror, während einige wenige, die niemand gewählt hat, die Hoffnung des iranischen Volkes auf Freiheit unterdrücken. Der Irak stellt weiterhin seine Feindseligkeit gegenüber Amerika offen zur Schau und unterstützt den Terrorismus. Schon seit über einem Jahrzehnt versucht das irakische Regime insgeheim, Milzbranderreger, Nervengas und Atomwaffen zu entwickeln. Dieses Regime hat bereits Giftgas eingesetzt, um Tausende seiner eigenen Bürger zu ermorden – und ließ danach Leichen von Müttern zurück, zusammengekauert über ihren toten Kindern. Dieses Regime hat in internationale Inspektionen eingewilligt – und dann die Inspektoren hinausgeworfen. Dieses Regime hat etwas vor der zivilisierten Welt zu verbergen. Staaten wie diese, und die mit ihnen verbündeten Terroristen, bilden eine Achse des Bösen, die aufrüstet, um den Frieden der Welt zu bedrohen.«[38]

Damit bahnte sich ein neuer Konflikt an, der bald auch die Verbündeten der USA vor schwierige Entscheidungen stellte.[39] Im Sicherheitskabinett der Bundesregierung gelangte man nach der Rede von Bush zu der Einschätzung, dass sich in den Ankündigungen »eine andere Dimension der Auseinandersetzung offenbarte als die, sich des fundamentalistisch-religiös begründeten Terrorismus zu erwehren«. Nach einem Zusammenhang mit dem 11. September und Al-Qaida suchte man vergeblich. Jetzt sollten alle »Schurkenstaaten«, die – in Wirklichkeit oder bloß vermeintlich – Programme zur Herstellung von Massenvernichtungswaffen besaßen, in die Schranken gewiesen werden.

Als Bundeskanzler Schröder zwei Tage später, am 31. Januar, zu einem Kurzbesuch nach Washington reiste, vertrat er dort gegenüber Bush die Auffassung, dass »für den Irak das Gleiche zu gelten habe wie für Afghanistan« – das heißt, die Verbindung zum Terrorismus müsse einwandfrei erwiesen sein, und alle Maßnahmen müssten in Übereinstimmung mit Entschließungen des UN-Sicherheitsrates getroffen werden. Nur dann wäre Deutschland erneut an der Seite der USA.[40] Bush versicherte im Gegenzug, dass nichts beschlossen sei und dass man die Verbündeten selbstverständlich vor jeder Entscheidung konsultieren werde. Doch auf dem Rückflug hatte die kleine deutsche Delegation das Gefühl, dass sich die psychologische Situation in Washington verändert habe. Die militärischen Erfolge in Afghanistan und besonders der überraschend wirksame Luftkrieg in Verbindung mit dem Einsatz der *Special Forces* hatten ein neues Selbstbewusstsein entstehen lassen, das sich jetzt in der Haltung der amerikanischen Führung gegenüber dem Irak widerspiegelte.

Während der Münchner Sicherheitskonferenz Anfang Februar 2002 ließen der stellvertretende amerikanische Verteidigungsminister Paul Wolfowitz und Senator John McCain keinen Zweifel daran, dass die USA ihr weiteres Vorgehen nicht von der Zustimmung einzelner Verbündeter abhängig machen würden. Es gebe keine festgefügten Koalitionen mehr, sondern »verschiedene Koalitionen für unterschiedliche Aufgaben«[41], erklärte Wolfowitz. McCain betonte, Afghanistan repräsentiere »nur die erste Front im globalen Kampf gegen den Terror«, die nächste Front sei »offensichtlich«, und man solle sich nicht scheuen, sie beim Namen zu nennen: »Ein Terrorist residiert in Bagdad.«[42]

Derartige Erklärungen klangen zwar beunruhigend, bedeuteten aber noch keine Entscheidung zum Krieg. Die Drohkulisse, die damit gegen Saddam Hussein aufgebaut wurde, mochte sogar dazu beitragen, den Waffeninspekteuren der UNO eine neue Chance zu geben. Diesen Eindruck vermittelte auch Präsident Bush persönlich, als er während seines Deutschland-Besuchs am 22. Mai 2002 bei einer Rede im Bundestag überraschend moderate Töne anschlug. Schröder hob danach seinerseits hervor, dass Deutschland weiterhin zur »uneingeschränkten Solidarität« im Kampf gegen den Terror stehe, wenn sich der Irak, wie zuvor Afghanistan, als Schutzraum und Zufluchtsort für Al-Qaida-Kämpfer erweisen sollte. Da es dafür allenfalls Anhaltspunkte, aber noch keine überzeugenden Beweise gebe, sollten die Nachrichtendienste eng zusammenarbeiten, um Klarheit über die Verhältnisse im Irak zu gewinnen.

Doch die Entspannung im deutsch-amerikanischen Verhältnis, die Bush offenbar selbst angestrebt hatte, indem er – wie es seine Art war – direkt auf die Deutschen zugegangen war, um ihren Bedenken vermeintlich Rechnung zu tragen, hielt nicht lange an. Diesmal war es die Bundesregierung, die für Misstöne sorgte: Am Abend des 1. August 2002 trat das SPD-Präsidium zu einer Sondersitzung zusammen, um über die verheerenden Zahlen zu beraten, die das ZDF-Politbarometer wenige Tage zuvor zur sogenannten Sonntagsfrage (»Wenn am nächsten Sonntag

Wahlen wären«) veröffentlicht hatte. Sie besagten, dass SPD und Grüne bei der in sieben Wochen anstehenden Bundestagswahl zusammen nur noch 42 Prozent der Stimmen erhalten würden. Der Rückstand gegenüber der CDU/CSU und FDP schien uneinholbar.[43]

Lange Zeit hatte Schröder sich deswegen offenbar keine großen Sorgen gemacht. Zwar hatte die SPD nach dem Kosovo-Krieg im Frühjahr 1999 nicht nur die Europawahl, sondern auch alle nachfolgenden Landtagswahlen verloren. Aber vor der Wahl 1998 war es nicht viel anders gewesen. Zudem hatte die Kurve für Rot-Grün im Juli 2002 schon wieder nach oben gezeigt. Doch nach der Entlassung von Bundesverteidigungsminister Rudolf Scharping am 18. Juli ging es in den Umfragen für die SPD erneut steil abwärts, obwohl der Sturz Scharpings nach Enthüllungen über das Privatleben des Ministers nicht zu vermeiden gewesen war.[44] Ende Juli war ein neuer Tiefpunkt erreicht. Jetzt ließ sich der Ernst der Lage nicht länger ignorieren.

Als das SPD-Präsidium am 1. August darüber beriet, »wie die Chancen auf einen Wahlsieg verbessert werden könnten«[45], legte SPD-Generalsekretär Franz Müntefering ein neues, primär innenpolitisch ausgerichtetes Konzept für einen »deutschen Weg« vor, bei dem das deutsche Sozialstaatsmodell im Vordergrund des Wahlkampfes stehen sollte.[46] Bundeskanzler Schröder hatte sich angesichts der schlechten Umfrageergebnisse jedoch bereits in den Vortagen entschlossen, die Irak-Frage in den Mittelpunkt des Wahlkampfes zu rücken. Befragungen hatten ergeben, dass eine deutsche Beteiligung an einem militärischen Vorgehen gegen den Irak in breiten Kreisen der Bevölkerung auf Ablehnung stieß.[47] Auch Außenminister Fischer hatte Schröder bei einem Gespräch im Kanzleramt am 30. Juli gedrängt, »klar zur ›Irak-Frage‹ Stellung zu beziehen«. »Du musst das hochziehen«[48], hatte Fischer dabei angeblich erklärt, denn die USA gingen sicher auf Kriegskurs, und eine skeptische Haltung könne helfen, die Wahl zu gewinnen. Doch im Präsidium redete man am 1. August zunächst über Münteferings innenpolitisches Konzept. So hatte die Diskussion über die außenpolitische Haltung der Partei im kommenden Wahlkampf noch gar nicht begonnen, als Schröder die Sitzung für ein kurzes Fernsehinterview verließ. Auf die Frage des ZDF-Moderators Wolf von Lojewski »Haben Sie noch ein Kaninchen im Hut, um die SPD wieder auf die Überholspur zu bringen?« antwortete Schröder pflichtgemäß, es gehe natürlich nicht um Kaninchen oder sonstige Tiere. Aber man habe »beunruhigende Nachrichten aus dem Nahen Osten bis hin zur Kriegsgefahr«. Deutschland werde zwar weiter mit seinen Partnern solidarisch bleiben, »aber für Abenteuer nicht zur Verfügung stehen, und dabei wird es bleiben. Und das wird sicher ein Thema werden.«[49]

In seinen Memoiren ging Schröder später auf diesen Zusammenhang nicht ein. Dort bemerkte er lediglich, die Gründe für sein »Nein« zu einem deutschen Kriegseintritt habe er »erstmals nach der Sitzung des SPD-Präsidiums am 1. August 2002 öffentlich vorgetragen«[50]. In Wirklichkeit spielten der Wahlkampf und die sich abzeichnende Wahlniederlage der rot-grünen Koalition die entscheidende Rolle für den öffentlichen Vorstoß des Kanzlers, der mit Fischer, aber nicht mit der eigenen Partei abgestimmt war. Auch nach der Rückkehr Schröders in die Präsidiumssitzung war die neue außenpolitische Strategie offenbar kein Thema. Zwar waren der Irak-Konflikt und die Haltung der USA während der Abwesenheit des Kanzlers am Rande kurz erörtert worden, aber diese Diskussion war bereits wieder beendet, als Schröder den Raum betrat. Noch am nächsten Morgen wusste selbst Müntefering von nichts. Als er von Journalisten auf Schröders Auftritt im Fernsehen angesprochen wurde, bemerkte er nur, mit außenpolitischen Themen lasse sich die Wahl ohnehin nicht gewinnen.[51]

Tatsächlich gab es weder im Präsidium noch in anderen Gliederungen der Partei nennenswerten Widerspruch gegen Schröders Alleingang. Nach dem Kosovo-Krieg und vor allem nach der umstrittenen Entscheidung zur Entsendung eines deutschen Kontingents nach Afghanistan im November 2001 war man offenbar erleichtert, nicht über eine dritte deutsche Kriegsbeteiligung innerhalb einer Legislaturperiode befinden zu müssen. Eine eigene Mehrheit hätte man dafür im Bundestag ohnehin nicht mehr erhalten, sondern wäre auf die Mitwirkung der Opposition angewiesen gewesen, nachdem sich neben den Grünen auch SPD-Linke wie Gernot Erler, Andrea Nahles und Hermann Scheer bereits im November 2001 beziehungsweise März 2002 entschieden gegen einen möglichen Irak-Krieg ausgesprochen hatten.[52]

Wenige Tage später, beim Wahlkampfauftakt der SPD am 5. August auf dem Opernplatz in Hannover, stellte Schröder die Irak-Frage demonstrativ in den Mittelpunkt seiner Rede und sprach nun auch hinsichtlich der Außen- und Sicherheitspolitik von einem »deutschen Weg«, den Müntefering eigentlich für das deutsche Sozialstaatsmodell reklamiert hatte. Schröder erklärte wörtlich: »Wir haben uns auf den Weg gemacht, auf unseren deutschen Weg. [...] Und deswegen sage ich: Druck auf Saddam Hussein ja. Wir müssen es schaffen, dass die internationalen Beobachter in den Irak können. Aber Spielerei mit Krieg und militärischer Intervention – davor kann ich nur warnen. Das ist mit uns nicht zu machen. [...] Für Abenteuer stehen wir nicht zur Verfügung.«[53]

Die Opposition, vor allem CDU und CSU, warfen Schröder daraufhin vor, er habe das Thema Irak für den Wahlkampf instrumentalisiert und schüre bewusst Antiamerikanismus, um seine Wahlchancen zu verbessern. Doch während später manche Sozialdemokraten vor den außenpolitischen Konsequenzen dieser Strategie zurückschreckten und sich auf eine sachliche Argumentation gegen die amerikanische Irak-Politik zurückzogen, hielten führende SPD-Politiker die Vorgehensweise Schröders damals für richtig.[54] So erklärte der stellvertretende Vorsitzende der SPD-Fraktion im Bundestag, Norbert Wieczorek, »die Entscheidung, den Irak-Krieg zum Wahlkampfthema zu machen«, sei nicht nur eine »inhaltlich völlig richtige Entscheidung« gewesen, sondern auch »völlig legitim und absolut geboten«.[55] Auf jeden Fall ließ sich die Außenpolitik aus dem Wahlkampf jetzt nicht mehr heraushalten, wie es früher in der Bundesrepublik zumeist geschehen war.

Der Wahlkampf 2002

Bei der Bundestagwahl am 22. September 2002 traten mit Gerhard Schröder und Edmund Stoiber zwei Persönlichkeiten gegeneinander an, die unterschiedlicher kaum hätten sein können. Schröder sah sich selbst als Mann des Volkes mit Arbeiterhintergrund: ein niedersächsischer Aufsteiger, der seinen Erfolg der eigenen Leistung und Beharrlichkeit verdankte und mit seiner Politik der »Neuen Mitte« die auseinanderstrebenden Flügel der SPD zu integrieren suchte. Stoiber war dagegen ein bayerischer Konservativer und typischer Vertreter des gebildeten Bürgertums: statusbewusst und wertorientiert, hart arbeitend, diszipliniert und ordnungsliebend – ein Traditionalist selbst innerhalb der Union.[56]

Als Stoiber am 11. Januar 2002 zum Kanzlerkandidaten der Union gewählt wurde, setzte er sich nur deshalb gegen die Parteivorsitzende der CDU, Angela Merkel, durch, weil er nach Meinungsumfragen bessere Chancen besaß, gewählt zu werden. Tatsächlich sah es lange Zeit so aus, als könne er die Wahl gar nicht verlieren. Ende Juli 2002 waren CDU und CSU derart zuversichtlich, dass einige ihrer führenden Köpfe sich bereits mehr Gedanken über die Verteilung der Ministerposten machten als über den Wahlkampf.[57] Stoiber hatte bis dahin sogar sein größtes Manko kompensieren können: die mangelnde Medienwirksamkeit, die umgekehrt Schröders größte Stärke darstellte.

Wie wenig der Vorsprung Stoibers in den Umfragen gegen Schröder bedeutete, sollte sich erst nach dem 5. August erweisen, als der Kanzler mit seinem Wahlkampf begann. Dabei plädierte er nicht nur für einen »deutschen Weg« in der Irak-Frage und gegenüber der Bush-Regierung, der er eine eindeutige Kriegsabsicht unterstellte, sondern nutzte auch zwei weitere Felder für seine Kampagne: die Arbeitsmarktpolitik und das »Jahrhunderthochwasser« der Elbe.

Zur Wirtschaftspolitik hatte Schröder nach der Wahl von 1998 selbstbewusst erklärt, wenn es seiner Regierung nicht gelinge, die Zahl der Arbeitslosen, die damals 4,3 Millionen betrug, unter vier Millionen zu drücken, habe sie es nicht verdient, wiedergewählt zu werden. Doch 2002 lag die Zahl immer noch bei 4,1 Millionen, mit einem besonders hohen Anteil im Osten Deutschlands. Außerdem gingen die Fachleute davon aus, dass das Wachstum des Bruttoinlandsprodukts 2002 nicht mehr als 0,75 Prozent betragen würde; im ersten Halbjahr waren sogar nur 0,3 Prozent erreicht worden. Für den Arbeitsmarkt war deshalb keine Erleichterung in Sicht.[58] Dennoch gelang es Stoiber nicht, das Thema für sich zu nutzen, weil Schröder am 16. August in einem großen Medienauftritt die Vorschläge der sogenannten »Hartz-Kommission« – auf die an anderer Stelle noch im einzelnen einzugehen sein wird[59] – präsentierte, die das Versprechen enthielten, durch umfassende Reformen des Arbeitsmarktes die wirtschaftliche Situation grundlegend zu verbessern.

Das zweite große innenpolitische Wahlkampfthema war die »Jahrhundertflut«, bei der im August 2002 die Elbe und ihre Nebenflüsse über die Ufer traten. Die Flut richtete große Schäden an und stürzte viele Menschen in materielle Not. Auch hier reagierte Schröder instinktiv. In Gummistiefeln und Ölzeug erschien er unverzüglich vor Ort, um sein Mitgefühl zu demonstrieren, und wurde von den Opfern der Katastrophe mit Beifall empfangen. Stoiber dagegen wartete eine ganze Woche ab, reiste also verspätet an, und hinterließ wenig Eindruck, während Schröder längst das Vertrauen der Menschen gewonnen hatte. Zudem versprach Schröder – als amtierender Regierungschef – nicht nur eine Soforthilfe von 385 Millionen Euro, sondern präsentierte auch bereits am 26. August das »Flutopfersolidaritätsgesetz« mit einem Volumen von 7,1 Milliarden Euro, das noch im September, rechtzeitig vor der Wahl, vom Bundestag verabschiedet wurde.

Wahlentscheidend war in diesem Zusammenhang allerdings weniger das politische Ungeschick Stoibers, als vielmehr die Popularität, die Schröder durch sein Auftreten bei den Flutopfern im Osten Deutschlands gewann.[60] Denn die rot-grüne Koalition hätte die Mehrheit im Bundestag nicht behaupten können, wenn die PDS, wie erwartet, durch hohe Gewinne in Ostdeutschland bundesweit die Fünf-Prozent-Hürde übersprungen hätte. Erst die Flut sorgte dafür, dass die SPD auch im Osten die notwendigen Stimmen bekam, um die PDS am Einzug in den Bundestag zu hindern.[61]

Dennoch war der Wahlausgang denkbar knapp: CDU/CSU und SPD lagen mit jeweils 38,5 Prozent gleichauf. Die FDP erhielt 7,4 Prozent, Bündnis 90/Die Grünen 8,6 Prozent und die PDS 4,0 Prozent. Wahlanalysen zeigten, dass Schröder in der Kandidatenfrage mit 59 Prozent gegenüber Stoiber mit nur 34 Prozent weit besser abgeschnitten hatte. Dank Schröder hatte die SPD gegenüber 1998 nur 2,4 Prozent eingebüsst – weit weniger als vor der Wahl erwartet oder befürchtet. Seine Haltung gegenüber der amerikanischen Irak-Politik und seine geschickte Handhabung der Flutkatastrophe in Ostdeutschland hatten dazu ebenso beigetragen wie die Perspektiven, die er in der Wirtschafts- und Arbeitsmarktpolitik durch die Präsentation der Hartz-Vorschläge aufgezeigt hatte.[62]

Dass die rot-grüne Koalition fortgesetzt werden konnte, hing allerdings auch mit der FDP zusammen. Alle Umfragen hatten darauf hingedeutet, dass sie mit einem zweistelligen Ergebnis aus der Wahl hervorgehen würde. Gestört wurde der erfolgreiche Wahlkampf der FDP allerdings durch ihren stellvertretenden Vorsitzenden, Jürgen Möllemann, der im Mai 2002 dem israelischen Premierminister Ariel Scharon vorwarf, einen »Vernichtungskrieg« gegen die Palästinenser zu führen. Damit löste er eine Diskussion aus, in der ihm die Absicht unterstellt wurde, zur Verwirklichung seines »Projekts 18«, das er im Jahr zuvor in Nordrhein-Westfalen postuliert hatte, bewusst Antisemitismus zu schüren, um im antiisraelischen Milieu des rechten und linken politischen Spektrums zusätzliche Stimmen zu gewinnen.[63] Eine Woche vor der Bundestagswahl ließ Möllemann dazu noch ein umstrittenes Flugblatt, in dem Scharon und der damalige Vizepräsident des Zentralrats der Juden in Deutschland, Michel Friedman, erneut in scharfer Form angegriffen wurden, an alle Haushalte in Nordrhein-Westfalen verteilen und stieß damit über die Parteigrenzen hinweg auf Ablehnung und Empörung. Spätestens jetzt betraf die Kritik auch den Vorsitzenden der FDP, Guido Westerwelle, der Möllemann nicht rechtzeitig in die Schranken verwiesen und damit den Eindruck politischer Führungsschwäche erweckt hatte. Das Wahlergebnis blieb danach für die FDP weit hinter den Erwartungen zurück und genügte nicht, um gemeinsam mit der CDU/CSU eine bürgerliche Koalition bilden zu können. Schröder und Rot-Grün blieben an der Macht.

9 Von Schröder zu Merkel

Nachdem Gerhard Schröder 2005 sein Regierungsbündnis spektakulär an der Vertrauensfrage hatte scheitern lassen, zog mit Angela Merkel erstmals eine Frau ins Bundeskanzleramt ein.

Die Irak-Debatte, die Hartz-Vorschläge, die Flutkatastrophe und die Möllemann-Affäre hatten somit die rot-grüne Koalition vor einer Niederlage bewahrt und die Fortsetzung ihrer Regierungsarbeit ermöglicht. Der Vorsprung der SPD vor der CDU/CSU betrug allerdings nur 6027 Zweitstimmen, Rot-Grün erhielt lediglich 1,2 Prozentpunkte mehr als Schwarz-Gelb. »Mit einem blauen Auge davongekommen«, überschrieben deshalb Richard Stöss und Gero Neugebauer ihre Wahlanalyse, die sie im November 2002 an der Arbeitsstelle für Empirische Politische Soziologie der Freien Universität Berlin vorlegten.[1] Doch für die Bundesregierung wurden die Probleme nach dem Sieg nicht geringer: Die fortdauernde Krise im Irak, die Notwendigkeit einer außenpolitischen Neuorientierung nach der Verschlechterung der deutsch-amerikanischen Beziehungen, vor allem aber die grundlegende Strukturkrise der deutschen Wirtschaft, die in immer höheren Arbeitslosenzahlen ihren Ausdruck fand, bereiteten Sorgen, für die es Lösungen zu entwickeln galt. Das zweite Kabinett Schröder war deshalb um seine Aufgabe nicht zu beneiden.

Paris, Berlin, Moskau: Eine neue Außenpolitik?

Im Wahlkampf hatten Bundeskanzler Schröder und Außenminister Fischer ihre strikte Ablehnung eines Krieges gegen den Irak deutlich gemacht und immer wieder bemerkt, dass es »keinen Automatismus hin zur Anwendung militärischer Zwangsmaßnahmen«[2] geben dürfe, wie Fischer noch am 14. September vor der Vollversammlung der Vereinten Nationen bemerkte. Die in den USA gehegte Erwartung, die Anti-Kriegs-Rhetorik der Bundesregierung sei nur wahlkampfbedingt und werde sich nach dem Urnengang ändern, erfüllte sich indessen nicht. Auch nach ihrer Wiederwahl blieben Schröder und Fischer bei ihrer Haltung. In seiner Regierungserklärung am 29. Oktober 2002 ging der Bundeskanzler sogar noch einen Schritt weiter, als er »gegenüber dem Irak und anderen Gefahrenherden« eine »konsequente Politik der Abrüstung und internationalen Kontrollen« forderte und zugleich feststellte, Deutschland werde sich »an einer militärischen Intervention im Irak nicht beteiligen«.[3] Daraus musste man schließen, dass die »uneingeschränkte Solidarität« mit den USA, auf die Schröder und Fischer seit dem 11. September immer wieder hingewiesen hatten, im Irak – anders als im Kosovo und in Afghanistan – dort an ihre Grenzen stieß, wo der Einsatz militärischer Gewalt begann.

Zudem suchte die Bundesregierung nun innerhalb Europas nach Verbündeten, die ihre Irak-Politik unterstützten. In erster Linie richtete sich die Aufmerksamkeit dabei auf Frankreich. So wurde die nach wochenlangen Verhandlungen beschlossene Resolution 1441 des UN-Sicherheitsrates vom 8. November 2002 in Berlin ausdrücklich als ein Erfolg gewürdigt, »den die deutsche

Politik gemeinsam mit den Franzosen erzielt hat«[4]. Der Resolution zufolge sollten die Waffeninspektionen der UNO im Irak unter der Leitung von Hans Blix noch einmal verstärkt werden, um herauszufinden, ob der Irak tatsächlich, wie von den USA und auch von Großbritannien behauptet, über Massenvernichtungswaffen verfügte, die Saddam Hussein den Terroristen des Al-Qaida-Netzwerks zur Verfügung stellen konnte. Der Irak wurde überdies ultimativ aufgefordert, diese und alle früheren Resolutionen einzuhalten. Für den Fall, dass dies nicht geschah, wurden – wie mehrfach zuvor – »ernste Konsequenzen« angedroht. Von militärischer Gewaltanwendung war aber nicht die Rede.

Deutschland und Frankreich sahen darin einen Erfolg ihrer Politik, weil sie davon ausgingen, dass es zumindest einer weiteren Resolution des Sicherheitsrates bedurfte, um einen Kriegseinsatz auf der Basis neuer Inspektionsergebnisse zu rechtfertigen. Russland und China schlossen sich dieser Interpretation an. Deutschland, das mit seiner Ablehnung eines militärischen Vorgehens gegen den Irak zunächst ziemlich isoliert gewesen war, hatte somit die erhofften Verbündeten gefunden.[5] Bundeskanzler Schröder fühlte sich dadurch ermutigt, den Konflikt mit den USA weiter zuzuspitzen. Auf einer Wahlkampfveranstaltung in Goslar – in Niedersachsen wurde am 2. Februar 2003 ein neuer Landtag gewählt – erklärte er am 21. Januar an historischer Stätte im Odeon-Theater, wo Konrad Adenauer 1950 die Bundes-CDU gegründet hatte, die Bundesrepublik werde einem Irak-Krieg im UN-Sicherheitsrat nicht zustimmen. Seinen französischen Gesprächspartnern, so Schröder, habe er gesagt: »Rechnet nicht damit, dass Deutschland einer den Krieg legitimierenden UN-Resolution zustimmt, rechnet nicht damit.«[6]

Die Bemerkung war kein Wahlkampfversprecher. Der Kanzler hatte seine Rede in mehreren Gesprächen mit Chirac und Blair gut vorbereitet und die anderen europäischen Verbündeten vorab über die Festlegung des deutschen Abstimmungsverhaltens informiert. Der außenpolitische Sprecher der CDU/CSU-Bundestagsfraktion, Friedbert Pflüger, kommentierte deshalb Schröders Aussage mit den Worten: »Egal, was die UN-Inspekteure noch finden, egal, welche Verstöße Saddam Hussein gegen UN-Beschlüsse auch begeht, egal, welche Position der UN-Sicherheitsrat schließlich einnimmt – für das deutsche Abstimmungsverhalten ist all das irrelevant. Deutschland hat sich schon festgelegt.«[7]

In der Tat bemühte sich Schröder mit Chirac und auch mit dem russischen Präsidenten Wladimir Putin Anfang Februar um eine Gemeinsame Erklärung Deutschlands, Frankreichs und Russlands, die das Zustandekommen einer Resolution im UN-Sicherheitsrat zur Legitimierung eines Krieges weiter erschweren sollte. Alle drei waren sich nach den Berichten des UN-Waffeninspektors Hans Blix sicher, dass der Irak nicht mehr über Massenvernichtungswaffen oder gar über ein Atomwaffenprogramm verfügte. Auch der Chef der Internationalen Atomenergiebehörde, Mohammed El Baradei, hatte sich mehrfach in diesem Sinne geäußert. Am 9. Februar traf Schröder deshalb mit Putin im Gästehaus der Bundesregierung in der Berliner Pücklerstraße zusammen, um noch einmal mit ihm über die Gemeinsame Erklärung, die auch von Frankreich mitgetragen wurde, zu beraten. Es hieß darin: »Es gibt noch eine Alternative zum Krieg. Der Einsatz von Gewalt kann nur ein letztes Mittel darstellen. Russland, Deutschland und Frankreich sind entschlossen, der friedlichen Entwaffnung des Irak alle Chancen zu geben.«[8]

Natürlich sprachen die Medien sofort von einer »Achse Paris-Berlin-Moskau«.[9] Von der Opposition wurde der Bundesregierung dazu vorgeworfen, sie breche mit den traditionellen außenpolitischen Handlungsnormen und stürze Deutschland in die schwerste außen- und sicherheitspolitische Krise seit Bestehen der Bundesrepublik. Vor allem jedoch, so der Parlamentarische Geschäftsführer der Bundestagsfraktion der CDU/CSU, Eckart von Klaeden, schwäche Schröder mit der »absoluten Weigerung, an einer von der UN sanktionierten Maßnahme gegen den Irak teilzunehmen«[10], die Vereinten Nationen und erhöhe die Notwendigkeit, Saddam am Ende mit militärischen Mitteln entwaffnen zu müssen. Anders formuliert: Indem die Bundesregierung die Kriegsdrohung der internationalen Gemeinschaft faktisch entwerte, trage sie nicht zur Lösung des Konflikts bei, sondern mache den Krieg praktisch unvermeidlich.

Inmitten der aufgeheizten innenpolitischen Situation, in der am 15./16. Februar 2003 in zahlreichen Ländern Europas Massenkundgebungen gegen einen möglichen Krieg im Irak und für eine Verhandlungslösung im Rahmen der UNO stattfanden, arbeiteten Deutschland und Frankreich – mit Unterstützung Russlands und Chinas – noch an einem Plan, die Zahl der Waffeninspektoren im Irak zu erhöhen und auch den Einsatz von Blauhelm-Soldaten der UNO vorzusehen. Das Dilemma, Saddam Hussein zum Einlenken bewegen zu wollen, ohne die »Drohkulisse« aufrechtzuerhalten, und gleichzeitig die Bush-Administration in ihrer Entschlossenheit zu bremsen, den Krieg in jedem Fall anzustreben, um das Saddam-Regime zu stürzen, konnten sie jedoch nicht lösen. So begann am 20. März der Krieg, ohne dass Deutschland, Frankreich oder Russland noch ihren Einfluss geltend machen konnten. Erst nach dem offiziellen Ende der Kampfhandlungen am 1. Mai wurden die Kontakte zu den USA erneuert: Bundesverteidigungsminister Peter Struck reiste am 5. Mai nach Washington; sein Besuch wurde am 16. Mai vom amerikanischen Außenminister Colin Powell erwidert. Und auch zwischen Schröder und Bush wurde die Verbindung wiederhergestellt, als Bush am 7. Juni mit Schröder telefonierte, um ihm das Beileid des amerikanischen Volkes für den Tod von vier deutschen Soldaten auszusprechen, die am gleichen Tag in Afghanistan bei einem Anschlag in Kabul ums Leben gekommen waren.

Krise des Sozialstaates und Agenda 2010

Die zweite Front, an der die rot-grüne Koalition nach ihrer Wiederwahl 2002 kämpfte, betraf die Reform des Sozialstaates. Dieser befand sich seit langem in der Krise, war aber spätestens mit den Vorschlägen der »Hartz-Kommission« vom August 2002 zu einem zentralen Thema der Regierungsarbeit geworden.

Die alte Bundesrepublik hatte sich zu einem wesentlichen Teil über ihre sozialen Errungenschaften definiert. Im Unterschied zur Weimarer Republik galt die Bundesrepublik als ein Staat mit hoher sozialer Stabilität und einer guten und zuverlässigen Absicherung seiner Arbeitnehmer auch in Zeiten der Krise und der Arbeitslosigkeit. Für die rot-grüne Koalition nach 1998 bildete der Sozialstaat ebenfalls einen essenziellen Bestandteil der politisch-ökonomischen Identität Deutschlands. Der Vorwurf an die Adresse der Bundesregierung unter Helmut Kohl in den 1990er Jahren, sie habe »den Boden der Sozialstaatlichkeit«[11] verlassen, hatte sogar wesentlich zum Sieg der SPD bei der Bundestagswahl 1998 beigetragen.

Der Vorwurf war allerdings nicht berechtigt. Denn auch die Regierung Kohl hatte nach einer Phase der Haushaltskonsolidierung und sozialpolitischen »Atempause« (Norbert Blüm) zu Beginn der 1990er Jahre versucht, den Sozialstaat weiter auszubauen. Dazu zählte vor allem die Einführung der Pflegeversicherung 1992, aber auch der »Aufbau Ost«, der – neben der Erneuerung der Infrastruktur – nicht zuletzt ein großangelegtes sozialpolitisches Projekt darstellte.[12] So betrug die Quote der Sozialleistungen (gemessen in Prozent am Bruttoinlandsprodukt) 1992 in Ostdeutschland 66,8 Prozent, 1996 lag sie immer noch bei 56 Prozent. Allerdings begann bereits 1993 ein Umdenken, das wesentlich auf die Verschlechterung der wirtschaftlichen Rahmendaten zurückzuführen war. Ab Mitte der 1990er Jahre wurden schließlich zahlreiche Leistungskürzungen vorgenommen, so in der Rentenversicherung, in der Gesetzlichen Krankenversicherung und bei der Sozialhilfe.

Für diese Entwicklung war nach Auffassung der Experten nicht eine wie auch immer geartete anti-soziale Grundhaltung der Regierung Kohl verantwortlich, sondern die »Wucht der Trias von Globalisierung, europäischer Integration und/oder deutscher Einigung«[13]. Auch die rot-grüne Koalition sah sich deshalb 1998 mit einer Ausgangssituation konfrontiert, die eine Expansion des Sozialstaates eigentlich nicht mehr zuließ. Dennoch machte die neue Regierung zunächst Leistungseinschränkungen der alten Regierung rückgängig und beschloss gleichzeitig eine Reihe von Leistungsverbesserungen, etwa beim Kindergeld und in der Pflegeversicherung, um ihre Wahlversprechen einzuhalten. Zudem präsentierte Arbeitsminister Walter Riester im Juni 1999 seine Pläne für eine Rentenreform, die unter anderem eine staatlich geförderte private Alterversicherung vorsah und 2001 in Kraft treten sollte. Bereits die Ankündigung der Riester-Reform war jedoch von einem finanzpolitischen Kurswechsel überschattet, den die rot-grüne Koalition nach dem Rücktritt von Finanzminister Lafontaine im Frühjahr 1999 einleitete. Wie sich schon in den letzten Jahren der Ära Kohl gezeigt hatte, machten das geringe Wirtschaftswachstum und das gleichzeitig hohe Niveau der Arbeitslosigkeit die Finanzierung des bestehenden Sozialsystems zunehmend schwierig, ja unmöglich.[14]

Vor diesem Hintergrund musste das gemeinsame Strategiepapier, das Bundeskanzler Schröder und der britische Premierminister Tony Blair am 8. Juni 1999 in London unterzeichneten, in der SPD ernüchternd wirken. Das »Schröder-Blair-Papier« war vom Chef des Bundeskanzleramtes, Bodo Hombach, und dem Architekten beim Umbau der *Labour Party* zu *»New Labour«* und Minister ohne Geschäftsbereich im Kabinett von Blair, Peter Mandelson, ausgearbeitet worden. Es trug den Titel »Der Weg nach vorne für Europas Sozialdemokraten«[15]. Hombach, ein konsequenter Gegner Lafontaines und bemüht um eine Reformorientierung der SPD auf der Grundlage einer realistischen Einschätzung der wirtschaftlichen Situation, bemerkte dazu in einem Interview mit der *Welt*, es gehe »in dem Text um – wie Ottmar Schreiner sagt – den Startschuss für einen programmatischen und organisierten Modernisierungsprozess. Es geht darum, Brücken zu bauen zwischen alten Werten der Sozialdemokratie und den neuen Herausforderungen. Beides muss versöhnt werden.«[16]

Lafontaine dagegen sah, wie viele Linke in der SPD, in dem Papier einen Kurswechsel des Kanzlers zu einer arbeitnehmerfeindlichen und ungerechten Wirtschafts-, Steuer- und Sozialpolitik sowie eine Abkehr von sozialdemokratischen Grundwerten und die Hinwendung zum Neoliberalismus. Schröder selbst bemerkte dazu später, das Papier habe »in Ansätzen vieles von dem (enthalten), was dann [...] in der Agenda 2010 erneut aufgegriffen werden sollte«. Die »allseitige Entrüstung« über Blairs und seinen Vorschlag habe jedoch eine »inhaltliche Debatte« verhindert, die schon damals notwendig gewesen wäre.[17]

Tatsächlich lebte der Streit zwischen den Parteiflügeln in der SPD im Frühjahr 1999 wieder auf, so dass die Regierung in ihrem Bemühen um einen sozialpolitischen Umbau fortan praktisch gelähmt war. Ohnehin durch den Kosovo-Krieg und bald auch durch den Afghanistan-Krieg sowie die nachfolgende Irak-Debatte stark in Anspruch genommen, brachte sie für den Rest der Legislaturperiode nicht mehr die Energie auf, die nötig gewesen wäre, um der Krise des Sozialstaates, die sich immer klarer abzeichnete und immer weniger ignorieren ließ, mit wirkungsvollen Maßnahmen zu begegnen. Immerhin machten der »finanzpolitische Schwenk« und das damit verbundene Eingeständnis, dass Reformen künftig vor allem Konsolidierung bedeuteten, schon Mitte 1999 deutlich, dass die rot-grüne Regierung die Zeichen der Zeit erkannt hatte.[18] Ein halbes Jahr nach ihrem Machtantritt hatte sie sich den Positionen der Regierung Kohl damit auf verblüffende Weise angenähert.

Die Einsetzung der bereits mehrfach erwähnten sogenannten »Hartz-Kommisson« am 22. Februar 2002 ist in der Rückschau oft als Wendepunkt der rot-grünen Sozial- und Arbeitsmarktpolitik gewertet worden. Eigentlich sollte diese Kommission, der später so viel Aufmerksamkeit zuteil wurde, nur die Probleme des Arbeitsmarktes in Deutschland erörtern und begrenzte Empfehlungen zur Reform der staatlichen Arbeitsverwaltung ausarbeiten. Die Tatsache, dass es schon bald zu einer wesentlichen Ausweitung der Themen und am Ende zu einem Bericht kam, der

Vorschläge für überaus grundlegende Reformen enthielt, hatte wesentlich mit ihrem Vorsitzenden zu tun: Peter Hartz.[19]

Hartz war als Arbeitsdirektor Mitglied des Personalvorstandes bei Volkswagen in Wolfsburg und ein alter Bekannter von Bundeskanzler Schröder aus Niedersachsen, seit dieser dort als Ministerpräsident von 1990 bis 1998 dem Präsidium des Aufsichtsrates von VW angehört hatte. Hartz war 1993 auf Vorschlag des damaligen Vorstandsvorsitzenden Ferdinand Piëch zu VW gekommen und hatte binnen kurzem mit innovativen Arbeitszeitmodellen von sich reden gemacht, über die 1994 auch ein Buch unter seinem Namen erschien.[20] In den Jahren darauf suchte er seine Wolfsburger Erfahrungen zu verallgemeinern und ließ ein weiteres Buch veröffentlichen, in dem es grundsätzlich um die Frage ging, wie die Stagnation am Arbeitsmarkt überwunden werden könne und wie das Profil des Arbeitnehmers der Zukunft aussehen müsse, um den Anforderungen der Globalisierung und der Kostenexplosion im Wohlfahrtsstaat gerecht zu werden. Das Buch trug den programmatischen Titel *Job-Revolution – Wie wir neue Arbeitsplätze gewinnen können*[21].

Hartz war jedoch kein Intellektueller, der sich gern schriftlich äußerte, und auch kein Experte für den Arbeitsmarkt, wie sich in der Kommission bald herausstellte, aber ein begnadeter Verhandlungsführer, der es verstand, die Kommissionsarbeit in angenehmer Atmosphäre voranzutreiben und die Diskussion in immer neue, oft überraschende Richtungen zu lenken. Dies war wohl auch der Hauptgrund gewesen, weshalb Schröder den gewerkschaftsnahen Sozialdemokraten gebeten hatte, den Vorsitz zu übernehmen.

Unmittelbarer Anlass für die Einsetzung der Kommission war ein Skandal um die Nürnberger Bundesanstalt für Arbeit, bei der geschönte Statistiken über Vermittlungserfolge und den gigantischen Umfang des Verwaltungspersonals im Verhältnis zur geringen Zahl der Vermittler bekannt geworden waren. Die Reform der Arbeitsvermittlung war deshalb ein wesentliches Anliegen der Kommission, die aus 15 Personen bestand und den unscheinbar-harmlosen Titel »Kommission Moderne Dienstleistungen am Arbeitsmarkt« trug. Ihr gehörten Vertreter der Banken, der Industrie und des Handwerks, der Gewerkschaften, der Arbeitsverwaltung und der Wissenschaft sowie mehrere private Wirtschaftsberater an. Allen Kommissionsmitgliedern stand das Scheitern des »Bündnisses für Arbeit, Ausbildung und Wettbewerbsfähigkeit« vor Augen, dessen erste Sitzung nach Bildung der rot-grünen Koalition am 7. Dezember 1998 stattgefunden hatte und dessen achtes Treffen Ende Januar 2002 ohne Ergebnis zu Ende gegangen war.[22] Wichtige Probleme waren damit ohne Lösungsvorschlag geblieben: die Senkung der gesetzlichen Lohnnebenkosten durch Reformen der Sozialversicherung, der Abbau von Überstunden durch flexiblere Arbeitszeiten, die Ermöglichung vermehrter Teilzeitarbeit, die Bekämpfung der Jugend- und Langzeitarbeitslosigkeit, eine Unternehmenssteuerreform zur Entlastung der mittelständischen Wirtschaft sowie die verbesserte Förderung von Existenzgründungen und Innovationen – und vieles andere mehr.

Die Hartz-Kommission ließ sich deshalb als Fortsetzung des »Bündnisses für Arbeit« unter anderen Vorzeichen deuten. Dennoch erregte ihre Arbeit zunächst kaum öffentliche Aufmerksamkeit. Allerdings fand sie auch »nicht, wie die Papstwahl in der Sixtinischen Kapelle, im Verborgenen«[23] statt. Das Kanzleramt und das Finanzministerium waren durch Vertreter, die an den Beratungen teilnahmen, stets aus erster Hand unterrichtet. Die Bundesanstalt für Arbeit saß durch Wilhelm Schickler, den Präsidenten des Landesarbeitsamtes Hessen, mit am Tisch. Und die Kommission war offen für Einflussnahmen von außen – eine Gelegenheit, die Arbeitgeber wie Gewerkschaften, besonders die ÖTV, gerne ergriffen. Bei den Kommissionsmitgliedern stapelten sich deshalb allabendlich die Briefe, in denen Anliegen und Wünsche vorgetragen wurden. Peter Hartz suchte dadurch aber von vornherein den Eindruck zu vermeiden, dass die Kommission einen Überraschungscoup plane, um Politik und Öffentlichkeit vor vollendete Tatsachen zu stellen. Bundeskanzler Schröder selbst nahm an den Beratungen nur einmal teil – nicht, um in den Gang der Diskussion einzugreifen, sondern nur, um ihre Bedeutung zu unterstreichen.

Der Kommissionsbericht umfasste schließlich 344 Seiten. Darin wurde ein Bündel von Maßnahmen vorgeschlagen, mit denen die Arbeitsmarktpolitik in Deutschland effizienter gestaltet und die staatliche Arbeitsvermittlung reformiert werden sollten. Im Mittelpunkt standen 13 sogenannte »Innovationsmodule«, in denen die eigene Integrationsleistung der Arbeitslosen besonders hervorgehoben wurde. Zur besseren Umsetzung im Gesetzgebungsverfahren wurden die Maßnahmenpakete in einzelne Gesetze aufgeteilt und mit den Kurzbezeichnungen »Hartz I« bis »Hartz IV« versehen. Als problematisch erschien später vor allem das Hartz IV-Gesetz, das die Zusammenlegung von Arbeitslosengeld und Sozialhilfe vorsah. Allerdings fand sich im Abschlussbericht der Kommission kein Hinweis, wie hoch das sogenannte »Arbeitslosengeld II« sein sollte. Hier war eine Einigung nicht möglich gewesen. Die Entscheidung darüber wurde deshalb der Bundesregierung überlassen. Doch war die Absicht unstrittig, nicht nur den defizitären Staatshaushalt zu entlasten, sondern auch den materiellen Druck auf Arbeitslose zu erhöhen, um stärkere Beschäftigungsanreize zu schaffen.[24]

Am 16. August 2002, gut einen Monat vor der Bundestagswahl, wurde der Kommissionsbericht dem Kanzler offiziell überreicht. Dieser Akt, der vormittags im Kanzleramt stattfand, wurde am Abend durch einen großen Medienauftritt im Französischen Dom am Gendarmenmarkt in Berlin ergänzt, bei dem Hartz und Schröder den Bericht öffentlich präsentierten. Mit charismatischer Ausstrahlung verbreitete Hartz dabei ein Maß an Optimismus, das alle überraschte. Er wollte, wie Schröder später schrieb, »die ganze Gesellschaft dazu einladen, Arbeitslosigkeit zum Thema jedes Einzelnen zu machen«, ermunterte »zu einem gemeinsamen Aufbruch« und forderte das, was die Regierung jetzt, mitten im Wahlkampf, am meisten brauchte: »das Ende der Larmoyanz und die Überwindung des Stimmungstiefs«.[25]

Am wichtigsten für die Regierung war jedoch das Versprechen, das Hartz in dieser Veranstaltung abgab – das indes mit der Kommission nicht abgestimmt war und sich auch nicht im Kommissionsbericht fand: Durch die Verwirklichung der Empfehlungen werde sich die Zahl der registrierten Arbeitslosen innerhalb von drei Jahren (»bis zum 16. August 2005«) um zwei Millionen verringern, ihre Zahl werde also halbiert – was wiederum Schröder zu dem »Versprechen« veranlasste, er werde das Hartz-Gutachten »im Verhältnis 1:1« umsetzen. Hartz wurde damit über Nacht zum arbeitsmarktpolitischen Hoffnungsträger der Koalition. Souverän beherrschte er in den folgenden Wochen bis zur Wahl die öffentliche Diskussion über die Arbeitslosigkeit, für deren Abbau plötzlich die SPD und nicht die in dieser Frage bisher für besonders kompetent gehaltene Union ein Konzept vorweisen konnte. Der Kanzler durfte zufrieden sein.[26]

Den Fachleuten war allerdings klar, dass die Hartz-Reformen nicht ausreichen würden, die ökonomischen Probleme in den Griff zu bekommen. Daher kündigte Schröder in seiner Regierungserklärung vom 29. Oktober 2002, mit der seine zweite Amtszeit begann, weitere umfassende Leistungskürzungen an und sprach dabei Wahrheiten aus, die aufhorchen ließen: »Zu Reform und Erneuerung gehört auch, manche Ansprüche, Regelungen und Zuwendungen des deutschen Wohlfahrtsstaates zur Disposition zu stellen. Manches, was auf die Anfänge des Sozialstaates in der Bismarck-Zeit zurückgeht und noch vor 30, 40 oder 50 Jahren berechtigt gewesen sein mag, hat heute seine Dringlichkeit und damit auch seine Begründung verloren.«[27]

Die Zuversicht, die Peter Hartz in den Wochen *vor* der Bundestagswahl verbreitet hatte, war also jetzt, kaum mehr als vier Wochen *nach* der Wahl, bereits wieder verflogen. Die Haushaltssituation, die Lage auf dem Arbeitsmarkt und die konjunkturellen Aussichten ließen keinen Spielraum für Optimismus. Die Hartz-Vorschläge wurden deshalb zum Ausgangspunkt weiterer Überlegungen, die nun in der Planungsabteilung des Kanzleramtes angestellt wurden. Das Ergebnis war ein Papier, das kurz vor der Jahreswende 2002/03 vorlag. Unter der Überschrift »Auf dem Weg zu mehr Wachstum, Beschäftigung und Gerechtigkeit« wurde darin festgestellt, dass die »an sich hervorragenden Systeme der sozialen Sicherung« in Deutschland tiefgreifend reformiert werden müssten, um sie »zukunftsfest für die von der Globalisierung ausgehenden Veränderungen« zu machen. Die in den vorangegangenen Jahrzehnten entstanden »Verkrustungen und Vermachtungen«, die »zu hohen Effizienzverlusten« geführt hätten, seien zu beseitigen.[28] Empfohlen wurde eine Verringerung der Steuer- und Abgabenbelastung, vor allem aber eine Senkung der Personalzusatzkosten. Das bedeutete weitere Einschnitte in das soziale Netz. Im Papier des Kanzleramtes hieß es dazu etwas umständlich: »Deswegen und vor dem Hintergrund des demographischen Wandels (immer weniger Junge müssen in Zukunft immer mehr Alte unterstützen) ist eine der Kernstrategien der Bundesregierung die auf eine Absenkung der Lohnnebenkosten abzielende Modernisierung der sozialen Sicherungssysteme.«[29]

Derartige Einsichten und Schlussfolgerungen waren der Öffentlichkeit allerdings nicht leicht zu vermitteln. Es überrascht deshalb nicht, dass die Bundesregierung zögerte, die entsprechenden Maßnahmen zu ergreifen. Äußere Entwicklungen zwangen Schröder jedoch zum Handeln: Am 21. Januar 2003 leitete die EU-Kommission ein Defizitverfahren gegen die Bundesrepublik ein, weil diese bei der Neuverschuldung im abgelaufenen Haushaltsjahr die Drei-Prozent-Grenze des Stabilitäts- und Wachstumspakts überschritten hatte. Und bei den Landtagswahlen in Niedersachsen und Hessen am 2. Februar 2003 erlitt die SPD so schwere Niederlagen, dass im Bundesrat ein Patt entstand und die Regierung bei wichtigen Gesetzesvorhaben künftig zu einer Zusammenarbeit mit der Opposition gezwungen war. Als zudem die Medien angesichts des unübersehbaren, durch Umfragen belegten Ansehensverlustes der Regierung anschließend wochenlang über »befreiende« Reformen spekulierten, die Rot-Grün aus ihrem Tief erlösen könnten, trat Schröder die Flucht nach vorne an.

In einer Regierungserklärung vor dem Bundestag, die von einer kleinen Arbeitsgruppe unter der Leitung von Kanzleramtschef Frank-Walter Steinmeier formuliert worden war und die Überschrift »Agenda 2010« trug, sprach Schröder am 14. März 2003 jene berühmten Sätze, die nun tatsächlich eine Kehrtwende der sozialdemokratischen Sozialpolitik bedeuteten. Unter dem Motto »Mut zum Frieden und Mut zur Veränderung« erklärte er: »Wir werden Leistungen des Staates kürzen, Eigenverantwortung fördern und mehr Eigenleistung von jedem Einzelnen abfordern müssen. Alle Kräfte der Gesellschaft werden ihren Beitrag leisten müssen: Unternehmer und Arbeitnehmer, freiberuflich Tätige und auch Rentner. Wir werden eine gewaltige gemeinsame Anstrengung unternehmen müssen, um unser Ziel zu erreichen. Aber ich bin sicher: Wir werden es erreichen.«[30]

Zu dieser Politik, so Schröder, gebe es nur eine Alternative: »Entweder wir modernisieren, und zwar als soziale Marktwirtschaft, oder wir werden modernisiert, und zwar von den ungebremsten Kräften des Marktes, die das Soziale beiseite drängen würden.«[31] Als Schröder dann noch ankündigte, man werde, entsprechend den Vorstellungen von Hartz IV, das Arbeitslosengeld und die Sozialhilfe zusammenlegen, und zwar »einheitlich auf einer Höhe – auch das gilt es auszusprechen –, die in der Regel dem Niveau der Sozialhilfe entsprechen wird«, gewannen Kritiker den Eindruck, dass bei der »Modernisierung« der sozialen Marktwirtschaft das soziale Element auf der Strecke zu bleiben drohte.[32] Doch die rot-grüne Bundesregierung hatte sich für eine radikale Auslegung der Hartz-IV-Empfehlungen entschieden, weil die ökonomische Realität ihr nach eigener Auffassung keinen Spielraum ließ, wenn das Ziel, die finanz- und arbeitsmarktpolitische Position der Bundesrepublik zu konsolidieren, erreicht werden sollte.

In der Bevölkerung wurden die Vorstellungen der Regierung jedoch mehrheitlich abgelehnt. Schon vor der Rede Schröders war es zu Demonstrationen gegen den »sozialen Kahlschlag« gekommen. Und auch in den folgenden Monaten protestierten immer wieder Tausende gegen die Reformen, für die vor allem »Hartz IV« zur Chiffre wurde. Die Agenda 2010 entwickelte sich damit zu einer Zerreißprobe für die SPD: Beinahe 100 000 Mitglieder verließen binnen eines Jahres die Partei, und »Hartz IV« wurde zur »Geburtsurkunde der Linkspartei«[33], wie der SPD-Linke Ottmar Schreiner es ausdrückte.

PDS, WASG und Linkspartei

Scharfe Kritik an der sozialpolitischen Wende der rot-grünen Koalition übte von Anfang an die PDS. Diese Partei, die aus der ehemaligen SED der DDR hervorgegangen war und auf Vorschlag ihres Vorsitzenden Gregor Gysi zunächst noch den Doppelnamen »Sozialistische Einheitspartei Deutschlands – Partei des demokratischen Sozialismus« (SED-PDS) führte, ehe sie am 4. Februar 1990 nach dem Ausschluss wichtiger ehemaliger Führungsspitzen, wie Egon Krenz, Günter Schabowski und Heinz Keßler, dem ehemaligen Verteidigungsminister der DDR, auf den Bezug zur SED verzichtete, saß seit dem 2. Dezember 1990 im Bundestag. Sie profitierte dabei von einer Bestimmung im Einigungsvertrag, wonach bei der Wahl 1990 getrennte Fünf-Prozent-Hürden für Ost- und Westdeutschland als einmalige Sonderregelung galten.

Auf Betreiben von Gysi und auch von Lothar Bisky, der 1993 den Parteivorsitz übernahm, entstand 1995 ein Strategiepapier, in dem sich die PDS vom Stalinismus und von der Politik der DDR abgrenzte und das Ziel proklamierte, sich von einer östlichen Regionalpartei zu einer gesamtdeutschen Linkspartei zu entwickeln.[34] Das Papier wurde maßgeblich von André Brie formuliert, der von 1991 bis 1997 die Grundsatzkommission der PDS leitete und in dieser Zeit als wichtiger Vordenker seiner Partei galt. Tatsächlich gelang es der PDS bei der Bundestagswahl 1998, mit 5,1 Prozent der Zweitstimmen erstmals die Fünf-Prozent-Hürde in ganz Deutschland zu überspringen. Nach innerparteilichen Querelen und dem Rücktritt von Gysi und Bisky verlor die Partei in den folgenden Jahren jedoch an Ansehen, so dass sie bei der Bundestagswahl 2002 nur noch 4,0 Prozent erreichte und im Bundestag lediglich durch Petra Pau und Gesine Lötzsch vertreten war, die Direktmandate erhielten. Dieser Niedergang hing mit dem Bestreben zusammen, einen Generationswechsel zu vollziehen und sich in gesamtdeutschem Sinne stärker marktwirtschaftlich zu orientieren. Er wurde erst gebremst, als es der Partei gelang, im Kampf gegen die Sozial- und Arbeitsmarktreformen des zweiten Kabinetts Schröder neues soziales Profil zu gewinnen, das in mancher Hinsicht an die Rhetorik und die Ideen des Sozialismus in der DDR erinnerte. Auch Gysi und Bisky kehrten nun auf die Bühne der Bundespolitik zurück.[35]

Für Bundeskanzler Schröder waren die Auseinandersetzungen um die Agenda 2010 zunächst ein normaler demokratischer Vorgang im politischen Geschäft, der keinen Anlass zu besonderer Sorge bot. So sprachen sich auf einem Sonderparteitag der SPD am 1. Juni 2003 im Hotel Estrel in Berlin 90 Prozent der 520 Delegierten für die Agenda aus. Im Bundestag erhielten die Gesetze am 17. Oktober in namentlicher Abstimmung ebenfalls die notwendige Mehrheit. Da der Bundesrat zustimmen musste, in dem die Opposition dominierte, war zwar ein Vermittlungsverfahren notwendig. Doch auch hier wurden in der Nacht vom 14. auf den 15. Dezember die erforderlichen Kompromisse gefunden. Vier Tage später, am 19. Dezember, wurde das gesamte Paket zunächst im Bundesrat und dann im Bundestag beschlossen, so dass die Reformmaßnahmen wie geplant am 1. Januar 2004 in Kraft treten konnten.

Der Kompromiss trug jedoch nicht zur Beruhigung bei, sondern löste eine neue Protestwelle aus. Vor allem innerhalb der SPD nahm die Kritik zu und bewog Schröder am 6. Februar 2004 zu der Ankündigung, den Parteivorsitz an Franz Müntefering abtreten zu wollen, der hohes Ansehen in der Partei genoss und am 21. März auf einem Sonderparteitag zum neuen Bundesvorsitzenden der SPD gewählt wurde. Aber auch die Gewerkschaften, die schon am 24. Mai 2003 mit einem Aktionstag unter dem Titel »Reformen ja – Sozialabbau, nein danke« in 14 deutschen Städten ihren Widerstand deutlich gemacht hatten, setzten ihren Kampf fort und organisierten Anfang April 2004 erneut einen »Aktionstag gegen Sozialabbau«, bei dem der DGB-Vorsitzende Michael Sommer dem Bundeskanzler eine »asoziale Politik«[36] vorwarf. Zugleich stellten die IG Metall und die Dienstleistungsgewerkschaft ver.di ihre Netzwerke und ihre Infrastruktur zur Verfügung, um eine Bürgerbewegung gegen die Reformgesetze ins Leben zu rufen: die »Wahlalternative Arbeit und soziale Gerechtigkeit« (WASG).[37] Der Vorsitzende der IG-Metall, Jürgen Peters, erklärte dazu am 15. Juni vor dem Beirat seiner Gewerkschaft wörtlich: »Wir sind gefordert, so den Rückzug der Menschen ins Private zu verhindern und in ein politisches Engagement für Arbeit und soziale Gerechtigkeit umzuwandeln. Um es auf den Punkt zu bringen: Wir sind gefordert, eine breite Bürgerbewegung aufzubauen, die die Sozialdemokraten zwingt, zur Vernunft zu kommen.«[38]

In den Betrieben wurden nun Unterschriften gegen die Reformen gesammelt, und die Aktionen der Reformgegner häuften sich. Spätestens ab Anfang August nahmen sie, unterstützt von der PDS und Teilen der Gewerkschaften, einen systematischen, organisierten Charakter an. In Ostdeutschland lebten sogar die »Montagsdemonstrationen« wieder auf, wie am 16. August in Leipzig, wo Menschen hinter einem Banner »Leipziger Montagsproteste 2004« wie 1989 durch die Innenstadt zogen – in den Händen Plakate mit der Aufschrift »Weg mit Hartz 4 und Agenda 2010!« oder »Eine Bitte an die CDU: Dankt Schröder mit der Ehrenmitgliedschaft«. Über die Verwendung des Begriffs »Montagsdemonstrationen«, der natürlich an die Tradition der Protestbewegung gegen das SED-Regime anknüpfte, konnte man geteilter Meinung sein – Schröder nannte sie »eine dreiste Vereinnahmung«[39]. Aber die Wirksamkeit der Proteste stand außer Frage und wurde für den Kanzler auch persönlich spürbar, als er am 24. August bei einem Besuch im brandenburgischen Wittenberge mit Eiern und dem Vernehmen nach sogar mit Steinen beworfen wurde.

Eine sehr viel nachhaltigere Konsequenz der Proteste war jedoch die Spaltung der SPD. Die WASG, die sich am 22. Januar 2005 in Göttingen als Partei konstituierte, wurde bei der Landtagswahl in Nordrhein-Westfalen am 22. Mai 2005 auf Anhieb fünftstärkste Partei. Sie scheiterte zwar mit 2,2 Prozent der Wählerstimmen an der Fünf-Prozent-Hürde, bewirkte aber mit ihrem guten Ergebnis, das vor allem zu Lasten der SPD ging, den Verlust der rot-grünen Mehrheit im Düsseldorfer Landtag. Angesichts des allgemeinen Stimmungsumschwungs, der über den Bundesrat auch die Bundespolitik betraf, sah sich Bundeskanzler Schröder veranlasst, auf eine vorzeitige Auflösung des Bundestages und auf Neuwahlen zu drängen, um eine Klärung der politischen Verhältnisse herbeizuführen. Schwerwiegende Folgen für die SPD gewann diese Entwicklung allerdings erst durch Oskar Lafontaine, der sich in dieser Situation zu einem entscheidenden Schritt entschloss: Wenige Tage nach der Wahl in Nordrhein-Westfalen trat er nach einem langen Prozess der Entfremdung seit seinem Rücktritt als Bundesfinanzminister aus der SPD aus und unterbreitete der WASG das Angebot, gemeinsam mit dem ehemaligen PDS-Vorsitzenden Gregor Gysi bei der Bundestagswahl am 18. September 2005 eine »Wahlplattform« aus WASG und PDS anzuführen.

Die alten Sozialdemokraten und Gewerkschaftler in der WASG taten sich anfangs schwer, mit früheren Kommunisten auf gemeinsamen Listen zu kandidieren. Als die PDS sich aber auf Wunsch der WASG in »Die Linkspartei.PDS« umbenannte, nahmen die Bedenken ab. Mitglieder der WASG kandidierten nun neben denjenigen der PDS, während Lafontaine sich mit Gysi als Spitzenduo eines Bündnisses präsentierte, das ehemalige Kommunisten, linke Sozialdemokraten und Gewerkschaftler vereinte. Der Erfolg blieb nicht aus: Bei der Bundestagswahl 2005 erreichte das Bündnis 8,7 Prozent der Stimmen und erhielt mit 54 Sitzen eine breite Grundlage für ihre Arbeit im Bundestag. Am 16. Juni 2007 trat die bis dahin immer noch eigenständige WASG schließlich der Linkspartei.PDS bei, die sich jetzt nur noch »Die Linke« nannte.[40]

Die neue Partei war also zum einen eine Fortentwicklung der SED, deren programmatische Basis die PDS in den 1990er Jahren nur vorübergehend verlassen hatte, ehe Gysi und Bisky mit Beginn der Arbeitsmarktreformen der rot-grünen Regierung eine Rückbesinnung betrieben, die in Terminologie und Auftreten an alte Traditionen anknüpfte und vor allem in Ostdeutschland große Zustimmung fand. Zum anderen bedeutete die aus Gewerkschaftskreisen und der SPD-Linken geförderte Gründung der WASG praktisch eine Spaltung der Sozialdemokratie, die in vieler Hinsicht an die Entwicklung am Ende des Ersten Weltkrieges erinnerte, als Abspaltungen von der SPD zur Schwächung der Arbeiterbewegung und zur Instabilität der frühen Weimarer Republik beitrugen.[41] Zwar war die Situation von 1918/19 mit derjenigen von 2004/05 nicht vergleichbar.[42] Doch die Herausbildung eines Fünf-Parteien-Systems musste Koalitionsbildungen künftig erschweren und konnte die parteipolitische Beständigkeit gefährden, die ein wesentliches Merkmal der alten Bundesrepublik gewesen war. Die Schlüsselfigur bei dieser Entwicklung war Oskar Lafontaine, ohne dessen Entschlossenheit es kaum je zur Zusammenarbeit zwischen der PDS und der WASG gekommen wäre und der auch entscheidenden Anteil an der Gründung der Linkspartei besaß. Ob dabei ideologische Grundüberzeugungen oder persönliche Motive die Hauptrolle spielten, ist eine Frage, die nur Lafontaine selbst beantworten könnte.

Der Weg zur Großen Koalition

Für Bundeskanzler Schröder und die rot-grüne Koalition bedeuteten die Agenda 2010 und der Druck, der durch die Linkspartei auf sie ausgeübt wurde, eine schwere Belastung, die auf Dauer nicht durchzustehen war. Zwar konnte sich Schröder mit seinem Reformprogramm am 1. Juni 2003 auf einem Parteitag in Berlin noch einmal behaupten. Doch den Abwärtstrend der SPD vermochte er nicht zu stoppen, zumal die Zahl der Arbeitslosen im Januar 2005 erstmalig die Fünf-Millionen-Grenze überschritt. Dies hing zwar teilweise mit der durch die Hartz-Gesetze eingeführten statistischen Addition von Sozialhilfe und Arbeitslosenhilfe zusammen. Aber die Zahlen trogen nicht: Die wirtschaftliche Talfahrt war noch nicht zu Ende – und damit stieg die Gefahr, dass die Regierung ihre Wählerbasis und letztlich die Macht verlor.

Wie stark die Neigung zu einem politischen Wechsel inzwischen geworden war, bewies das schlechte Abschneiden der SPD bei der Landtagswahl in Schleswig-Holstein am 20. Februar 2005. Die Sozialdemokraten verloren trotz ihrer populären Ministerpräsidentin Heide Simonis 4,4 Prozent der Stimmen, während die CDU 5,0 Prozent hinzugewann und als stärkste Partei in den Landtag einzog. Zwar hätte das Ergebnis für die SPD immer noch knapp gereicht, um gemeinsam mit den Grünen und dem Südschleswigschen Wählerverband (SSW) Heide Simonis erneut zur Ministerpräsidentin zu wählen. Doch dazu kam es nicht, weil offenbar ein Mitglied der eigenen Partei Simonis in vier Wahlgängen die Stimme versagte, so dass am 27. April 2005 eine Große Koalition gebildet wurde, in der Peter Harry Carstensen (CDU) das Amt des Ministerpräsidenten übernahm. Nur vor diesem Hintergrund ist die schon erwähnte Reaktion Bundeskanzler Schröders auf das Ergebnis der Landtagswahl in Nordrhein-Westfalen am 22. Mai 2005 zu verstehen, nach der er noch am Wahlabend seine Entscheidung bekanntgab, eine vorzeitige Auflösung des Bundestages anzustreben.[43] Schröder selbst hat die Zusammenhänge in seinen Memoiren zutreffend beschrieben: »Die neue Statistik wies im Januar über fünf Millionen Arbeitslose auf, eine in ihrer öffentlichen Wirkung verheerende Zahl. Sie schien gegen alles zu sprechen, was wir mit der Reformpolitik zu realisieren versucht hatten, und schlug wie ein Blitz in die Schlussphase des schleswig-holsteinischen Landtagswahlkampfes ein. Es begann eine Abwärtsentwicklung, die nicht mehr zu stoppen war. Sie endete am 22. Mai mit der Landtagswahl in Nordrhein-Westfalen und der Entscheidung, Neuwahlen anzustreben.«[44]

Was im Nachhinein logisch erscheint, kam seinerzeit dennoch völlig überraschend. Der Schritt war mutig, aber er glich einem »Verzweiflungsakt«[45]. Viele Sozialdemokraten waren darüber ebenso enttäuscht wie die Grünen. Dennoch stellte Schröder am 1. Juli im Bundestag die Vertrauensfrage, die er mit dem Hinweis begründete, »dass dort, wo Vertrauen nicht mehr vorhanden ist, öffentlich nicht so getan werden darf, als gäbe es dieses Vertrauen«[46]. Obwohl die rot-grüne Koalition nach wie vor über die Kanzlermehrheit verfügte, kam das gewünschte Ergebnis zustande, da nur 151 Abgeordnete (vor allem aus den Reihen der SPD) mit Ja votierten, während 148 sich enthielten und 296 mit Nein stimmten. Bundespräsident Horst Köhler löste daraufhin am 20. Juli den Bundestag auf und setzte für den 18. September Neuwahlen an.

Inzwischen hatten CDU und CSU sich bereits am 30. Mai mit großer Geschlossenheit auf Angela Merkel als gemeinsame Kanzlerkandidatin geeinigt. Die FDP machte eine Koalitionsaussage zugunsten der Union, während die SPD darauf verzichtete, sich erneut zum »rot-grünen Projekt« zu bekennen, das für sie offenbar an Attraktivität eingebüßt hatte. Tatsächlich ließ das Wahlergebnis am 18. September eine Fortsetzung der rot-grünen Koalition nicht zu. Andererseits verfügten auch CDU/CSU und FDP nicht über die notwendige Mehrheit für einen Machtwechsel. Und da Joschka Fischer deutlich machte, dass seine Partei in keiner Konstellation Angela Merkel zur Kanzlerin wählen werde, wohingegen die Union, die mit 35,2 Prozent (gegenüber 34,2 Prozent für die SPD) als stärkste Partei in den Bundestag einzog, den Anspruch erheben konnte, die neue Bundeskanzlerin zu stellen, blieb nur der Ausweg einer Großen Koalition aus CDU/CSU und SPD. Merkel selbst sprach ungeachtet ihres schwachen Wahlergebnisses sogar von einem »eindeutigen Auftrag zur Regierungsbildung«[47].

Um so erstaunlicher wirkte die Tatsache, dass der noch amtierende Kanzler am Wahlabend in der Fernsehrunde aller Spitzenkandidaten den Eindruck erweckte, als würde die SPD auch in der künftigen Regierung den Ton angeben, ja als würde er vielleicht sogar selbst Regierungschef bleiben können. Hintergrund dieses weithin als seltsam empfundenen Auftritts war die Euphorie, die an diesem Abend bei der SPD im Willy-Brandt-Haus herrschte. Man hatte lange befürchtet, dass die Partei auf 25 Prozent der Stimmen absinken könne und dass der Union und der FDP zusammen die absolute Mehrheit nicht zu nehmen sei. Doch in den letzten Wochen vor der Wahl hatte Schröder mehr als fünf Prozent hinzugewonnen, während die Union von der erwarteten 40-Prozent-Marke weit entfernt war und gegenüber der Wahl von 2002 sogar 3,3 Prozent verloren hatte. Trotz des guten Ergebnisses der FDP (9,8 Prozent) war eine bürgerliche Regierung somit ausgeschlossen, und die SPD fühlte sich als Gewinner der Wahl.

In Wirklichkeit wusste Schröder längst, dass seine Tage im Amt gezählt waren, auch wenn er noch einige Zeit behauptete, an der Macht festhalten zu wollen, und sich sogar an den Koalitionsgesprächen mit der CDU/CSU beteiligte. Ein Teil seiner Euphorie mag deshalb darauf zurückzuführen gewesen sein, dass der Druck und die Spannungen, unter denen er in den Wochen des Wahlkampfes gestanden hatte, nun von ihm abfielen. Allerdings ließ sich nicht bestreiten, dass die Union ihr Wahlziel ebenfalls nicht erreicht hatte. Tatsächlich gab es mit der SPD (34,2 Prozent), Bündnis 90/Die Grünen (8,1 Prozent) und Linke.PDS (8,7 Prozent) sogar eine strukturelle linke Mehrheit von 51 Prozent gegenüber 45 Prozent von CDU/CSU und FDP. Es war offensichtlich, dass die Wähler vor allem Einschnitte in das soziale Netz ablehnten. Bemerkenswert war nur, dass die SPD es im Wahlkampf verstanden hatte, mit ihrer Kritik an der »sozialen Kälte« der CDU/CSU und der FDP von ihrer Agenda 2010 abzulenken, während die Union mit ihrer Ankündigung einer Mehrwertsteuererhöhung von 16 auf 18 Prozent und der Nominierung des politisch unerfahrenen Heidelberger Professors Paul Kirchhoff für das Amt des Finanzministers unglücklich agiert hatte und dafür bei der Wahl offensichtlich bestraft worden war.

Bei den Koalitionsgesprächen zeigte sich allerdings bald, dass die politischen Auffassungen der CDU/CSU und der SPD nicht so weit auseinander lagen, wie es in der Öffentlichkeit oft dargestellt wurde. So stimmten die Führungsgremien beider Parteien bereits drei Wochen nach der Wahl zu, eine Große Koalition unter Angela Merkel zu bilden und Verhandlungen über Einzelheiten eines Koalitionsvertrages aufzunehmen. Der 140-seitige Vertrag wurde schließlich am 18. November 2005 unterzeichnet, nachdem die getroffenen Vereinbarungen zuvor auf Parteitagen der CDU, CSU und SPD bei nur wenigen Gegenstimmen und Enthaltungen gebilligt worden waren.[48] Schröder, der bereits Mitte Oktober seinen Rückzug aus dem Kabinett angekündigt hatte, hielt auf dem SPD-Parteitag seine Abschiedsrede und warb zugleich für den Koalitionsvertrag, an dem er noch mitgearbeitet hatte und den er »ein gemäßigt sozialdemokratisches Programm« nannte, »das im Großen und Ganzen – mit anderen Akzenten hier und da – auch von einer rot-grünen Bundesregierung hätte mitgetragen werden können«.[49]

Der Vertrag sah vor, die Reformpolitik der Agenda 2010 im Wesentlichen fortzusetzen, da es zu den angestrebten Neuregelungen in der Wirtschafts-, Finanz- und Arbeitsmarktpolitik keine praktikable Alternative gab. Zentraler Bestandteil des Vertrages war die fortgesetzte Haushaltskonsolidierung durch Einsparungen und Steuererhöhungen, darunter die Erhöhung der Mehrwertsteuer ab 2007 auf 19 Prozent, die Streichung der Eigenheimzulage und die Kürzung der Pendlerpauschale. Ein 25-Milliarden-Euro-Programm für mehr wirtschaftliches Wachstum sollte zur Verringerung der Arbeitslosigkeit beitragen. Und durch eine Mischung aus Steuererhöhungen, Leistungskürzungen und Subventionsabbau sollte auch der Stabilitätspakt des europäischen Währungsverbundes ab 2007 wieder eingehalten werden.[50]

Vier Tage nach Unterzeichnung des Koalitionsvertrages, am 22. November 2005, wurde mit Angela Merkel zum ersten Mal in der Geschichte der Bundesrepublik eine Frau zur Bundeskanzlerin gewählt. Vizekanzler und Minister für Arbeit und Soziales wurde Franz Müntefering, der während der Koalitionsverhandlungen den SPD-Vorsitz an den brandenburgischen Ministerpräsidenten Matthias Platzeck abgegeben hatte, weil er sich mit einem Personalvorschlag für den Posten des SPD-Generalsekretärs nicht hatte durchsetzen können. Außenminister wurde Frank-Walter Steinmeier, ein alter Vertrauter Schröders aus dessen Zeit als Ministerpräsident in Niedersachsen und von 1999 bis 2005 Chef des Bundeskanzleramtes. Edmund Stoiber, der vorübergehend als Wirtschaftsminister im Gespräch gewesen war, blieb dagegen als Ministerpräsident in Bayern.

Kontinuität und Konsolidierung

Radikale Politikänderungen waren von der Großen Koalition also nicht zu erwarten. Vielmehr herrschte ein hohes Maß an Kontinuität. Der wesentliche Vorteil der Großen Koalition bestand darin, dass die »gemäßigte Synthese« einer linkskonservativen Koalition nicht nur den jahrzehntelangen parteipolitischen Antagonismus zwischen Union und SPD beendete, sondern auch frühere Blockaden im Bundesrat aufhob. In Kernfragen der Politik konnte daher ein Konsens gefunden werden, der lange Zeit unerreichbar erschienen war.[51]

In ihrer Regierungserklärung am 30. November 2005 nannte Bundeskanzlerin Merkel als Ziel ihrer Politik, die Rahmenbedingungen dafür zu schaffen, dass Deutschland in zehn Jahren »wieder unter den ersten Drei in Europa« zu finden sei: »Wir wollen den Föderalismus neu ordnen, wir wollen den Arbeitsmarkt fit machen, wir wollen unsere Schulen und Hochschulen wieder an die Spitze führen, wir wollen unsere Verschuldung bändigen und unser Gesundheits- und Rentensystem und die Pflege in Ordnung bringen.«[52] Wörtlich fügte sie, nicht zufällig ein Wort von Willy Brandt abwandelnd, hinzu: »Lasst uns mehr Freiheit wagen!« Wachstumsbremsen sollten gelöst, die Menschen von Bürokratie und »altbackenen Verordnungen« befreit werden. Aber Merkel versprach auch, bei der geplanten Überarbeitung von Hartz IV für »mehr Gerechtigkeit und weniger Missbrauch« zu sorgen.[53]

Während einer Klausurtagung des Kabinetts am 9./10. Januar 2006 auf Schloss Genshagen in Brandenburg wurden danach Weichen für wichtige Gesetzesvorhaben im Bereich der Wirtschafts-, Struktur-, Familien- und Steuerpolitik gestellt. In der Sozialpolitik gab es indessen kaum neue Initiativen. Vielmehr hielt die Regierung der Großen Koalition an der Politik ihrer Vorgängerin fest, den Wohlfahrtsstaat in Richtung eines »nationalen Wettbewerbsstaates« (so der Politologe Joachim Hirsch) zu entwickeln, um die Konkurrenzfähigkeit des Standortes Deutschland zu verbessern. Ein »schlanker Staat« sollte die finanzpolitische Überforderung beenden helfen und die Voraussetzungen für eine dauerhafte soziale Sicherung schaffen, bei der nicht länger die Alimentierung, sondern der Anreiz zu eigener Beschäftigung im Mittelpunkt stand. Die Hartz-Kommission und die Agenda 2010 hatten dafür den Weg gewiesen, der nun weiter beschritten wurde.[54] Ungeachtet der Kritik, der Merkel sich damit aussetzte, war diese Politik »kleiner Schritte« letztlich erfolgreich.[55] So sank die Zahl der Arbeitslosen nach Angaben des Statistischen Bundesamtes im Jahresdurchschnitt von 4,9 Millionen zu Beginn der Großen Koalition 2005 auf 3,3 Millionen im Jahre 2008. Dies entsprach einem prozentualen Rückgang von 11,7 Prozent 2005 auf 7,8 Prozent 2008. Im Oktober 2008 fiel die Zahl mit 2,997 Millionen sogar erstmals seit 1992 wieder unter die Drei-Millionen-Grenze.[56]

Allerdings beruhte dieser Erfolg auch auf der Konsolidierung der innenpolitischen Situation, die wesentlich zu einer für die wirtschaftliche Entwicklung wichtigen psychologischen Stabilisierung beigetragen hatte: Die Zwei-Drittel-Mehrheit der Großen Koalition ließ wenig Raum für Initiativen der Opposition;

die journalistischen Meinungsführer besaßen aufgrund der Einigkeit der großen Parteien in den Grundpositionen kaum noch Ansatzmöglichkeiten für publikumswirksame öffentliche Debatten; der Parteienstreit ebbte ab; und sogar im außerparlamentarischen Raum trat nach den Kontroversen um Hartz IV eine Beruhigung ein, da die Regierungsparteien einen Großteil des Protestpotenzials an sich banden oder neutralisierten.[57] Kontinuität und Konsolidierung bildeten damit zusammen die Grundlage für die Arbeit der Koalition.

Auch in der Außenpolitik kam es nicht zu dramatischen Veränderungen. Allerdings gab es Akzentverschiebungen. So suchte Merkel von Anfang an die Beziehungen zu den USA und Israel zu verbessern. Im Falle der USA konnte sie dabei auf ihre Haltung im Vorfeld des Irak-Krieges verweisen, als sie unter anderem von amerikanischem Boden aus die Politik der Regierung Schröder kritisiert und Sympathie für die Bush-Administration bekundet hatte. Im Falle Israels betonte die Kanzlerin am 18. März 2008 in einer Rede vor der Knesset die historische Verantwortung Deutschlands für Israel; die Sicherheit des jüdischen Staates sei Teil der deutschen Staatsräson und niemals verhandelbar. Die gewachsene politische Bedeutung Deutschlands wurde außerdem durch das G8-Gipfeltreffen der Regierungschefs der acht wichtigsten Industriestaaten der Welt unterstrichen, das vom 6. bis zum 8. Juni 2007 unter deutscher Präsidentschaft im Seebad Heiligendamm westlich von Rostock stattfand und bei dem Merkel sich als Gastgeberin zu profilieren verstand.

Im Mittelpunkt der deutschen Außenpolitik stand allerdings weiterhin die Europapolitik. Hier hatte Deutschland vom 1. Januar bis 30. Juni 2007 den Vorsitz im Rat der Europäischen Union inne. Als wesentliche Bestandteile der politischen Agenda nannte Merkel den Europäischen Verfassungsvertrag, die Klima- und Energiepolitik, die Vertiefung der transatlantischen Wirtschaftspartnerschaft und die Entwicklung einer »Nachbarschaftspolitik« für die Schwarzmeerregion und Zentralasien. Zur Frage einer Vollmitgliedschaft der Türkei in der EU äußerte sich die Kanzlerin allerdings kaum noch, nachdem sie vor der Bundestagswahl 2005 – unter anderem bei einem Besuch in Istanbul – die Auffassung vertreten hatte, dass die Türkei nicht als Voll-Mitglied in die EU aufgenommen werden könne, sondern sich mit einer »privilegierten Partnerschaft« begnügen müsse.[58]

Der wichtigste Unterschied zwischen Schröder und Merkel bestand indessen im Stil des Regierens. Während Schröder sich gerne in den Medien präsentierte und eine öffentlichkeitsorientierte Attitüde pflegte, zeichnete sich Merkel vor allem durch Sachlichkeit und solide Arbeit im Detail aus. Dennoch fand sie damit viel Zustimmung – zwar weniger in den Medien, die Schröders leutselige Art mehr zu schätzen wussten, wohl aber in der Bevölkerung und auch unter den Führungskräften im In- und Ausland, unter denen sie hohes Ansehen genoss und nicht nur als kompetent, sondern auch als durchsetzungsfähig galt. Am Ende zählte jedoch vor allem der politische Inhalt, durch den Deutschland sich unter Angela Merkel – mehr noch als unter Schröder – unangefochten unter die wichtigsten Nationen der Welt einzureihen vermochte und sich, allen anfänglichen Bedenken nach der Wiedervereinigung zum Trotz, als konstruktiver Partner erwies.

10 Die Berliner Republik – eine Zwischenbilanz

Mit dem Regierungsumzug von 1999 wurde das Reichstagsgebäude als Sitz des Deutschen Bundestags zum Symbol der »Berliner Republik«.

Die Wiedervereinigung Deutschlands hat Europa verändert. Die Spaltung ist aufgehoben, der Kalte Krieg ist zu Ende. Seit zwei Jahrzehnten hat sich die »Berliner Republik« in der Mitte des Kontinents etabliert. Dabei entstand das vereinte Deutschland nicht aus einem wiederbelebten Nationalismus, sondern aus dem Wunsch der ostdeutschen Bevölkerung, über ihre Zukunft nach eigenem Ermessen zu entscheiden. Dieser Wunsch wurde erfüllt, als die Sowjetunion unter Michail Gorbatschow die repressive Disziplinierung des eigenen Lagers aufgab und dem Selbstbestimmungsrecht der Völker Ost- und Mitteleuropas freien Lauf ließ. Die mangelnde politische Legitimität der kommunistischen Regimes und das ökonomische Versagen der Planwirtschaften wurden jetzt überall sichtbar – nicht zuletzt in der Sowjetunion selbst. Auch die DDR brach im Innern zusammen, ehe die fünf ostdeutschen Länder dem Geltungsbereich des Grundgesetzes, also der Bundesrepublik, beitraten. Die Wiedervereinigung geschah deshalb nicht vom Westen her, sondern von Osten: weil sie von der ostdeutschen Bevölkerung gefordert wurde und weil die Wirtschaft der DDR nach der Öffnung der Grenzen keine Überlebenschance mehr besaß.

Nach dem Zerfall des sowjetischen Imperiums war eine Neuordnung Europas unausweichlich. Deutschland spielte dabei eine zentrale Rolle und trug maßgeblich zur Gestaltung der neuen europäischen Architektur bei. Besonders deutlich wurde dies bei den Verhandlungen, die zum Vertrag von Maastricht führten, und bei der Osterweiterung der Europäischen Union. Aber auch auf dem Balkan war Deutschland beteiligt, als es im jugoslawischen Bürgerkrieg galt, Lösungen zu finden. Zwar mangelte es der deutschen Außenpolitik gelegentlich noch an der nötigen Erfahrung, wie das Beispiel des verfrühten Drängens auf diplomatische Anerkennung Sloweniens und Kroatiens zeigt. Dennoch war das Bemühen unverkennbar, der gewachsenen außenpolitischen Verantwortung gerecht zu werden, die letztlich sogar den Einsatz deutscher Soldaten zur Sicherung des Friedens einschloss.

Im Innern erwies sich das Zusammenwachsen der beiden Teile Deutschlands nach der Wiedervereinigung als ein langwieriger und kostspieliger Prozess, dessen Schwierigkeiten anfangs weithin unterschätzt worden waren. Die versprochenen »blühenden Landschaften« wurden am Ende zwar in den meisten Fällen verwirklicht. Aber es brauchte viel Geduld, Ausdauer und Geld, um die »Vereinigungskrise« zu überwinden, die vor allem in der zweiten Hälfte der 1990er Jahre die innere Einheit zu gefährden drohte. In dieser Phase wurde ebenfalls der bereits 1991 beschlossene Umzug des Parlaments und der Regierung von Bonn nach Berlin vollzogen, wobei die Geschichte der »Berliner Republik« indessen schon mit der grundlegenden Veränderung der innen- und außenpolitischen Rahmenbedingungen nach der Epochenwende von 1989/90 begonnen hatte.

Dagegen erwies sich der Machtwechsel zu Rot-Grün 1998 als nur mäßig bedeutsam. Übertriebene Hoffnungen waren ebenso verfehlt wie übertriebene Befürchtungen. Die Handlungsfähigkeit der neuen Regierung, die im Zeichen des Friedens, der sozialen Gerechtigkeit und des Umweltschutzes angetreten war, wurde von Anfang an durch enge finanzielle Spielräume vor dem Hintergrund von Wirtschaftskrise, Globalisierung und vereinigungsbedingten Sonderlasten eingeschränkt. Zudem sahen sich SPD und Grüne bereits am Tag ihrer Machtübernahme mit der Perspektive des ersten Kampfeinsatzes deutscher Soldaten seit dem Zweiten Weltkrieg konfrontiert, da es galt, eine humanitäre Katastrophe im Kosovo zu verhindern. Dass ausgerechnet eine rot-grüne Regierung den Befehl zum ersten Kriegseinsatz geben musste, entbehrte nicht der Ironie. Dass sie sich der Verantwortung nicht entzog, bewies ihren Mut und den überparteilichen Konsens in dieser Frage.

Nach den Anschlägen vom 11. September 2001 beteiligte sich Deutschland ebenfalls am Kampf gegen den Terror und wirkte maßgeblich an der Vorbereitung und Durchführung der Friedensgespräche für Afghanistan auf dem Petersberg bei Bonn mit, die ein langfristiges militärisches Engagement am Hindukusch einschlossen. Im Irak-Konflikt 2002/03 lehnte die Bundesregierung hingegen eine Kriegsbeteiligung ab, da ihrer Auffassung nach keine ausreichenden Beweise für die Existenz irakischer Massenvernichtungswaffen und für Verbindungen Saddam Husseins zum internationalen Terrorismus vorlagen.

Allerdings ließen sich außenpolitische Bedenken und innenpolitische Interessen im Fall des Irak schwer trennen. Da ein Sieg der rot-grünen Koalition bei der Bundestagswahl im September 2002 unwahrscheinlich erschien, falls die Regierung Schröder die amerikanischen Bestrebungen zum Sturz Saddam Husseins vorbehaltlos – bis zu einem möglichen Krieg – unterstützte, gab es kaum eine Alternative zu einer strikten Ablehnung eines erneuten Kampfeinsatzes, wenn die Regierung nicht ihre eigene Abwahl betreiben wollte. Außerdem hätte es für eine dritte deutsche Kriegsbeteiligung – nach dem Kosovo und Afghanistan – keine eigene Mehrheit der Koalition im Bundestag gegeben. Bundeskanzler Schröder nahm deshalb den Konflikt mit den USA in Kauf und suchte die wachsende Distanz zur westlichen Führungsmacht durch eine Annäherung an Frankreich und Russland zu kompensieren.

In wirtschafts- und sozialpolitischer Hinsicht konnte die Regierung Schröder Reformen nur bis zur Wahl von 2002 hinausschieben. Danach war der Zwang zu Einschnitten in das soziale Netz, der bereits in den 1990er Jahren erkennbar geworden war, nicht länger zu ignorieren. Die Empfehlungen der sogenannten »Hartz-Kommission« wurden nun zur »Agenda 2010« erweitert, die umfangreiche Leistungskürzungen und einen weitgehenden Umbau des Wohlfahrtsstaates vorsah. Das Konzept und die angestrebten Ziele waren in der Öffentlichkeit jedoch heftig umstritten. Die Auseinandersetzungen darüber führten zur Spaltung der SPD und zum Machtverlust der rot-grünen Regierung, die nach vorzeitigen Neuwahlen im Herbst 2005 durch eine Große Koalition aus CDU/CSU und SPD unter Bundeskanzlerin Angela Merkel abgelöst wurde.

Die Regierung Merkel setzte die rot-grüne Reformpolitik mit nur geringen Akzentverschiebungen fort. Der drastische Rückgang der Arbeitslosigkeit bewies die Richtigkeit dieser Politik und bedeutete eine späte Genugtuung für Schröder, der davon aber selbst nicht mehr zu profitieren vermochte. In der Außenpolitik hingegen kehrten Bundeskanzlerin Merkel und Außenminister Steinmeier zur klaren Westorientierung früherer Bundesregierungen zurück und stellten sich damit wieder in die Kontinuität der alten Bundesrepublik, ohne die inzwischen erfolgten Weichenstellungen in der Europa- und Russlandpolitik in Frage zu stellen.

Die Zwischenbilanz nach zwei Jahrzehnten Berliner Republik fällt also insgesamt positiv aus. Die Folgen des Umbruchs von 1989/90 scheinen weitgehend überwunden. Zwar sind die Veränderungen gravierend. Aber außenpolitisch hat sich Deutschland in das neue europäische Mächtesystem eingefügt und durch eine aktive, verantwortungsbewusste Mitwirkung bei der Lösung regionaler Konflikte seine Rolle als Akteur auf der internationalen Bühne überzeugend ausgefüllt. Und in der Innenpolitik vermochte die Berliner Republik durch zwei Machtwechsel 1998 und 2005 ihre demokratische Reife auch unter neuen parteipolitischen Bedingungen zu beweisen.

Defizite bestehen nach wie vor in der Wirtschafts- und Sozialpolitik sowie bei der Zukunftssicherung im Bereich Gesundheit und Renten, die durch den demografischen Wandel erschwert wird, der zunehmend zu einer Überalterung der Gesellschaft führt. Bis zum Herbst 2008 befand sich die Berliner Republik allerdings auch hier auf einem guten Weg, wie die weiterhin sinkenden Arbeitslosenzahlen und die Konsolidierung der öffentlichen Haushalte bewiesen. Mit der weltweiten Finanzkrise, die das Bankensystem erschütterte und in großem Umfang staatliche Eingriffe erforderlich machte, haben sich die Rahmendaten jedoch erneut geändert. Es bleibt abzuwarten, welche Einflüsse sich daraus für die weitere Entwicklung der Berliner Republik ergeben, die im Guten wie im Schlechten fest in die internationale Ordnung eingebunden ist.

11 Anhang

Anmerkungen

Die »friedliche Revolution« 1989 (S. 11–25)

1 Vgl. umfassend Ilko-Sascha Kowalczuk: Endspiel. Die Revolution von 1989 in der DDR, München 2009.

2 Vertrag über die Grundlagen der Beziehungen zwischen der Bundesrepublik Deutschland und der Deutschen Demokratischen Republik vom 21. Dezember 1972, in: Dokumente des geteilten Deutschland. Mit einer Einführung hrsg. von Ingo von Münch, Bd. II, Stuttgart 1974, S. 301.

3 Vgl. Klaus Schroeder (unter Mitarbeit von Steffen Alisch): Der SED-Staat. Geschichte und Strukturen der DDR, 2. Aufl., München 1999, S. 225.

4 Zahlenangaben nach: Jens Gieseke: Die hauptamtlichen Mitarbeiter der Staatssicherheit. Personalstruktur und Lebenswelt 1950–1989/90, Berlin 2000, S. 556 ff.

5 Zahlenangaben nach: Helmut Müller-Enbergs (Hrsg.): Inoffizielle Mitarbeiter des Ministeriums für Staatssicherheit. Richtlinien und Durchführungsbestimmungen, Berlin 1996, S. 54 ff. Vgl. auch David Gill und Ulrich Schröter: Das Ministerium für Staatssicherheit. Anatomie des Mielke-Imperiums, Berlin 1991, S. 95 ff.

6 Vgl. hierzu Stephan Bickhardt: Die Entwicklung der DDR-Opposition in den 80er Jahren, in: Materialien der Enquete-Kommission »Aufarbeitung von Geschichte und Folgen der SED-Diktatur in Deutschland« (12. Wahlperiode des Deutschen Bundestages), hrsg. vom Deutschen Bundestag, Bd. VII, 1, Baden-Baden 1995, S. 462 ff.

7 Information des Ministeriums für Staatssicherheit über »beachtenswerte Aspekte des aktuellen Wirksamwerdens innerer feindlicher, oppositioneller und anderer negativer Kräfte in personellen Zusammenschlüssen«, MfS, HA XX, Nr. 150/89, zit. n.: Eckhard Jesse: Artikulationsformen und Zielsetzungen von widerständigem Verhalten in der Deutschen Demokratischen Republik, in: Materialien der Enquete-Kommission, Bd. VII, 1, S. 1013.

8 Information über die Gespräche zwischen Genossen Joachim Herrmann und Genossen M. V. Zimjanin am 27. und 31. Oktober 1980, zit. n.: Martin Kubina/ Manfred Wilke (Hrsg.), »Hart und kompromisslos durchgreifen«: Die SED contra Polen 1980/81. Geheimakten der SED-Führung über die Unterdrückung der polnischen Demokratiebewegung, Berlin 1995, S, 21 u. S. 96 ff.

9 Mündliche Information von Erich Mielke auf einer MfS-Dienstbesprechung am 2. Oktober 1980, zit. n.: N. Tanzscher: »Was in Polen geschieht, ist für die DDR eine Lebensfrage!« – Das MfS und die polnische Krise 1980/81, in: Materialien der Enquete-Kommission, Bd. V, 3, S. 2624 f.

10 Brief Erich Honecker an Leonid Breschnew, 26. November 1980, zit. n.: Kubina/Wilke: »Hart und kompromisslos durchgreifen« (wie Anm. 8), S. 122.

11 Zit. n.: Ebd., S. 197.

12 Neues Deutschland, 17. Oktober 1980.

13 Vgl. Hartmut Kühn: Das Jahrzehnt der Solidarność. Die politische Geschichte Polens 1980–1990, Berlin 1999. Vgl. ebenfalls From Solidarity to Martial Law: The Polish Crisis of 1980–1981. A Documentary History, hrsg. von Andrzej Paczkowski und Malcolm Byrne, Budapest, New York 2006.

14 So Mátyás Szürös in der theoretischen Monatsschrift der MSzMP, *Társadalmi Szemle*, zit. n.: Charles Gati: Hungary and the Soviet Bloc, Durham, NC 1986, S. 203 f. Zur Entwicklung in Osteuropa insgesamt vgl. Jason C. Sharman: Repression and Resistance in Communist Europe, London u. a. 2003.

15 Michail Gorbatschow: Perestroika. Die zweite russische Revolution. Eine neue Politik für Europa und die Welt, München 1987.

16 Prawda, 11. April 1987.

17 Michail Gorbatschow: Rede vor der Parlamentarischen Versammlung des Europarates in Straßburg am 6. Juli 1989, in: Europa-Archiv, 44. Jg. (1989), S. D 588.

18 Interview mit Kurt Hager, in: Der Stern, 9. April 1987. Abgedr. in: Neues Deutschland, 10. April 1987. Vgl. auch »SED und KPD zu Gorbatschows ›Revolution‹«, in: Deutschland Archiv, 20. Jg., 1987, S. 655 ff.

19 MfS, ZAIG, Nr. 150/89, Information über beachtenswerte Aspekte des aktuellen Wirksamwerdens innerer feindlicher, oppositioneller und anderer negativer Kräfte in personellen Zusammenschlüssen, 1. Juni 1989. Zit. n.: Ich liebe euch doch alle! Befehle und Lageberichte des MfS Januar-November 1989, hrsg. von Armin Mitter/Stefan Wolle, Berlin 1990, S. 47.

20 Stenographische Niederschrift des Treffens der Genossen des Politbüros des Zentralkomitees der SED mit dem Generalsekretär des ZK der KPdSU und Vorsitzenden des Obersten Sowjets der UdSSR, Genossen Michail Sergejewitsch Gorbatschow, am Sonnabend, dem 7. Oktober 1989, in Berlin-Niederschönhausen, 7. Oktober 1989, S. 9 u. 12 f.

Maueröffnung und Wiedervereinigung (S. 26–45)

1 Vgl. Reinhold Andert/Wolfgang Herzberg: Der Sturz. Erich Honecker im Kreuzverhör, Berlin und Weimar 1990, S. 30 ff.

2 Vgl. »Wende und ideologische Offensive. Rede des SED-Generalsekretärs Egon Krenz«, in: Neues Deutschland, 19. Oktober 1989. Zur Wirkung vgl. Hans Modrow: Aufbruch und Ende, Hamburg 1991, S. 21.

3 Vgl. Der Spiegel, Nr. 40, 1989, S. 27. Vgl. ebenfalls Karl-Heinz Arnold, Die ersten hundert Tage des Hans Modrow, Berlin 1990, S. 16 ff.

4 Vgl. hierzu ausführlich Hans-Hermann Hertle, Chronik des Mauerfalls. Die dramatischen Ereignisse um den 9. November 1989, 3. Aufl., Berlin 1996, S. 85 ff., hier bes. S. 110.

5 Egon Krenz: Wenn Mauern fallen, Wien 1990, S. 182.

6 Günter Schabowski: Der Absturz, Berlin 1991, S. 306. Vgl. ebenfalls Hans-Hermann Hertle u. a.: »Der Honecker muss weg!« Protokoll eines Gespräches mit Günter Schabowski am 24. April 1990, Berlin (Berliner Arbeitshefte und Berichte zur sozialwissenschaftlichen Forschung, Nr. 35), S. 39.

7 Schabowski: Der Absturz (wie Anm. 6), S. 307 f. Zu Schabowskis Auftritt vgl. ebenfalls Hertle: Chronik des Mauerfalls (wie Anm. 4), S. 141 ff., hier bes. S. 145.

8 Rede von Ehrenbürger Willy Brandt auf der Kundgebung vor dem Rathaus Schöneberg am 10. November 1989, Willy Brandt Archiv, Reden und Reisen, Mappe 1058, zit. n.: Peter Merseburger: Willy Brandt 1913–1992. Visionär und Realist, München 2002, S. 837. Der Satz war im Originalmanuskript der Rede nicht enthalten, sondern wurde erst später in die Druckfassung eingefügt. Brandt gebrauchte den Satz in Berlin am 10. November jedoch gleich mehrfach, zuerst in einem Interview vor dem Brandenburger Tor. – Zum Prozess der Wiedervereinigung vgl. umfassend Andreas Rödder: Deutschland einig Vaterland. Die Geschichte der Wiedervereinigung, München 2009.

9 Ansprache von Bundeskanzler Helmut Kohl vor dem Schöneberger Rathaus am 10. November 1989, in: Auswärtiges Amt (Hrsg.), 1990: Umbruch in Europa. Die Ereignisse im 2. Halbjahr 1989. Eine Dokumentation, Bonn 1990, S. 83.

10 »›Nur in den Grenzen von heute‹ – DDR-Ministerpräsident Hans Modrow über die Lage in seinem Land und die deutsch-deutsche Zukunft«, in: Der Spiegel, 4. Dezember 1989, S. 34.

11 Das erste Treffen des zentralen »Runden Tisches« fand am 7. Dezember 1989 im Dietrich-Bonhoeffer-Haus in Ost-Berlin statt. Vgl. Uwe Thaysen: Der Runde Tisch. Oder: Wo blieb das Volk?, Opladen 1990; Walter Süß: Mit Unwillen zur Macht. Der Runde Tisch in der DDR der Übergangszeit, in: Deutschland Archiv, 21. Jg. (1991), S. 470–478.

12 Vgl. Gemeinsame Erklärung, unterzeichnet vom Bundeskanzler der Bundesrepublik Deutschland, Helmut Kohl, und vom Ministerpräsidenten der Volksrepublik Polen, Tadeusz Mazowiecki, in Warschau, 14. November 1989, in: Europa-Archiv, 44. Jg. (1989), S. D 679ff.

13 Vgl. Horst Teltschik: 329 Tage. Innenansichten der Einigung, Berlin 1991, S. 37.

14 Zehn-Punkte-Programm zur Überwindung der Teilung Deutschlands und Europas, vorgelegt von Bundeskanzler Helmut Kohl in der Haushaltsdebatte des Deutschen Bundestages, 28. November 1989, in: Europa-Archiv, 44. Jg. (1989), S. D 731ff.

15 Deutscher Bundestag. Stenographische Berichte, 11. Wahlperiode, 177. Sitzung (28.11.1989), S. 13520ff.

16 Allgemeiner Deutscher Nachrichtendienst (ADN), Bericht, 11. Dezember 1989.

17 Vgl. Wolfgang Schäuble: Der Vertrag. Wie ich über die deutsche Einheit verhandelte, Stuttgart 1991, S. 21.

18 Bild-Zeitung, 24. Januar 1990, S. 1.

19 Vgl. Teltschik: 329 Tage (wie Anm. 13), S. 115.

20 Vgl. Wortlaut der Konzeption »Für Deutschland, einig Vaterland«, in: Modrow: Aufbruch und Ende (wie Anm. 2), Anlage 6, S. 186ff. Vgl. dazu auch die Erklärung Modrows auf der Pressekonferenz am 1. Februar 1990 zur Erläuterung seiner Konzeption, in: Ebd., Anlage 5, S. 184ff.

21 Vgl. Teltschik: 329 Tage (wie Anm. 13), S. 121.

22 Vgl. ebd., S. 126 und auch »Wir brechen bald zusammen«, in: Der Spiegel, 12. Februar 1990, S. 16ff. Vgl. ebenfalls Hans-Hermann Hertle: Staatsbankrott. Der ökonomische Untergang des SED-Staates, in: Deutschland Archiv, H. 10, 1992, S. 1019–1030.

23 Peter Passell: »Monetary Union: Would It Help?«, in: The New York Times, 9. Februar 1990, S. D 1. Vgl. auch Helmut Kohl: Ich wollte Deutschlands Einheit. Dargestellt von Kai Diekmann und Ralf Georg Reuth, Berlin 1996, S. 262.

24 Craig R. Whitney: »Bonn's Top Banker Urges Caution«, in: The New York Times, 3. März 1990, S. D 1.

25 Vgl. »Milliarden auf Jahre hinaus. Gefahr für die Mark: Wiedervereinigung wird zum Wirtschaftsabenteuer«, in: Der Spiegel, 12. Februar 1990, S. 25.

26 Kohl: Ich wollte Deutschlands Einheit (wie Anm. 23), S. 262.

27 Vgl. Vertrag über die Schaffung einer Währungs-, Wirtschafts- und Sozialunion zwischen der Bundesrepublik Deutschland und der Deutschen Demokratischen Republik, 18. Mai 1990, in: Bulletin, Nr. 63, 1990, S. 517–544.

28 »›Ich rechne mit dem Schlimmsten‹. Interview mit der Ost-Berliner Arbeitsministerin Regine Hildebrandt über die Folgen der bevorstehenden Währungsunion für die DDR«, in: Stern, 17. Mai 1990, S. 216ff.

29 Dazu zählte auch die Frage, ob die Wiedervereinigung sich durch einen Beitritt der ostdeutschen Länder nach Artikel 23 GG oder auf der Grundlage einer neuen Verfassung nach Artikel 146 GG vollziehen sollte. Die Frage wurde letztlich durch zwei Beschlüsse der Volkskammer entschieden: Eine Mehrheit der Abgeordneten lehnte zunächst am 26. April 1990 eine neue Verfassung ab. Am 23. August 1990 entschied dann das ostdeutsche Parlament, dem Geltungsbereich des Grundgesetzes der Bundesrepublik Deutschland nach Artikel 23 beizutreten.

30 »Berliner Deklaration in Anbetracht der Niederlage Deutschlands und der Übernahme der obersten Regierungsgewalt hinsichtlich Deutschlands« vom 5. Juni 1945, in: Dokumente des geteilten Deutschland. Quellentexte zur Rechtslage des Deutschen Reiches, der Bundesrepublik Deutschland und der Deutschen Demokratischen Republik. Mit einer Einführung hrsg. von Ingo von Münch, 2., unveränd. Aufl., Stuttgart 1976, S. 19. Vgl. auch den Deutschlandvertrag zwischen der Bundesrepublik und den drei Westmächten vom 23. Oktober 1954 sowie die Erklärung der Sowjetunion über die Gewährung der Souveränität an die DDR vom 25. März 1954, in: Ebd., S. 230 u. 330.

31 Vgl. Thomas L. Friedman/Michael R. Gordon: »Steps to German Unity: Bonn as a Power«, in: The New York Times, 16. Februar 1990, S. A 9. Vgl. dazu umfassend Elke Bruck/Peter M. Wagner (Hrsg.): Wege zum »2+4«-Vertrag. Die äußeren Aspekte der deutschen Einheit, München 1996, sowie Philip Zelikow/Condoleezza Rice: Germany Unified and Europe Transformed. A Study in Statecraft, Cambridge, MA u. a. 1995.

32 Schreiben des Bundeskanzlers Kohl an Präsident Gorbatschow, Bonn, 22. Mai 1990, in: BK, 213 – 30130 S 25 So 38 Bd. 1. Abgedr. in: Dokumente zur Deutschlandpolitik. Deutsche Einheit. Sonderedition aus den Akten des Bundeskanzleramtes 1989/90, bearb. von Hanns Jürgen Küsters und Daniel Hofmann, München 1998, S. 1136.

33 »Auf eiserne Art: Moskaus Ex-Außenminister Schewardnadse hat enthüllt, dass die deutsche Vereinigung gewaltsam verhindert werden sollte«, in: Der Spiegel, 15. April 1991, S. 41.

34 Vgl. Teltschik: 329 Tage (wie Anm. 13), S. 334.

35 Vgl. Erklärung zum Abschluss der dritten Runde der Zwei-plus-Vier-Verhandlungen, abgegeben vom Bundesminister des Auswärtigen der Bundesrepublik Deutschland, Hans-Dietrich Genscher, in Paris am 17. Juli 1990, in: Europa-Archiv, 45. Jg. (1990), S. D 352f.

36 Vgl. Vertrag über die abschließende Regelung in bezug auf Deutschland vom 12. September 1990, in: Dokumente der Wiedervereinigung Deutschlands, hrsg. von Ingo von Münch, Stuttgart 1991, S. 372ff.

Die Entstehung der Berliner Republik (S. 46–57)

1 Verhandlungen des Deutschen Bundestages, Stenographische Protokolle, 3. November 1949, S. 341 B-347 A.

2 Vgl. Reiner Pommerin: Von Berlin nach Bonn. Die Alliierten, die Deutschen und die Hauptstadtfrage nach 1945, Köln, Wien 1989, S. 214.

3 Vgl. Erich Nickel: Der Streit um die deutsche Hauptstadt, in: Berlinische Monatsschrift, H. 7, 2001, S. 20.

4 In den 1950er Jahren hatte der Schweizer Publizist Fritz René Allemann mit seinem Buch »Bonn ist nicht Weimar« (Köln und Berlin 1956) eine ähnliche Diskussion ausgelöst, als er die Bundesrepublik mit der Weimarer Republik verglich.

5 Bundespräsident Richard von Weizsäcker: Verleihung der Ehrenbürgerwürde von Berlin an den Bundespräsidenten, in: Bulletin, 3. Juli 1990, Nr. 85, S. 736; Horst Ehmke: Nur keine Neuauflage preußisch-deutscher Mystik!, in: Alois Rummel (Hrsg.): Bonn. Sinnbild deutscher Demokratie. Zur Debatte um Hauptstadt und Regierungssitz, Bonn 1990, S. 110. Vgl. auch Peter Glotz: Der Irrtum des Präsidenten – Ein Offener Brief, in: Neue Gesellschaft/Frankfurter Hefte, August 1990, S. 749.

6 Schreiben des Ministers Clement an Bundesminister Seiters, Düsseldorf, 30. Juni 1990, in: Deutsche Einheit. Sonderedition aus den Akten des Bundeskanzleramtes 1989/90, bearb. von Hanns Jürgen Küsters und Daniel Hofmann, München 1998, S. 1284.

7 Vgl. Wolfgang Schäuble: Der Vertrag. Wie ich über die deutsche Einheit verhandelte, Stuttgart 1991, S. 131.

8 Erste Verhandlungsrunde über den Vertrag zur Herstellung der Einheit Deutschlands (Einigungsvertrag), 6. Juli 1990, in: Deutsche Einheit (wie Anm. 6), S. 1326.

9 Schäuble: Der Vertrag (wie Anm. 7), S. 87.

10 Vertrag zwischen der Bundesrepublik Deutschland und der Deutschen Demokratischen Republik über die Herstellung der Einheit Deutschlands – Einigungsvertrag – vom 31. August 1990, in: Dokumente der Wiedervereinigung Deutschlands, hrsg. von Ingo von Münch, Stuttgart 1991, S. 328.

11 Wortlaut des Memorandums in: Die Welt, 11. März 1991, S. 5.

12 Vgl. Andreas Salz: Bonn-Berlin. Die Debatte um Parlaments- und Regierungssitz im Deutschen Bundestag und die Folgen, Münster 2006, S. 50f.

13 Vgl. Dietmar Kansy: Zitterpartie. Der Umzug des Bundestages von Bonn nach Berlin, Hamburg 2003, S. 28.

14 Vgl. Franz Möller: Der Beschluss. Bonn/Berlin-Entscheidungen von 1990 bis 1994, Bonn 2002, S. 65f.

15 Zu den Bemühungen, eine Kampfabstimmung zu vermeiden und einen Kompromiss zu finden, vgl. Volker Tschirch: Der Kampf um Bonn, hrsg. vom Oberkreisdirektor des Rhein-Sieg-Kreis, Bonn 1999, S. 68 ff.

16 Vgl. Andreas Kießling: Hauptstadt Berlin, in: Werner Weidenfeld/Karl-Rudolf Korte (Hrsg.):, Handbuch zur deutschen Einheit 1949–1989–1999, Bonn 1999, S. 63.

17 Vgl. Berlin-Bonn. Die Debatte. Alle Bundestagsreden vom 20. Juni 1991, Köln 1991, S. 375. Ein Konsensantrag, demzufolge der Bundestag nach Berlin umziehen, die Bundesregierung aber in Bonn bleiben sollte, war zuvor mit 147 gegen 489 Stimmen gescheitert; die Abgeordneten hatten sich also deutlich gegen eine Trennung von Parlaments- und Regierungssitz entschieden. Vgl. ebd., S. 352.

18 Das Parlament, 12. Juli 1991.

19 Berlin-Bonn (wie Anm. 17), S. 53 u. 55. Vgl. hierzu auch Ekkehard Kohrs: Die Stimmung kippte nach der Rede Schäubles, in: General-Anzeiger (Bonn), 21. Juni 1991, S. 3.

20 Salz: Bonn-Berlin (wie Anm. 12), S. 69.

21 Vgl. Tschirch: Kampf um Bonn (wie Anm. 15), S. 90.

22 »Eine wunderbare Katastrophe«, in: Der Spiegel, 24. Juni 1991.

23 Die Zeit, 21. Juni 1991.

24 Le Monde, 22. Juni 1991.

25 The Guardian, 22. Juni 1991.

26 Vgl. Herbert Schwenk: Vom Rhein an die Spree. Der Umzug von Parlament und Regierung nach Berlin, in: Berlinische Monatsschrift, H. 7, 2001, S. 28.

27 Berliner Morgenpost, 21. Juni 2001.

28 Vgl. Christine Lutz: Berlin als Hauptstadt des wiedervereinigten Deutschlands. Symbol für ein neues deutsches Selbstverständnis?, Berlin 2002, S. 58 ff.

29 Vgl. hierzu ausführlich Michael S. Cullen: Der Reichstag. Parlament, Denkmal, Symbol, 2., vollst. überarb. u. erw. Aufl., Berlin 1999, S. 291–305.

30 Vgl. Kießling: Hauptstadt Berlin (wie Anm. 16), S. 65.

31 Der Neubau des Kanzleramtes im Spreebogen war erst im April 2001 bezugsfertig und ist seit dem 30. April 2001 offizieller Dienstsitz des Bundeskanzlers. Vgl. hierzu ausführlich Manfred Görtemaker (mit Michael Bienert und Marko Leps): Orte der Demokratie in Berlin. Ein historisch-politischer Wegweiser, Berlin 2004, S. 211 ff.

32 Johannes Gross: Begründung der Berliner Republik. Deutschland am Ende des 20. Jahrhunderts, Stuttgart 1995, S. 7 f.

33 Ebd., S. 92 f.

34 Zit. n.: Michael Sontheimer: Berlin, Berlin. Der Umzug in die Hauptstadt, Hamburg 1999, S. 222.

35 Vg. Klaus von Beyme: Die »Berliner Republik«?, in: Gegenwartskunde, H. 1, 1999, S. 135–139; Eckhard Jesse: Von der »Bonner Republik« zur »Berliner Republik«? Mehr Kontinuität als Wandel, in: Karl Eckert/Eckhard Jesse (Hrsg.): Das wiedervereinigte Deutschland – eine erweiterte oder eine neue Bundesrepublik?, Berlin 1999, S. 21–33.

36 Vgl. Gerhard A. Ritter, Continuity and Change. Political and Social Developments in Germany after 1945 and 1989/90, London 2000, S. 25. Vgl. auch umfassend Gerhard A. Ritter: Der Preis der deutschen Einheit. Die Wiedervereinigung und die Krise des Sozialstaats, München 2006.

37 Lutz Hachmeister: Nervöse Zone. Politik und Journalismus in der Berliner Republik, München 2007, S. 24.

38 Ebd., S. 15.

39 Ebd., S. 24. Vgl. auch Beate Schneider: Massenmedien im Prozess der deutschen Vereinigung, in: Jürgen Wilke (Hrsg.): Mediengeschichte der Bundesrepublik Deutschland, Bonn 1999, S. 602–629.

40 Hachmeister: Nervöse Zone (wie Anm. 37), S. 77 f.

41 Zit. n.: Sontheimer: Berlin (wie Anm. 34), S. 233.

42 Hermann Rudolph: Der Argwohn um die Berliner Republik, in: Der Tagesspiegel, 6. September 1998, vgl. auch ders.: Das erste Jahrzehnt. Die Deutschen zwischen Euphorie und Enttäuschung. Mit einem Vorwort von Lothar de Maizière, Stuttgart, München 2000, S. 250.

Schritte zu einer neuen Außenpolitik (S. 58–84)

1 Vgl. etwa Sebastian Harnisch: Change and Continuity in Post-Unification German Foreign Policy, in: German Politics, Vol. 10, No. 1/2001, S. 35–60. Harnisch spricht von »modifizierter Kontinuität« in den 1990er Jahren. Ähnlich auch Alexander Siedschlag: Zwischen gezähmter Macht und gefordertem Engagement. Die Außen- und Sicherheitspolitik des vereinten Deutschland in ihrer ersten Dekade, in: Gegenwartskunde, H. 2/2000, S. 143–156.

2 Regierungserklärung zur Politik der ersten gesamtdeutschen Bundesregierung, 4. Oktober 1990, zit. n.: Helmut Kohl: Bilanz und Perspektiven. Regierungspolitik 1989–1991, Bd. 2, Bonn 1992, S. 687.

3 Margaret Thatcher: The Downing Street Years, London 1993, S. 813 f.

4 Vgl. Rudolf Hrbek: Deutschland und der Fortgang des europäischen Integrationsprozesses, in: Werner Süß (Hrsg.): Deutschland in den neunziger Jahren. Politik und Gesellschaft zwischen Wiedervereinigung und Globalisierung, Opladen 2002, S. 301 f.

5 So stellte beispielsweise der Europäische Rat nach einer Tagung in Straßburg am 8./9. Dezember 1989 in seiner Schlusserklärung fest, dass die deutsche Einheit »in die Perspektive der europäischen Integration eingebettet« sein müsse. Vgl. Bulletin, Nr. 147, 19. Dezember 1989, S. 1241–1245. Zur Position Kohls vgl. Werner Weidenfeld: Außenpolitik für die deutsche Einheit. Die Entscheidungsjahre 1989/90 (= Geschichte der deutschen Einheit, Bd. 4), Stuttgart 1998.

6 Die Erfüllung eines geschichtlichen Auftrags, in: Kohl: Bilanz und Perspektiven (wie Anm. 2), S. 657.

7 Ebd., S. 684.

8 Vgl. hierzu umfassend Curt Gasteyger: Europa von der Spaltung zur Einigung. Darstellung und Dokumentation 1945–2000, vollst. überarb. Neuaufl., Bonn 2001.

9 Vgl. Hrbek: Deutschland und der Fortgang des europäischen Integrationsprozesses (wie Anm. 4), S. 304.

10 Die Erfüllung eines geschichtlichen Auftrags, in: Kohl: Bilanz und Perspektiven (wie Anm. 2), S. 657 f.

11 Vgl. vor allem Hans-Peter Schwarz: Die Zentralmacht Europas. Deutschlands Rückkehr auf die Weltbühne, Berlin 1994 sowie Gregor Schöllgen: Die Macht in der Mitte Europas, München 2000.

12 Vgl. hierzu Helmut Schmidt: Die Deutschen und ihre Nachbarn. Menschen und Mächte II, Berlin 1990, S. 219 ff. Vgl. auch Peter Ludlow: The Making of the European Monetary System, London 1982.

13 Vgl. Jan Viebig: Der Vertrag von Maastricht. Die Position Deutschlands und Frankreichs zur Europäischen Wirtschafts- und Währungsunion, Stuttgart 1999, S. 109.

14 Vgl. Ausschuss zur Prüfung der Wirtschafts- und Währungsunion (Delors-Bericht) vom 17. April 1989, in: Europa-Archiv, 1989, S. D 283–304.

15 EG-Gipfel in Straßburg am 8. und 9. Dezember 1989. Arbeitskalender für das weitere Vorgehen bis 1993, in: Deutsche Einheit. Sonderedition aus den Akten des Bundeskanzleramtes 1989/90, bearb. von Hanns Jürgen Küsters und Daniel Hofmann, München 1998, S. 567.

16 Schreiben des Bundeskanzlers Kohl an Staatspräsident Mitterrand, Bonn, 27. November 1989, in: Deutsche Einheit (wie Anm. 15), S. 566.

17 Vgl. Helga Haftendorn: Deutsche Außenpolitik zwischen Selbstbeschränkung und Selbstbehauptung 1945–2000, Stuttgart, München 2001, S. 317.

18 Helmut Kohl: Ich wollte Deutschlands Einheit. Dargestellt von Kai Diekmann und Ralf Georg Reuth, Berlin 1996, S. 324.

19 Vgl. Botschaft des Staatspräsidenten der Französischen Republik, François Mitterrand, und des Bundeskanzlers der Bundesrepublik Deutschland, Helmut Kohl, an den irischen Premierminister und amtierenden Präsidenten des Europäischen Rates, Charles Haughey, vom 18. April 1990, in: Auswärtiges Amt (Hrsg.): Außenpolitik der Bundesrepublik Deutschland. Dokumente von 1949 bis 1994, Bonn 1995, S. 669. – Vgl. hierzu ausführlich Werner Weidenfeld: Außenpolitik für die deutsche Einheit. Die Entscheidungsjahre 1989/90 (= Geschichte der deutschen Einheit, Bd. 4), Stuttgart 1998, S, 404ff.

20 Auswärtiges Amt (Hrsg.): Außenpolitik der Bundesrepublik Deutschland (wie Anm. 19), S. 669.

21 Vgl. Europa-Archiv, 1990, S. D 284–288.

22 Weidenfeld: Außenpolitik für die deutsche Einheit (wie Anm. 19), S. 411.

23 So etwa Mareike König und Matthias Schulz (Hrsg.), Die Bundesrepublik Deutschland und die europäische Einigung 1949–2000. Politische Akteure, gesellschaftliche Kräfte und internationale Erfahrungen, Stuttgart 2004, S. 31. Dort heißt es wörtlich: »Die Aufgabe der Währungshoheit infolge des Maastrichter Vertrages – und damit des Instruments für die in den achtziger Jahren weitgehend bestehende deutsche Währungshegemonie in Europa – ist als Preis für die deutsche Einheit das bislang bedeutendste Beispiel für die Dauerhaftigkeit des bundesdeutschen Engagements für die europäische Einigung.«

24 Daniel Göler: Europapolitik im Wandel. Deutsche Integrationsmotive und Integrationsziele nach der Wiedervereinigung, Münster 2004, S. 41.

25 Vgl. Europa-Archiv, 1991, S. D 27–38.

26 Vertrag über die Europäische Union, Maastricht, 7. Februar 1992, in: Gasteyger: Europa von der Spaltung zur Einigung (wie Anm. 8), Dokument D 103, S. 428.

27 Vgl. Hrbek: Deutschland und der Fortgang des europäischen Integrationsprozesses (wie Anm. 4), S. 303.

28 Entschließung der Fraktionen der CDU/CSU, SPD und FDP vom 2. Dezember 1992, in: Verhandlungen des Deutschen Bundestages. 12. Wahlperiode. Drucksachen. Bd. 460, Bonn 1992, Drucksache 12/3905, S. 1.

29 Vgl. Weidenfeld: Außenpolitik für die deutsche Einheit (wie Anm. 19), S. 411.

30 Der Vertrag über die Bedingungen des befristeten Aufenthalts und der Modalitäten des planmäßigen Abzuges der sowjetischen Truppen wurde am 12. Oktober 1990 von Bundesaußenminister Hans-Dietrich Genscher und dem sowjetischen Botschafter Wladislaw Terechow in Bonn unterzeichnet.

31 Vgl. Hans-Dietrich Genscher: Interview, in: Die Zeit, 30. August 1991, S. 6.

32 Vgl. Hans-Peter Schwarz: Die gezähmten Deutschen. Von der Machtbesessenheit zur Machtvergessenheit, Stuttgart 1985.

33 Vgl. Christian Hacke, Die Außenpolitik der Bundesrepublik Deutschland.

Weltmacht wider Willen?, akt. u. erw. Neuaufl., Frankfurt am Main und Berlin 1997, S. 392 f.

34 Karl Kaiser und Klaus Becher, Deutschland und der Irak-Konflikt. Internationale Sicherheitsverantwortung Deutschlands und Europas nach der deutschen Vereinigung (= Arbeitspapiere zur Internationalen Politik, Nr. 68), Bonn 1992, S. 15.

35 Zit. in: Süddeutsche Zeitung, 10. August 1990, S. 2.

36 Vgl. Europa-Archiv, Folge 2/1991, S. D 62.

37 So Bundestagspräsidentin Rita Süssmuth, Bundeskanzler Helmut Kohl und Oppositionsführer Hans-Jochen Vogel am 17. Januar im Bundestag. Vgl. Deutscher Bundestag. Stenographischer Bericht, 12. Wahlperiode, 3. Sitzung (17.1.1991), S. 45 A (Süssmuth), 46 D (Kohl), 47 D (Vogel).

38 Vgl. Bulletin, hrsg. vom Presse- und Informationsamt der Bundesregierung, Nr. 6 (19.1.1991), S. 35 ff. Vgl. ferner Bundestags-Drucksache Nr. 12/37 (17.1.1991).

39 Der Zwiespalt der öffentlichen Meinung in Deutschland wird deutlich, wenn man Umfragen des ZDF-Politbarometers und der ARD-Sendung »Monitor« vom Januar 1991 betrachtet, denen zufolge sich 75 Prozent der Deutschen mit der Militäraktion gegen den Irak einverstanden erklärten, während ebenfalls 75 Prozent einen Einsatz deutscher Soldaten ablehnten.

40 In der FDP hatten sich dazu zahlreiche Politiker zu Wort gemeldet, so Burkhard Hirsch: Bundeswehr keine beliebige Manövriermasse, in: FDP-Tagesdienst, 9. August 1990, und Werner Hoyer: Bundeswehr im Golf abwegige Spekulation, in: FDP-Tagesdienst, 9. August 1990. Hoyer hielt einen Einsatz nicht nur für verfassungswidrig, sondern auch für einen außenpolitisch unangebrachten Ausdruck »politischer Großmannssucht«.

41 Vgl. hierzu Nina Philippi: Bundeswehr-Auslandseinsätze als außen- und sicherheitspolitisches Problem des geeinten Deutschland, Frankfurt am Main 1997, S. 70. Vgl. auch das in gleichem Sinne geführte Telefongespräch des Bundeskanzlers mit dem amerikanischen Präsidenten George Bush, 22. August 1990, in: Deutsche Einheit (wie Anm. 15), S. 1484.

42 Vgl. die auf einer Aufstellung des Bundesfinanzministeriums (Referat VII C 1) vom April 1990 beruhende Zusammenstellung von Michael J. Inacker: Unter Ausschluss der Öffentlichkeit? Die Deutschen in der Golfallianz, Bonn 1991, S. 104 ff.

43 Vgl. ausführlich Kaiser/Becher: Deutschland und der Irak-Konflikt (wie Anm. 34), S. 47 ff.

44 William Drozdiak: »Bonn Rejects to Aid U.S. Forces in the Gulf«, in: International Herald Tribune, 6. September 1990; Kaiser/Becher: Deutschland und der Irak-Konflikt (wie Anm. 34), S. 37.

45 Hacke: Die Außenpolitik der Bundesrepublik Deutschland (wie Anm. 33), S. 398.

46 Grundlegend hierzu Steven W. Sowards: Moderne Geschichte des Balkans. Der Balkan im Zeitalter des Nationalismus, Books on Demand 2004.

47 Vgl. Viktor Meier: Wie Jugoslawien verspielt wurde, München 1995. Vgl. ebenfalls Sabrina P. Ramet: Balkan Babel: The Disintegration of Yugoslavia from the Death of Tito to the War for Kosovo, 3. Aufl., Boulder, CO 1999.

48 Vgl. Yugoslav Survey 1990: Public Opinion Survey on the Federal Executive Council's Social and Economic Reform, 31. Mai 1990, S. 3–26.

49 Holger Sundhausen: Der Zerfall Jugoslawiens und seine Folgen, in: Aus Politik und Zeitgeschichte, H. 32/2008, S. 14.

50 Vgl. ebd., S. 15. Vgl. auch Branka Magaš/Ivo Žanić (Hrsg.): The War in Croatia and Bosnia-Herzegovina 1991–1995, London, Portland 2001.

51 Zur Kriegführung in Kroatien vgl. Hannes Grandits/Christian Promitzer: »Former Comrades« at War. Historical Perspectives on »Ethnic Cleansing« in Croatia, in: Joel M. Halperin/David A. Kideckel (Hrsg.): Neighbors at War. Anthropological Perspectives on Yugoslav Ethnicity, Culture and History, University Park, PA 2000, S. 125 ff.

52 Zur Haltung Genschers vgl. Klaus Peter Zeitler: Deutschlands Rolle bei der völkerrechtlichen Anerkennung der Republik Kroatien unter besonderer Berücksichtigung des deutschen Außenministers Genscher, Marburg 2000, S. 181. Dort heißt es, Genscher habe seine »Politik der Akzeptanz und Unterstützung der neuen Vielfalt im jugoslawischen Reich als eine Übergangsphase bei der Rekonstruktion Europas in der postkommunistischen Ära« betrachtet.

53 Der Deutsche Bundestag hatte dieser Tatsache bereits mit seiner Entschließung vom 18. Juni 1990 Rechnung getragen, in der er das Recht auf Selbstbestimmung und Loslösung aus der jugoslawischen Föderation betonte.

54 Vgl. Hacke: Die Außenpolitik der Bundesrepublik Deutschland (wie Anm. 33), S. 403. Vgl. hierzu auch die eigene Darstellung von James A. Baker: Drei Jahre, die die Welt veränderten. Erinnerungen, Berlin 1996, S. 472. Baker warnte nach eigenen Angaben Milošević, den er in seinen Memoiren einen »knallharten Lügner« nennt, vor einem Bürgerkrieg, der zur Auflösung Jugoslawiens führen werde.

55 Vgl. Tom Gallagher: Milošević, Serbia and the West during the Yugoslav Wars, 1991–1995, in: Andrew Hammond (Hrsg.): The Balkans and the West. Constructing the European Order, Aldershot 2004, S. 151 ff.

56 Hans-Dietrich Genscher: Erinnerungen, Berlin 1995, S. 945.

57 Michael Libal: Limits of Persuasion. Germany and the Yugoslav Crisis 1991–1992, Westport, London 1997, S. 22 u. 34.

58 Norbert Gansel vertrat diese Haltung als Ergebnis einer Reise nach Jugoslawien sogar bereits am 23. Mai 1991.

59 Genscher: Erinnerungen (wie Anm. 56), S. 945. Vgl. auch Zeitler: Deutschlands Rolle bei der völkerrechtlichen Anerkennung der Republik Kroatien (wie Anm. 52), S. 299.

60 Vgl. ebd., S. 300.

61 Nikolaus Jarek Korczynski: Deutschland und die Auflösung Jugoslawiens. Von der territorialen Integrität zur Anerkennung Kroatiens und Sloweniens, Hamburg 2005, S. 47.

62 Zit. n.: Hacke: Die Außenpolitik der Bundesrepublik Deutschland (wie Anm. 33), S. 404.

63 Richard Holbrooke: Meine Mission. Vom Krieg zum Frieden in Bosnien, München, Zürich 1998, S. 52.

64 Zur Rolle der öffentlichen Meinung vgl. ebd., S. 25 ff. Vgl. auch Zeitler: Deutschlands Rolle bei der völkerrechtlichen Anerkennung der Republik Kroatien (wie Anm. 52), S. 181.

65 Vgl. Bulletin, 21. Dezember 1991, Nr. 145, S. 1183.

66 Vgl. Sonia Lucarelli: Europe and the Breakup of Yugoslavia. A Political Failure in Search of a Scholarly Explanation, The Hague 2000, S. 130, Fußnote 13.

67 Zit. n.: Korczynski: Deutschland und die Auflösung Jugoslawiens (wie Anm. 61), S. 64.

68 In den USA nahm man das deutsche Vorgehen vor allem als »new assertiveness«, aber auch als »elbowing« und »muscling« wahr. In Frankreich hieß es, »das vereinte Deutschland habe seine Politik auf eine Art und Weise durchgesetzt, wie es die Bundesrepublik vor 1989 nicht gewagt hätte«. Vgl. Viktor Meier: Jugoslawiens Erben. Die neuen Staaten und die Politik des Westens, München 2001, S. 132.

69 Michael Libal: The Road to Recognition: Germany, the EC and the Disintegration of Yugoslavia 1991, in: Journal of European Integration History, 10/2004, S. 87.

70 Laura Silber/Allan Little: Bruderkrieg. Der Kampf um Titos Erbe, 2. Aufl., Graz u.a. 1995, S. 251.

71 David C. Gompert: The United States and Yugoslavia's Wars, in: Richard H. Ullman (Hrsg.): The World and Yugoslavia's Wars, New York 1996, S. 128.

72 Baker: Drei Jahre, die die Welt veränderten (wie Anm. 54), S. 474.

73 Joel Haveman: EC urges End to Yugoslav Violence, Threatens Aid Cut, in: Los Angeles Times, 29. Juni 1991, S. A11. Vgl. auch The Wall Street Journal, 9. Juli 1991, S. A6.

74 Vgl. ausführlich Meier: Jugoslawiens Erben (wie Anm. 68), S. 132 f.

75 Vgl. hierzu Siegfried Schwarz: Deutschlands neue Rolle in Europa. Zentralmacht im Zielkonflikt?, in: Wolfgang Thierse u.a. (Hrsg.): Zehn Jahre Deutsche Einheit. Eine Bilanz, Opladen 2000, S. 39. Vgl. auch Werner Weidenfeld (Hrsg.): Was ändert die Einheit? Deutschlands Standort in Europa, Gütersloh 1993, S. 9ff.

76 Vgl. hierzu Uta Kuchenbuch: Deutschland und die Vereinten Nationen. Die Entwicklung Deutschlands vom hegemonialen Aggressor zum verantwortungsvollen Mitglied in der internationalen Staatengemeinschaft, Hamburg 2004, S. 221–252.

77 Vereinte Nationen, 5/1990, S. 157.

78 Vgl. Klaus Hüfner: Die Vereinten Nationen und ihre Sonderorganisationen. Strukturen, Aufgaben, Dokumente. Teil 3: Finanzierung des Systems der Vereinten Nationen, Bonn 1986, S. 69; Kuchenbuch: Deutschland und die Vereinten Nationen (wie Anm. 76), S. 225. Heute beträgt der Satz 8,66 Prozent.

79 Vgl. Auswärtiges Amt (Hrsg.), ABC der Vereinten Nationen. (Redaktion: Günther Unser und Regina Rohrbach), Berlin 2008, S. 30.

80 Vgl. Kuchenbuch: Deutschland und die Vereinten Nationen (wie Anm. 78), S. 227.

81 Vgl. Bundesgesetzblatt 2000, Teil II, S. 1394.

82 Grundgesetz für die Bundesrepublik Deutschland, Bonn 1996, S. 54.

83 Ebd., S. 24.

84 Andreas M. Rauch: Auslandseinsätze der Bundeswehr, Baden-Baden 2006, S. 58. Vgl. auch Hans Boldt: Einsatz der Bundeswehr im Ausland?, in: Zeitschrift für Rechtspolitik, 6/1992, S. 218f. Vgl. ebenfalls Nina Philippi: Bundeswehr-Auslandseinsätze (wie Anm. 41), S. 47.

85 Manfred Funke: Aktuelle Aspekte deutscher Sicherheitspolitik, in: Aus Politik und Zeitgeschichte, 46/1992, S. 25.

86 Hans-Adolf Jacobsen: Die Bundeswehr der neunziger Jahre vor neuen Herausforderungen. Versuch einer Zwischenbilanz, in: Aus Politik und Zeitgeschichte, 18/1991, S. 40.

87 Dieter S. Lutz: Krieg als ultima ratio? Zum Einsatz der Bundeswehr außerhalb des Territoriums der Bundesrepublik Deutschland, Hamburg 1993, S. 6.

88 Zur »AWACS-Entscheidung« vom 8. April 1993 vgl. Philippi: Bundeswehr-Auslandseinsätze (wie Anm. 41), S. 48ff.

89 Zur »Somalia-Entscheidung« des Bundesverfassungsgerichts vom 23. Juni 1993 vgl. ebd., S. 50ff.

90 Entscheidungen – Bundesverfassungsgericht, S. 2211. Zit. n.: Rauch: Auslandseinsätze der Bundeswehr (wie Anm. 84), S. 65f.

91 Vgl. ebd., S. 97.

Ein Staat – zwei Gesellschaften (S. 85–105)

1 Amélie Mummendey/Thomas Kessler: Deutsch-deutsche Fusion und soziale Identität. Sozialpsychologische Perspektiven auf das Verhältnis von Ost- zu Westdeutschen, in: Hartmut Esser (Hrsg.): Der Wandel nach der Wende. Gesellschaft, Wirtschaft, Politik in Ostdeutschland, Wiesbaden 2000, S. 277.

2 Hans-J. Misselwitz: Nicht länger mit dem Gesicht nach Westen. Das neue Selbstbewusstsein der Ostdeutschen, Bonn 1996.

3 Christoph Dieckmann: Das wahre Leben im falschen. Geschichten von ostdeutscher Identität, Berlin 1998, S. 59.

4 Vgl. Mummendey/Kessler: Deutsch-deutsche Fusion und soziale Identität (wie Anm. 1), S. 278 f.

5 Vgl. Hans-Joachim Maaz: Der Gefühlsstau. Ein Psychogramm der DDR, Berlin 1990, S. 135 ff.

6 Vgl. hierzu Rolf Reißig: Die gespaltene Vereinigungsgesellschaft. Bilanz und Perspektiven der Transformation Ostdeutschlands und der deutschen Vereinigung, Berlin 2000, S. 65 ff.

7 Regierungserklärung zum Vertrag vom 21. Juni 1990 über die Schaffung einer Währungs-, Wirtschafts- und Sozialunion zwischen der Bundesrepublik Deutschland und der Deutschen Demokratischen Republik, zu den deutsch-polnischen und zu den westeuropäischen Beziehungen zur Sowjetunion, in: Deutscher Bundestag, Plenarprotokoll 11/217, 21. Juni 1990, zit. n.: Helmut Kohl: Bilanz und Perspektiven. Regierungspolitik 1989–1991, Bd. 2, Bonn 1992, S. 593.

8 Vgl. Peter Richter: Blühende Landschaften, München 2004.

9 Vgl. Gerhard Kehrer: Industriestandort Ostdeutschland. Eine raumstrukturelle Analyse der Industrie in der DDR und in den neuen Bundesländern, Berlin 2000, S. 165.

10 Zahlenangaben n.: Michael Kaser: East Germany's Economic Transition in Comparative Perspective, in: Jens Hölscher (Hrsg.): Germany's Economic Performance. From Unification to Euroization, New York 2007, S. 231; Klaus Schroeder: Der Preis der Einheit. Eine Bilanz, München, Wien 2000, S. 130 f.

11 Vgl. Kaser: East Germany's Economic Transition in Comparative Perspective (wie Anm. 10), S. 232.

12 Vgl. ebd., S. 233.

13 Vgl. Jaap Sleifer: Planning Ahead and Falling Behind. The East German Economy in Comparison with West Germany 1936–2002 (= Jahrbuch für Wirtschaftsgeschichte, Beiheft 8), Berlin 2006, S. 135 ff.

14 Zahlenangaben n.: Kaser: East Germany's Economic Transition in Comparative Perspective (wie Anm. 10), S. 234 f.

15 Vgl. Michael Jürgs: Die Treuhändler. Wie Helden und Halunken die DDR verkauften, München, Leipzig 1997; Heinz Suhr: Der Treuhandskandal. Wie Ostdeutschland geschlachtet wurde, Frankfurt am Main 1991. Zur literarischen Verarbeitung des Sujets vgl. Nicki Pawlow: Die Frau in der Streichholzschachtel. Der Treuhand-Roman, Berlin 2007.

16 Klaus Schroeder: Die veränderte Republik. Deutschland nach der Wiedervereinigung, München, Wien 2006, S. 253. Vgl. auch Wolfgang Seibel (Hrsg.): Verwaltete Illusionen. Die Privatisierung der DDR-Wirtschaft durch die Treuhandanstalt und ihre Nachfolger 1990–2000, Frankfurt am Main 2005.

17 Handelsblatt, 22. März 1990. Vgl. auch Marc Kemmler: Die Entstehung der Treuhandanstalt. Von der Wahrung zur Privatisierung des DDR-Volkseigentums, Frankfurt am Main 1994.

18 Vgl. Dieter Grosser: Treuhand-Anstalt, in: Uwe Andersen/Wichard Woyke (Hrsg.): Handwörterbuch des politischen Systems der Bundesrepublik Deutschland, Opladen 2003, S. 628.

19 Vgl. Schroeder: Die veränderte Republik (wie Anm. 16), S. 254 f.

20 Vgl. hierzu die differenzierte Bewertung von Dirk Nolte: Politik der Treuhandanstalt, in: Dirk Nolte u.a. (Hrsg.): Wirtschaftliche und soziale Einheit Deutschlands. Eine Bilanz, Köln 1995, S. 66–87.

21 Vgl. Schroeder: Die veränderte Republik (wie Anm. 16), S. 254.

22 Der Spiegel: Nr. 30, 1990. Vgl. hierzu im einzelnen Max Kaase/Petra Bauer-Kaase, Deutsche Vereinigung und innere Einheit 1990–1997, in: Heiner Meulemann: Werte und Wertewandel. Zur Identität einer geteilten und wieder vereinten Nation, Weinheim, München 1996, S. 251–267.

23 So hatte Rohwedder unmittelbar vor seinem Tod in einem Gespräch mit der FAZ erklärt, »dass der Prozess der Transformation von der Plan- zur Marktwirtschaft den Menschen vermittelt bleiben« müsse. Ein hohes Maß an Fürsorglichkeit sei nötig, um die Menschen »emotional zu begleiten«. Zur Sanierung und Aufrechterhaltung von Arbeitsplätzen in nur mühevoll existierenden Betrieben sei deshalb eine »reinrassige, gedanklich saubere und schnörkellose Marktwirtschaft« im Osten nicht denkbar. Vgl. Frankfurter Allgemeine Zeitung, 30. März 1991.

24 Suhr: Der Treuhandskandal (wie Anm. 15), S. 139.

25 Vgl. Jürgs: Die Treuhändler (wie Anm. 15), S. 457.

26 Joachim Gauck: Die Stasi-Akten. Das unheimliche Erbe der DDR, Reinbek 1991, S. 89 u. 91.

27 Nachdem Marianne Birthler, die ebenfalls der Bürgerbewegung der DDR entstammte, im Oktober 2000 die Leitung übernommen hatte, wurde die Behörde dementsprechend als »Birthler-Behörde« bezeichnet.

28 Vgl. Jens Gieseke: Die hauptamtlichen Mitarbeiter der Staatssicherheit. Personalstruktur und Lebenswelt 1950–1989/90, Berlin 2000, S. 567 ff.

29 Wolfgang Dümcke/Fritz Vilmar (Hrsg.): Kolonialisierung der DDR. Kritische Analyse und Alternativen des Einigungsprozesses, Münster 1995, S. 209.

30 Zit. n.: Schroeder: Der Preis der Einheit (wie Anm. 10), S. 225. Natürlich sah die Wirklichkeit anders aus: Von den 91 015 hauptamtlichen Mitarbeitern und den etwa 174 000 inoffiziellen Mitarbeitern, die im Oktober 1989 für das MfS gearbeitet hatten, wurden bis zum Ende der »Ära Gauck« im Oktober 2000 nur 99 angeklagt und 25 rechtskräftig verurteilt. Lediglich eine Person erhielt dabei eine Freiheitsstrafe ohne Bewährung. Vgl. ebd., S. 223.

31 Jürgen Kocka: Vereinigungskrise. Zur Geschichte der Gegenwart, Göttingen 1995, S. 149.

32 Vgl. Reißig: Die gespaltene Vereinigungsgesellschaft (wie Anm. 6), S. 68 f.

33 Vgl. Max Kaase: Zur politischen Kultur und zur Lebenssituation der Bürger in West- und Ostdeutschland, in: Wolfgang Schluchter/Peter E. Quint (Hrsg.): Der Vereinigungsschock. Vergleichende Betrachtungen zehn Jahre danach, Weilerswist 2001, S. 127.

34 Vgl. ebd., S. 128.

35 Vgl. Heinz-Herbert Noll: Wahrnehmung und Rechtfertigung sozialer Ungleichheit 1991–1996, in: Heiner Meulemann (Hrsg.): Werte und nationale Identität im vereinten Deutschland. Erklärungsansätze der Umfrageforschung, Opladen 1998, S. 70.

36 Vgl. Werner J. Patzelt: Politische Kultur und innere Einheit. Eine Bilanz der Wiedervereinigung, in: Eckhard Jesse/Eberhard Sandschneider (Hrsg.): Neues Deutschland. Eine Bilanz der deutschen Wiedervereinigung, Baden-Baden 2008, S. 44.

37 Vgl. Schroeder: Der Preis der Einheit (wie Anm. 10), S. 202.

38 Vgl. David P. Conradt: Changing German Political Culture, in: Gabriel Almond und Sidney Verba (Hrsg.): The Civic Culture Revisited. An Analytic Study, Boston 1989, S. 212–272.

39 Oscar W. Gabriel: Wächst zusammen, was zusammen gehört?, in: Oscar W. Gabriel/Jürgen W. Falter/Hans Rattinger (Hrsg.): Wächst zusammen, was zusammen gehört? Stabilität und Wandel politischer Einstellungen im wiedervereinigten Deutschland, Baden-Baden 2005, S. 422.

40 Vgl. Gerhard A. Ritter: Der Preis der deutschen Einheit. Die Wiedervereinigung und die Krise des Sozialstaats, München 2006, S. 101 ff.

41 Vgl. ebd., S. 119. Zur Entwicklung in Ostdeutschland vgl. im einzelnen Berthold Vogel: Die Spuren der Arbeitslosigkeit – der Verlust der Erwerbsarbeit im Umbruch der ostdeutschen Gesellschaft, in: Hartmut Esser (Hrsg.): Der Wandel nach der Wende. Gesellschaft, Wirtschaft, Politik in Ostdeutschland, Wiesbaden 2000, S. 215 ff. Die Zahl der Beschäftigten in Ostdeutschland, die 1989 bei 9,8 Millionen gelegen hatte, ging demnach bis 1999 auf rund fünf Millionen zurück.

42 Vgl. Alexandra Wagner: Der ostdeutsche Arbeitsmarkt im Transformationsprozess, in: Nolte u. a. (Hrsg.): Wirtschaftliche und soziale Einheit Deutschlands (wie Anm. 20), S. 255 ff.

43 Vgl. ebd., S. 126.

44 Vgl. Statistisches Taschenbuch 1998. Arbeits- und Sozialstatistik, hrsg. vom Bundesministerium für Arbeit und Sozialordnung, Bonn 1998, Tabelle 1.27; Die Entwicklung der Staatsverschuldung seit der deutschen Vereinigung, in: Deutsche Bundesbank, Monatsbericht März 1997, Nr. 3, S. 17–32. Detaillierte Zahlenangaben auch bei Hartmut Tofaute: Kosten der Einheit – Refinanzierung der öffentlichen Haushalte, in: Nolte u. a. (Hrsg.): Wirtschaftliche und soziale Einheit Deutschlands (wie Anm. 20), Tabelle 5, S. 188.

45 Vgl. Edgar Wolfrum: Die geglückte Demokratie. Geschichte der Bundesrepublik Deutschland von ihren Anfängen bis zur Gegenwart, Stuttgart 2006, S. 474.

46 Vgl. Daniela Forkmann/Michael Schlieben: Die Parteivorsitzenden in der Bundesrepublik Deutschland 1949–2005, Wiesbaden 2005, S. 100 ff.

Machtwechsel zu Rot-Grün (S. 106–128)

1 Vgl. Christoph Egle u. a. (Hrsg.): Das rot-grüne Projekt. Eine Bilanz der Regierung Schröder 1998–2002, Wiesbaden 2003.

2 Zur Barschel-Affäre vgl. ausführlich Cordt Schnibben/Volker Skierka: Macht und Machenschaften. Die Wahrheitsfindung in der Barschel-Affäre – ein Lehrstück, Hamburg 1989.

3 Vgl. Joachim Hoell: Oskar Lafontaine. Provokation und Politik. Eine Biografie, Braunschweig 2004, S. 175 ff.

4 Vgl. Béla Anda/Rolf Kleine: Gerhard Schröder. Eine Biographie, München 1998, S. 116.

5 Vgl. David P. Conradt: The 1998 Campaign and Election, in: David P. Conradt u. a. (Hrsg.): Power Shift in Germany. The 1998 Elections and the End of the Kohl Era, New York und Oxford 2000, S. 6.

6 Vgl. Süddeutsche Zeitung, 24. August 1998.

7 Gerhard Schröder: Entscheidungen. Mein Leben in der Politik, Hamburg 2006, S. 100.

8 Zum Ausgang der Wahl vgl. Oscar W. Gabriel/Frank Brettschneider: Die Bundestagswahl 1998: Ein Plebiszit gegen Kanzler Kohl?, in: Aus Politik und Zeitgeschichte, B 52/98. Eine umfassende Bilanz zieht Knut Bergmann: Der Bundestagswahlkampf 1998. Vorgeschichte, Strategien, Ergebnis, Wiesbaden 2002.

9 Vgl. Conradt: The 1998 Campaign and Elections (wie Anm. 5), S. 15.

10 Vgl. Bodo Hombach: Aufbruch. Die Politik der Neuen Mitte, München 1998.

11 Zu den Koalitionsverhandlungen und zur Regierungsbildung vgl. im einzelnen Hans Jörg Hennecke: Die dritte Republik. Aufbruch und Ernüchterung, München 2003, S. 48–69.

12 Vgl. Aufbruch und Erneuerung – Deutschlands Weg ins 21. Jahrhundert. Koalitionsvereinbarung zwischen der Sozialdemokratischen Partei Deutschlands und Bündnis 90/Die Grünen, Bonn 1998.

13 Vgl. Hennecke: Die dritte Republik (wie Anm. 11), S. 64.

14 Heribert Prantl: Rot-Grün. Eine erste Bilanz, Hamburg 1999, S. 9.

15 Vgl. Jens Reuter/Konrad Clewing (Hrsg.): Der Kosovo-Konflikt. Ursachen, Verlauf, Perspektiven, Klagenfurt 2000.

16 Bundesministerium des Innern: Verfassungsschutzbericht 1998, Bonn 1999, S. 141.

17 Vereinte Nationen, Bericht des Präsidenten des UN-Sicherheitsrats, 24. August 1998, in: Resolutionen und Beschlüsse des Sicherheitsrats 1998. Sicherheitsrat. Offizielles Protokoll: Dreiundfünfzigstes Jahr, S/INF/54, New York 2000, S. 15.

18 UN-Sicherheitsrat, Resolution 1199 (1998), 23. September 1998, in: Ebd., S. 16 f.

19 Vgl. Madeleine Albright (mit Bob Woodward und William Woodward): Madam Secretary, New York 2003, S. 396 f.

20 Vgl. David Rohde: Endgame. The Betrayal and Fall of Srebrenica – Europe's Worst Massacre Since World War II, Boulder, Colorado 1997 (dt.: Die letzten Tage von Srebrenica. Was geschah und wie es möglich wurde, Reinbek bei Hamburg 1997). Vgl. ebenfalls Julija Bogoeva/Caroline Fetscher: Srebrenica. Dokumente aus dem Verfahren gegen General Radislav Krstić vor dem Internationalen Strafgerichtshof für das ehemalige Jugoslawien in Den Haag, Frankfurt am Main 2002.

21 Joschka Fischer: Die rot-grünen Jahre. Deutsche Außenpolitik – vom Kosovo bis zum 11. September, Köln 2007, S. 107.

22 Ebd., S. 85.

23 Vgl. Adrian Hyde-Price: Germany and the Kosovo War: Still a Civilian Power?, in: German Politics, Special Issue: New Europe, New Germany, Old Foreign Policy? German Foreign Policy Since Unification, London 2001, S. 19. Vgl. auch Joachim Krause: Deutschland und die Kosovo-Krise, in: Reuter/Clewing (Hrsg.): Der Kosovo-Konflikt (wie Anm. 15), S. 395–416.

24 Fischer: Die rot-grünen Jahre (wie Anm. 21), S. 159 ff.

25 Die Tageszeitung, 14. Mai 1999.

26 Rede Joschka Fischers auf dem Außerordentlichen Parteitag in Bielefeld, 13. Mai 1999. Transkription nach der Direktübertragung vom Ereigniskanal PHOENIX (»Vor Ort«). Transkription: Dr. Wolfgang Näser.

27 Vgl. Klaus Reinhardt: KFOR – Streitkräfte für den Frieden. Tagebuchaufzeichnungen als deutscher Kommandeur im Kosovo, 2. Aufl., Frankfurt am Main 2002.

28 Fischer: Die rot-grünen Jahre (wie Anm. 21), S. 154.

29 Fischer erwähnte den Plan erstmals öffentlich auf einer Pressekonferenz am 7. April 1999, Scharping erläuterte zwei Tage später Details. Vgl. Heinz Loquai: Der Kosovo-Konflikt. Wege in einen vermeidbaren Krieg. Die Zeit von Ende November 1997 bis März 1999, Baden-Baden 2000.

30 Der Spiegel, 31. März 1999, S. 219.

31 Ernst-Otto Czempiel: Interview, in: Die Zeit, 31. März 1999, S. 7.

32 Lafontaine selbst schürte später allerdings ebenfalls den Eindruck, dass der Kosovo-Krieg ein wichtiges Motiv für seine wachsende Distanz zur eigenen Partei und zur rot-grünen Koalition gewesen sei. Vgl. Oskar Lafontaine, Das Herz schlägt links, München 1999. Er schrieb darin: »Dass ausgerechnet unter einer sozialdemokratisch geführten Bundesregierung die Bundesrepublik Deutschland sich zum ersten Mal an einem Krieg beteiligte, der das Völkerrecht missachtete und mit dem Grundgesetz nicht vereinbar war, ist schwer zu verkraften. Der Kosovo-Krieg rührt an den Nerv des sozialdemokratischen Politikverständnisses.« Und an anderer Stelle: »Ich hätte gehofft, insbesondere in der Frage von Krieg und Frieden, einen Bündnispartner bei den Grünen zu haben, der mithelfen würde, eine Minderheit in meiner Partei in Schach zu halten, die schon immer militärische Interventionen auch außerhalb des Nato-Vertragsgebiets befürwortet hatte. [...] Dass es einmal so weit kommen würde, dass bei der Befürwortung solcher militärischer Einsätze auch ohne UNO-Mandat Joschka Fischer sogar Rudolf Scharping übertreffen würde, habe ich nicht vorausgesehen.«

33 Vgl. Fischer: Die rot-grünen Jahre (wie Anm. 21), S. 148.

34 Schröder: Entscheidungen (wie Anm. 7), S. 106.

35 Vgl. ebd., S. 107.

36 Fischer: Die rot-grünen Jahre (wie Anm. 21), S. 152.

37 Schröder: Entscheidungen (wie Anm. 7), S. 108 f.

38 Bild-Zeitung, 11. März 1999.

39 Für Vermutungen, dass bei dem Unfall eine Fremdeinwirkung vorgelegen haben könnte, ergaben sich bei einer genauen Untersuchung keine Anhaltspunkte. Allerdings sind entsprechende Gerüchte nicht verstummt. Vgl. Hans

Leyendecker u. a.: Helmut Kohl, die Macht und das Geld, Göttingen 2000, S. 456. Vgl. auch Michael Stiller: Edmund Stoiber. Der Kandidat, Düsseldorf 2002, S. 278 f.

40 Thomas Range: Die großen Polit-Skandale. Eine andere Geschichte der Bundesrepublik, Frankfurt am Main, New York 2003, S. 249.

41 Leyendecker u. a.: Helmut Kohl, die Macht und das Geld (wie Anm. 39), S. 206.

42 Vgl. Friedbert Pflüger: Ehrenwort. Das System Kohl und der Neubeginn, München 2000.

43 Frankfurter Allgemeine Zeitung, 22. Dezember 1999.

44 Vgl. Clay Clemens: A Legacy Reassessed: Helmut Kohl and the German Party Finance Affair, in: German Politics, Vol. 9, No. 2 (August 2000), S. 25 ff.

45 Vgl. Range: Die großen Polit-Skandale (wie Anm. 40), S. 264.

46 Leyendecker u. a.: Helmut Kohl, die Macht und das Geld (wie Anm. 39), S. 595.

Der 11. September 2001 (S. 129–151)

1 Vgl. Samuel P. Huntington: The Clash of Civilizations, New York 1996 (dt.: Der Kampf der Kulturen. Die Neugestaltung der Weltpolitik im 21. Jahrhundert, München, Wien 1996).

2 Francis Fukuyama: The End of History, in: The National Interest, No. 16 (Sommer 1989), S. 4 ff. Vgl. auch Francis Fukuyama: The End of History and The Last Man, Tampa, FL 1992 (dt.: Das Ende der Geschichte. Wo stehen wir?, München 1992).

3 Joschka Fischer: Die rot-grünen Jahre. Deutsche Außenpolitik – vom Kosovo bis zum 11. September, Köln 2007, S. 432.

4 Gerhard Schröder: Entscheidungen. Mein Leben in der Politik, Hamburg 2006, S. 165.

5 Vgl. Deutscher Bundestag, Plenarprotokoll 14/184, 12. September 2001, S. 18293. Dort teilte er nun auch öffentlich mit, dass er dem amerikanischen Präsidenten »die uneingeschränkte – ich betone: die uneingeschränkte – Solidarität Deutschlands« zugesichert habe.

6 Vgl. Schröder: Entscheidungen (wie Anm. 4), S. 172.

7 Vgl. NATO Pressemitteilung 124/2001 über die Sitzung des Nordatlantikrates vom 12. September 2001. Darin heißt es: »The Council agreed that if it is determined that this attack was directed from abroad against the United States, it shall be regarded as an action covered by Article 5 of the Washington Treaty, which states that an armed attack against one or more of the Allies in Europe or North America shall be considered an attack against them all.«

8 Vgl. Georg Löfflmann: Verteidigung am Hindukusch? Die Zivilmacht Deutschland und der Krieg in Afghanistan, Hamburg 2008, S. 16.

9 Vgl. Gert-Joachim Glaessner: Internal Security and the New Anti-Terrorism Act, in: German Politics, Vol. 12 (2003), Nr. 1, S. 43 ff.

10 Vgl. Peter Roell: Deutschlands Beitrag zur internationalen Terrorismusbekämpfung, in: Kai Hirschmann/Christian Leggemann (Hrsg.): Der Kampf gegen den Terrorismus. Strategien und Handlungserfordernisse in Deutschland, Berlin 2003, S. 130 f.

11 Vgl. Schröder: Entscheidungen (wie Anm. 4), S. 187.

12 Vgl. ebd., S. 151.

13 Vgl. Kirstin Hein: Die Anti-Terrorpolitik der rot-grünen Bundesregierung, in: Sebastian Harnisch/Christos Katsioulis/Marco Overhaus (Hrsg.): Deutsche Sicherheitspolitik. Eine Bilanz der Regierung Schröder, Baden-Baden 2004, S. 148.

14 Vgl. Hirschmann/Leggemann (Hrsg.): Der Kampf gegen den Terrorismus (wie Anm. 10), S. 11.

15 Bulletin EU 9-2001. Schlussfolgerungen und Aktionsplan (7/20).

16 Der ursprüngliche Name der Operation lautete *»Infinite Justice«* (»Grenzenlose Gerechtigkeit«, oft fälschlicherweise auch als *»Ultimate Justice«* bezeichnet). Der Titel musste geändert werden, da nach islamischer Auffassung Gerechtigkeit allein Allah obliegt.

17 Vgl. United Nations Security Council Resolution 1368 vom 12. September 2001 und United States Security Council Resolution 1373 vom 28. September 2001.

18 Vgl. hierzu ausführlich Benjamin S. Lambeth: Air Power against Terror: America's Conduct of Operation Enduring Freedom, Santa Monica, CA, 2005.

19 Vgl. Karl Grobe-Hagel: Krieg gegen Terror? Al-Qaeda, Afghanistan und der »Kreuzzug« der USA, Karlsruhe 2002, S. 96. Vgl. auch Michael Mann: Die ohnmächtige Supermacht. Warum die USA die Welt nicht regieren können, Frankfurt am Main, New York 2003, S. 193 u. 217.

20 Vgl. Deutscher Bundestag, 14. Wahlperiode, Drucksache 14/7447, Beschlussempfehlung und Bericht »Einsatz bewaffneter deutscher Streitkräfte bei der Unterstützung der gemeinsamen Reaktion auf terroristische Angriffe gegen die USA auf Grundlage des Artikels 51 der Satzung der Vereinten Nationen und des Artikels 5 des Nordatlantikvertrages sowie der Resolutionen 1368 (2001) und 1373 (2001) des Sicherheitsrats der Vereinten Nationen«, 14. November 2001.

21 Wie werden die Nato-Partner den Vereinigten Staaten beistehen? Interview mit General Dieter Stöckmann, Stellvertretender NATO-Oberbefehlshaber Europa, 18. September 2001, in: Die Zeit, Nr. 38, 2001.

22 Schröder: Entscheidungen (wie Anm. 4), S. 185.

23 Thorsten Denkler: Die Grünen und der Kriegseinsatz. Die Partei wird sich entscheiden müssen: In der Regierung bleiben oder mit einem Koalitionsbruch die Wahlchancen erhöhen, in: Süddeutsche Zeitung, 19. September 2001.

24 Schröder: Entscheidungen (wie Anm. 4), S. 185.

25 UNO-Sicherheitsrat, Resolution 1378 (2001), in: Blätter für deutsche und internationale Politik, H. 3, 2002, S. 375.

26 Vgl. Matthias Friese/Stefan Geilen (Hrsg.): Deutsche in Afghanistan. Die Abenteuer des Oskar von Niedermayer am Hindukusch, Köln 2002.

27 Vgl. Conrad J. Schetter: Kleine Geschichte Afghanistans. Die Geschichte Afghanistans von der Antike bis zur Gegenwart, München 2004, S. 14 f. Die Amani-Schule hat diese Tradition bis heute bewahrt, wie ihre deutsche Website zeigt.

28 Vgl. Matin Baraki: Die Beziehungen zwischen Afghanistan und der Bundesrepublik Deutschland 1945–1978, Frankfurt am Main 1996.

29 Abdruck in: Blätter für deutsche und internationale Politik, H. 3, 2002, S. 376–379.

30 Vgl. Martin Baraki: Afghanistan nach »Petersberg«, in: Blätter für deutsche und internationale Politik, H. 2, 2002, S. 147.

31 Übereinkommen über vorläufige Regelungen in Afghanistan bis zur Wiederherstellung dauerhafter staatlicher Institutionen vom 5. Dezember 2001 (Petersberg-Abkommen), Anlage 1: Internationale Sicherheitstruppe, in: Blätter für deutsche und internationale Politik, H. 3, 2002, S. 378 f.

32 Zur Problematik des UNO-Engagements in Afghanistan vgl. August Pradetto: Internationaler Terror, forcierter Regimewechsel und die UNO. Der Fall Afghanistan, in: Aus Politik und Zeitgeschichte, H. B 51/2001, S. 24 ff. Vgl. vor allem Ahmed Rashid: Heiliger Krieg am Hindukusch, München 2002.

33 Vgl. hierzu ausführlich Britta Petersen: Einsatz am Hindukusch. Soldaten der Bundeswehr in Afghanistan, Freiburg i. Br. 2005, S. 12 ff. Vgl. ebenfalls Löfflmann: Verteidigung am Hindukusch? (wie Anm. 8), S. 17 ff.

34 Thomas Kleine-Brockdorff/Constanze Stelzenmüller: Und nun gegen Saddam? In Washington tobt die Schlacht um den nächsten Feldzug, in: Die Zeit, Nr. 50, 13. Dezember 2001.

35 Vgl. ebd. und auch Hans Blix: Disarming Iraq. The Search for Weapons of Mass Destruction, London 2004, S. 20 ff.

36 Vgl. Hartmut Zehrer (Hrsg.): Der Golfkonflikt. Dokumentation, Analyse und Bewertung aus militärischer Sicht, Herford, Bonn 1992. Vgl. auch Colin Powell: Mein Weg, München 1995, S. 471–568.

37 Vgl. Claus Kleber: Amerikas Kreuzzüge. Was die Weltmacht treibt, München 2005, S. 94.

38 Erster Bericht zur Lage der Nation des amerikanischen Präsidenten, George W. Bush, vom 29. Januar 2002 in Washington (Auszug), in: Internationale Politik, 57. Jg. (2002), H. 3, S. 119 ff.

39 Vgl. Hans Martin Sieg: Weltmacht und Weltordnung. Der Krieg im Irak, die amerikanische Sicherheitspolitik, Europa und Deutschland, Münster 2004, S. 154.

40 Vgl. Schröder: Entscheidungen (wie Anm. 4), S. 197.

41 Paul Wolfowitz: Remarks at Munich Conference on European Security Policy, 2. Februar 2002, in: http://www.securityconference.de.

42 John McCain: From Crisis to Opportunity: American Internationalism and the New Atlantic Order, 2. Februar 2002, in: http://www.securityconference.de.

43 Vgl. Nico Fried: Chronik eines Rückzugs. Andeutungen, Widersprüche, Halbwahrheiten – wie der Kanzler und sein Vize ihren Wahlkampf vergessen machen wollen, in: Süddeutsche Zeitung, 3. Januar 2003, S. 10.

44 Eine Illustrierte hatte den Minister mit seiner Freundin Kristina Pilati von Thassul zu Daxberg-Borgreve im Pool auf Mallorca gezeigt, während deutsche Soldaten sich darauf vorbereiteten, ihren gefährlichen Einsatz auf dem Balkan anzutreten. Außerdem sollte Scharping die Flugbereitschaft der Luftwaffe in Anspruch genommen haben, um zu seiner Freundin zu fliegen.

45 Michael Hedstück/Gunther Hellmann: »Wir machen einen deutschen Weg«. Irakabenteuer, das transatlantische Verhältnis und die deutsche Außenpolitik, in: Bernd W. Kubbig (Hrsg.): Brandherd Irak. US-Hegemonialanspruch, die UNO und die Rolle Europas, Frankfurt am Main und New York 2004, S. 224.

46 Vgl. Harnisch u. a. (Hrsg.): Deutsche Sicherheitspolitik (wie Anm. 13), S. 182.

47 Vgl. Hedstück/Hellmann: »Wir machen einen deutschen Weg« (wie Anm. 45), S. 224.

48 Ralf Beste: »Du musst das hochziehen«. Eine Chronik, in: Der Spiegel, 24. März 2003, S. 54.

49 Zit. n.: Joachim Riecker: Schröder und der Irak-Krieg, in: Neue Gesellschaft/ Frankfurter Hefte, 49. Jg. (2002), H. 12, S. 717. Vgl. auch Harnisch u. a. (Hrsg.): Deutsche Sicherheitspolitik (wie Anm. 13), S. 182.

50 Schröder: Entscheidungen (wie Anm. 4), S. 207.

51 Vgl. Riecker: Schröder und der Irak-Krieg (wie Anm. 49), S. 718.

52 Vgl. Bernhard Rinke: Die beiden großen deutschen Volksparteien und das »Friedensprojekt Europa«. Weltmacht, Zivilmacht, Friedensmacht?, Baden-Baden 2006, S. 418 f. sowie Kanzler Schröders Ausweg. Mit seiner neuen Strategie will Gerhard Schröder Wähler mobilisieren und verspielt Kredit beim Bündnispartner USA, in: Focus, H. 33, 2002, S. 19 ff.

53 Rede von Bundeskanzler Gerhard Schröder zum Wahlkampfauftakt am

Montag, 5. August 2002, in Hannover (Opernplatz), Presseservice der SPD, S. 2 u. 8.

54 Vgl. Egon Bahr: Der deutsche Weg. Selbstverständlich und normal, München 2003. Zur Problematik des Begriffs vgl. bes. S. 25ff.

55 Rinke: Die beiden großen deutschen Volksparteien (wie Anm. 52), S. 417, Fußnote 679.

56 Vgl. Michael Stiller: Edmund Stoiber. Der Kandidat, Düsseldorf 2000.

57 So Stoibers persönlicher Medienberater, Michael Spreng in einem Spiegel-Streitgespräch mit Ulrich Deupmann und Christoph Schult in: Der Spiegel, 30. Dezember 2002. S. 46.

58 Vgl. Patricia Hogwood: The Chancellor-Candidates and the Campaign, in: German Politics, Vol. 13 (2004), No. 2, S. 255.

59 Vgl. Kapitel 9, Teilkapitel »Krise des Sozialstaates und Agenda 2010«.

60 Vgl. M. Deggerich: Regieren in Zeiten der Flut – Häuptling »ruhige Hand« packt zu, in: Spiegel-Online, 18. August 2002.

61 Vgl. Hogwood: The Chancellor-Candidates and the Campaign (wie Anm. 58), S. 254f.

62 Vgl. Jürgen W. Falter u.a.: Wahlen und Wähler. Analysen aus Anlass der Bundestagswahl 2002, Wiesbaden 2005. Vgl. auch Frank Brettschneider/Jan W. van Deth: Die Bundestagswahl 2002. Analysen der Wahlergebnisse und des Wahlkampfes, Wiesbaden 2002.

63 Einem seiner Kritiker, Michel Friedman, hielt Möllemann daraufhin in einem ZDF-Interview entgegen, »dass kaum jemand den Antisemiten, die es in Deutschland leider gibt und die wir bekämpfen müssen, mehr Zulauf verschafft hat als [...] Herr Friedman mit seiner intoleranten und gehässigen Art«. Vgl. Äußerungen Möllemanns in einem ZDF-Interview, zit. n.: Torben Fischer/Matthias N. Lorenz: Lexikon der »Vergangenheitsbewältigung« in Deutschland. Debatten- und Diskursgeschichte des Nationalsozialismus nach 1945, Bielefeld 2007, S. 191. – Das »Projekt 18« war auf dem Bundesparteitag der FDP im Mai 2001 in Düsseldorf beschlossen worden. Als Urheber galten Möllemann und sein Wahlkampfleiter und Strategieberater in Nordrhein-Westfalen, Dr. Fritz Goergen, der von 1979 bis 1983 auch Bundesgeschäftsführer der FDP gewesen war.

Von Schröder zu Merkel (S. 152–178)

1 Vgl. Richard Stöss/Gero Neugebauer: Mit einem blauen Auge davongekommen. Eine Analyse der Bundestagswahl 2002 (= Arbeitsheft aus dem Otto-Stammer-Zentrum, Nr. 7), Berlin 2002.

2 So Außenminister Fischer am 14. September 2002 vor der Generalversammlung der Vereinten Nationen in New York. Vgl. Plenarprotokoll 14/253, S. 25594 f.

3 Deutscher Bundestag. Stenografischer Bericht, 15. Legislaturperiode, 4. Sitzung (Plenarprotokoll 15/4), Berlin, 29. Oktober 2002, S. 59.

4 So Ludger Vollmer (Bündnis 90/Die Grünen) im November 2002 im Bundestag, in: Deutscher Bundestag. Stenografischer Bericht, 15. Legislaturperiode, 10. Sitzung (Plenarprotokoll 15/10), Berlin, 14. November 2002, S. 544.

5 Vgl. Jürgen Schuster: Das »alte« und das »neue« Europa. Die Reaktionen der europäischen Länder auf die amerikanische Irak-Politik. Ein Vergleich dreier Erklärungsansätze, Münster 2004. Vgl. auch Timothy Garton Ash: Freie Welt. Europa, Amerika und die Chance der Krise, München 2004.

6 Hans-Jürgen Leersch: Schröders letzte Karte, in: Die Welt, 23. Januar 2003.

7 Ebd. Vgl. auch Frankfurter Allgemeine Zeitung, 23. Januar 2003.

8 Gerhard Schröder: Entscheidungen. Mein Leben in der Politik, Hamburg 2006, S. 238.

9 Vgl. Uwe Klußmann: Moskaus Außenpolitik, in: Spiegel Online, 14. Februar 2003. Dort heißt es: »Den Wunsch, an einer außenpolitischen Achse Paris–Berlin–Moskau zu arbeiten, hat Russlands Führung nicht aufgegeben.« Vgl. auch Daniel Lenz: Achse Berlin–Moskau spaltet Europa, in: Handelsblatt, 5. März 2003. Ferner umfassend Jürgen Elsässer: Paris–Berlin–Moskau. »Der deutsche Sonderweg« – Betreibt Kanzler Schröder den Aufbau einer neuen Achse anstelle des atlantischen Bündnisses?, in: Ders., Der deutsche Sonderweg. Historische Last und politische Herausforderung, München 2003.

10 Deutscher Bundestag. Stenografischer Bericht, 15. Legislaturperiode, 24. Sitzung (Plenarprotokoll 15/24), Berlin, 12. Februar 2003, S. 1847.

11 Frank Bönker/Hellmut Wollmann: Sozialstaatlichkeit im Übergang. Entwicklungslinien der bundesdeutschen Sozialpolitik in den Neunzigerjahren, in: Roland Czada/Hellmut Wollmann (Hrsg.): Von der Bonner zur Berliner Republik. 10 Jahre Deutsche Einheit (= Leviathan Sonderheft 19/1999), Wiesbaden 2000, S. 514.

12 Vgl. bes. Jens Alber: Der deutsche Sozialstaat in der Ära Kohl. Diagnosen und Daten, in: Stephan Leibfried/Uwe Wagschal (Hrsg.): Der deutsche Sozialstaat. Bilanzen – Reformen – Perspektiven, Frankfurt am Main 2001, S. 235–275.

13 So Wendy Carlin/David Soskice: Shocks to the System. The German Political Economy Under Stress, in: National Institute Economic Review, No. 159, 1997, S. 57–76.

14 Vgl. Tobias Ostheim/Manfred G. Schmidt: Sozialpolitik nach der Wiedervereinigung, in: Manfred G. Schmidt u. a. (Hrsg.): Der Wohlfahrtsstaat. Eine Einführung in den historischen und internationalen Vergleich, Wiesbaden 2007, S. 193 ff.

15 Vgl. Der Weg nach vorne für Europas Sozialdemokraten. Ein Vorschlag von Gerhard Schröder und Tony Blair, London, 8. Juni 1999, in: Glasnost Archiv, Berlin 1992–2007.

16 Startschuss für Modernisierungsprozess, in: Die Welt, 11. Juni 1999.

17 Schröder: Entscheidungen (wie Anm. 8), S. 276 f.

18 Vgl. Bönker/Wollmann: Sozialstaatlichkeit im Übergang (wie Anm. 11), S. 524 f.

19 Zur Entstehung und Arbeit der Hartz-Kommision vgl. Sven T. Siefken: Expertenkommissionen im politischen Prozess. Eine Bilanz zur rot-grünen Bundesregierung 1998–2005, Wiesbaden 2007, S. 191 ff.

20 Vgl. Peter Hartz: Jeder Arbeitsplatz hat ein Gesicht. Die Volkswagen-Lösung, Frankfurt am Main, New York 1994.

21 Vgl. Peter Hartz: Job-Revolution. Wie wir neue Arbeitslätze gewinnen können, Frankfurt am Main 2001.

22 Gespräch d. Verf. mit Prof. Dr. Werner Jann, Mitglied der Kommission »Moderne Dienstleistungen am Arbeitsmarkt«, 10. März 2009.

23 Ebd.

24 Vgl. Christoph Butterwegge: Krise und Zukunft des Sozialstaates, 3., erw. Aufl., Wiesbaden 2006, S. 195.

25 Schröder: Entscheidungen (wie Anm. 8), S. 298 f.

26 Zur Arbeit der Hartz-Kommission vgl. Anne-Marie Weimar: Die Arbeit und die Entscheidungsprozesse der Hartz-Kommission, Wiesbaden 2004.

27 Gerhard Schröder: Wer nur seine Ansprüche pflegt, der hat noch nicht verstanden. Aus der Regierungserklärung, in: Frankfurter Rundschau, 30. Oktober 2002.

28 Chef BK, Arbeitsbereich Planung (Dr. Geue): Auf dem Weg zu mehr Wachstum, Beschäftigung und Gerechtigkeit. Thesenpapier für die Planungsklausur, Berlin, Dezember 2002, S. 2.

29 Ebd., S. 15.

30 Deutscher Bundestag, Stenografischer Bericht. 15. Wahlperiode, 32. Sitzung, Berlin, Freitag, den 14. März 2003 (Plenarprotokoll 15/32), S. 2479 f.

31 Ebd., S. 2481.

32 Ebd., S. 2485.

33 Interview mit Ottmar Schreiner, Bundestagsabgeordneter der SPD und Bundesvorsitzender der sozialdemokratischen »Arbeitsgemeinschaft für Arbeitnehmerfragen«, in: Frankfurter Rundschau, 13. August 2007.

34 Vgl. Strategiepapier »PDS – eine neue sozialistische Partei in Deutschland«, in: Disput, Nr. 19/1995, 1. Oktober 1995.

35 Vgl. Gero Neugebauer/Richard Stöss: Die PDS. Geschichte, Organisation, Wähler, Konkurrenten, Opladen 1996. Vgl. auch Eva Sturm: »Und der Zukunft zugewandt?« Eine Untersuchung zur »Politikfähigkeit« der PDS (= Forschung Politikwissenschaft, Bd. 77), Opladen 2000 sowie Viola Neu: Das Janusgesicht der PDS. Wähler und Partei zwischen Demokratie und Extremismus, Baden-Baden 2004.

36 Wörtlich erklärte Sommer: »Der Kanzler und die Unionsparteien, Wirtschaftsführer und Manager, also die Ewig-Gestrigen aus dem Unternehmerlager müssen wissen: Wenn diese asoziale Politik nicht aufhört, dann kommen wir wieder!« Zit. nach: Michael Sommer: Vorsitzender des Deutschen Gewerkschaftsbundes, Redemanuskript, 3. April 2004, S. 1 f.

37 Die Wahlalternative Arbeit und soziale Gerechtigkeit e.V. entstand aus der Verbindung zweier Gruppen, die ihren Ursprung in der linken Sozialdemokratie hatten: der »Wahlalternative 2006« unter dem Wirtschaftswissenschaftler Axel Troost in Norddeutschland sowie der »Initiative Arbeit und soziale Gerechtigkeit« um den Gewerkschaftsfunktionär Klaus Ernst in Süddeutschland. Sie rekrutierte sich hauptsächlich aus regierungskritischen SPD-Mitgliedern und Gewerkschaftlern.

38 Zit. n.: Schröder: Entscheidungen (wie Anm. 8), S. 416.

39 Ebd., S. 417.

40 Vgl. Jonathan Olsen: The Merger of the PDS and WASG. From Eastern German Regional Party to National Radical Left Party?, in: German Politics, Vol. 16 (2007), No. 2, S. 205–221.

41 Vgl. Heinrich August Winkler: Arbeiter und Arbeiterbewegung in der Weimarer Republik, Bonn 1985.

42 Vgl. hierzu vor allem Oliver Nachtwey/Tim Spier: Günstige Gelegenheit? Die sozialen und politischen Entstehungshintergründe der Linkspartei, in: Tim Spier u.a. (Hrsg.): Die Linkspartei. Zeitgemäße Idee oder Bündnis für die Zukunft?, Wiesbaden 2007, S. 13–69.

43 Zuvor hatte bereits der SPD-Vorsitzende Müntefering eine halbe Stunde nach Schließung der Wahllokale eine entsprechende Erklärung abgegeben.

44 Schröder: Entscheidungen (wie Anm. 8), S. 422 f.

45 Eckhard Jesse/Thomas Schubert: Bundestagswahl 2005, in: Einsichten und Perspektiven. Bayerische Zeitschrift für Politik und Geschichte, Themenheft 1/06, S. 9.

46 Deutscher Bundestag. Stenografischer Bericht, 185. Sitzung vom 1. Juli 2005 (Plenarprotokoll 15/185), S. 17467.

47 Zit. n.: Frankfurter Allgemeine Zeitung, 19. September 2005, S. 1.

48 Vgl. Gemeinsam für Deutschland – mit Mut und Menschlichkeit. Koalitionsvereinbarungen zwischen CDU, CSU und SPD, Paderborn 2005.

49 Schröder: Entscheidungen (wie Anm. 8), S. 505.

50 Vgl. Roland Sturm: Aufbruch oder Übergang? Die Perspektiven des neuen Regierungsbündnisses, in: Eckhard Jesse/Roland Sturm (Hrsg.): Bilanz der Bundestagswahl 2005. Voraussetzungen, Ergebnisse, Folgen, München 2006, S. 323–341.

51 Vgl. Michaela W. Richter: Elements of Surprise. The 2005 Election and the Formation of the Grand Coalition, in: German Politics, Vol. 15, No. 4, December 2006, S. 517.

52 Mehr Freiheit wagen. Auszüge aus der ersten Regierungserklärung von Bundeskanzlerin Angela Merkel vor dem Deutschen Bundestag, in: Frankfurter Rundschau, 1. Dezember 2005.

53 Ebd.

54 Vgl. Clay Clemens: Two Steps Forward, One Step Back. Merkel's CDU/CSU and the Politics of Welfare State Reform, in: German Politics, Vol. 16, No. 2, June 2007, S. 222 ff.

55 Vgl. Christoph Butterwegge: Krise und Zukunft des Sozialstaates (wie Anm. 24), S. 336. Dort war sogar von einem »Rückfall in den Feudalismus« die Rede. Vgl. auch Roland Sturm/Heinrich Pehle (Hrsg.): Wege aus der Krise? Die Agenda der zweiten Großen Koalition, Opladen und Farmington Hills 2006, S. 19.

56 Vgl. Handelsblatt, 30. Oktober 2008.

57 Vgl. Butterwegge: Krise und Zukunft des Sozialstaates (wie Anm. 24), S. 333.

58 Vgl. Claus Leggewie (Hrsg.): Die Türkei und Europa. Die Positionen, Frankfurt am Main 2004.

Auswahlbibliografie

Anda, Béla; Kleine, Rolf: Gerhard Schröder. Eine Biographie. München 1998.

Andert, Reinhold; Herzberg, Wolfgang: Der Sturz. Erich Honecker im Kreuzverhör, Berlin, Weimar 1990.

Brunssen, Frank: Das neue Selbstverständnis der Berliner Republik. Würzburg 2005.

Butterwegge, Christoph: Krise und Zukunft des Sozialstaates, 3., erw. Aufl. Wiesbaden 2006.

Czada, Roland M. u. a. (Hrsg.): Von der Bonner zur Berliner Republik. 10 Jahre deutsche Einheit. Wiesbaden 2000.

Dreher, Klaus: Helmut Kohl. Leben mit Macht. Stuttgart 1998.

Egle, Christoph u. a. (Hrsg.): Das rot-grüne Projekt. Eine Bilanz der Regierung Schröder 1998–2002. Wiesbaden 2003.

Esser, Hartmut (Hrsg.): Der Wandel nach der Wende. Gesellschaft, Wirtschaft, Politik in Ostdeutschland. Wiesbaden 2000.

Falter, Jürgen W.: Die blockierte Nation. Zur Lage der Berliner Republik. München 2004.

Fischer, Joschka: Die rot-grünen Jahre. Deutsche Außenpolitik – vom Kosovo bis zum 11. September. Köln 2007.

Friedrich, Roland: Die deutsche Außenpolitik im Kosovo-Konflikt. Berlin 2005.

Gabriel, Oscar W. u. a. (Hrsg.): Wächst zusammen, was zusammen gehört? Stabilität und Wandel politischer Einstellungen im wiedervereinigten Deutschland. Baden-Baden 2005.

Genscher, Hans-Dietrich: Erinnerungen. Berlin 1995.

Göler, Daniel: Europapolitik im Wandel. Deutsche Integrationsmotive und Integrationsziele nach der Wiedervereinigung. Münster 2004.

Görtemaker, Manfred: Die Geschichte der Bundesrepublik Deutschland. Von der Gründung bis zur Gegenwart. München 1999.

Görtemaker, Manfred: Unifying Germany 1989–1990. New York, London 1994.

Gross, Johannes: Begründung der Berliner Republik. Deutschland am Ende des 20. Jahrhunderts. Stuttgart 1995.

Hachmeister, Lutz: Nervöse Zone. Politik und Journalismus in der Berliner Republik. München 2007.

Hacke, Christian: Die Außenpolitik der Bundesrepublik Deutschland. Weltmacht wider Willen?, akt. u. erw. Aufl. Berlin 1997.

Haftendorn, Helga: Deutsche Außenpolitik zwischen Selbstbeschränkung und Selbstbehauptung 1945–2000. Stuttgart, München 2001.

Hanifzadeh, Massoud: Deutschlands Rolle in der UNO 1982–2005. Marburg 2006.

Harbecke, Ulrich: Abenteuer Deutschland. Von der Bonner zur Berliner Republik. Bergisch Gladbach 1999.

Harnisch, Sebastian u. a. (Hrsg.): Deutsche Sicherheitspolitik. Eine Bilanz der Regierung Schröder. Baden-Baden 2004.

Hennecke, Hans Jörg: Die dritte Republik. Aufbruch und Ernüchterung. München 2003.

Hertle, Hans-Hermann: Chronik des Mauerfalls. Die dramatischen Ereignisse um den 9. November 1989, 3. Aufl. Berlin 1996.

Hirschmann, Kai; Leggemann, Christian (Hrsg.): Der Kampf gegen den Terrorismus. Strategien und Handlungserfordernisse in Deutschland. Berlin 2003.

Hoell, Joachim: Oskar Lafontaine – Provokation und Politik. Eine Biografie. Braunschweig 2004.

Jäger, Michael: Probleme und Perspektiven der Berliner Republik. Münster 1999.

Jesse, Eckhard; Sandschneider, Eberhard (Hrsg.): Neues Deutschland. Eine Bilanz der deutschen Wiedervereinigung. Baden-Baden 2008.

Kansy, Dietmar: Zitterpartie. Der Umzug des Bundestages von Bonn nach Berlin. Hamburg 2003.

Kohl, Helmut: Erinnerungen 1982–1990. München 2005.

Kohl, Helmut: Erinnerungen 1990–1994. München 2007.

Kohl, Helmut: Ich wollte Deutschlands Einheit. Dargestellt von Kai Diekmann und Ralf Georg Reuth. Berlin 1996.

Kowalczuk, Ilko-Sascha: Endspiel. Die Revolution von 1989 in der DDR. München 2009.

Krenz, Egon: Wenn Mauern fallen. Wien 1990.

Langguth, Gerd: Angela Merkel. München 2005.

Leibfried, Stephan; Wagschal, Uwe (Hrsg.): Der deutsche Sozialstaat. Bilanzen, Reformen, Perspektiven. Frankfurt am Main 2001.

Löfflmann, Georg: Verteidigung am Hindukusch? Die Zivilmacht Deutschland und der Krieg in Afghanistan. Hamburg 2008.

Lutz, Christine: Berlin als Hauptstadt des wiedervereinigten Deutschlands. Symbol für ein neues deutsches Selbstverständnis? Berlin 2002.

Meulemann, Heiner: Werte und Wertewandel. Zur Identität einer geteilten und wieder vereinten Nation. Weinheim, München 1996.

Möller, Franz: Der Beschluss. Bonn/Berlin-Entscheidungen von 1990 bis 1994. Bonn 2002.

Modrow, Hans: Aufbruch und Ende. Hamburg 1991.

Neu, Viola: Das Janusgesicht der PDS. Wähler und Partei zwischen Demokratie und Extremismus. Baden-Baden 2004.

Nur ein Ortswechsel? Eine Zwischenbilanz der Berliner Republik. Zum 70. Geburtstag von Arnulf Baring hrsg. von Hans-Dietrich Genscher und Ulrich Frank-Planitz. Stuttgart, Leipzig 2002.

Petersen, Britta: Einsatz am Hindukusch. Soldaten der Bundeswehr in Afghanistan. Freiburg i. Br. 2005.

Rauch, Andreas M.: Auslandeinsätze der Bundeswehr. Baden-Baden 2006.

Reißig, Rolf: Die gespaltene Vereinigungsgesellschaft. Bilanz und Perspektiven der Transformation Ostdeutschlands und der deutschen Vereinigung. Berlin 2000.

Ritter, Gerhard A.: Der Preis der deutschen Einheit. Die Wiedervereinigung und die Krise des Sozialstaats. München 2006.

Rödder, Andreas: Deutschland einig Vaterland. Die Geschichte der Wiedervereinigung. München 2009.

Salz, Andreas: Bonn-Berlin. Die Debatte um Parlaments- und Regierungssitz im deutschen Bundestag und die Folgen. Münster 2006.

Schabowski, Günter: Der Absturz. Berlin 1991.

Schäuble, Wolfgang: Der Vertrag. Wie ich über die deutsche Einheit verhandelte. Stuttgart 1991.

Schröder, Gerhard: Entscheidungen. Mein Leben in der Politik. Hamburg 2006.

Schroeder, Klaus: Der Preis der Einheit. Eine Bilanz. München, Wien 2000.

Schroeder, Klaus: Die veränderte Republik. Deutschland nach der Wiedervereinigung. München, Wien 2006.

Schwarz, Hans-Peter: Die Zentralmacht Europas. Deutschlands Rückkehr auf die Weltbühne. Berlin 1994.

Seibel, Wolfgang (Hrsg.): Verwaltete Illusionen. Die Privatisierung der DDR-Wirtschaft durch die Treuhandanstalt und ihre Nachfolger 1990–2000. Frankfurt am Main 2005.
Sieg, Hans Martin: Weltmacht und Weltordnung. Der Krieg im Irak, die amerikanische Sicherheitspolitik, Europa und Deutschland. Münster 2004.

Teltschik, Horst: 329 Tage. Innenansichten der Einigung. Berlin 1991.

Weidenfeld, Werner: Außenpolitik für die deutsche Einheit. Die Entscheidungsjahre 1989/90 (= Geschichte der deutschen Einheit, Bd. 4). Stuttgart 1998.
Weidenfeld, Werner; Korte, Karl-Rudolf (Hrsg.): Handbuch zur deutschen Einheit 1949–1989–1999. Bonn 1999.
Weimar, Anne-Marie: Die Arbeit und die Entscheidungsprozesse der Hartz-Kommission. Wiesbaden 2004.
Wolfrum, Edgar: Die geglückte Demokratie. Geschichte der Bundesrepublik Deutschland von ihren Anfängen bis zur Gegenwart. Stuttgart 2006.

Register

Der Autor

Manfred Görtemaker, geb. 1951, studierte Geschichte, Politikwissenschaft und Publizistik in Münster und Berlin. Er ist seit 1993 Professor für Neuere Geschichte an der Universität Potsdam. Dort war er 1994/95 auch Prorektor und von 2000 bis 2004 Vorsitzender des Senats. Seit 1998 ist er zudem Vorsitzender des Wissenschaftlichen Beirats des Militärgeschichtlichen Forschungsamtes (MGFA). Gastprofessuren unter anderem an der Duke University, am Dartmouth College und an der Universität Bologna sowie Visiting Fellow am St Antony's College der Universität Oxford. Zahlreiche Veröffentlichungen zur deutschen und europäischen Geschichte des 19. und 20. Jahrhunderts, darunter »Unifying Germany, 1989–1990« (1994), »Geschichte der Bundesrepublik Deutschland. Von der Gründung bis zur Gegenwart« (1999), »Geschichte Europas 1850–1918« (2002), »Orte der Demokratie in Berlin« (2004), »Thomas Mann und die Politik« (2005) sowie »Britain and Germany in the Twentieth Century« (2006).

»Deutsche Geschichte im 20. Jahrhundert«

Mit der Reihe »Deutsche Geschichte im 20. Jahrhundert« wendet sich erstmals eine junge Generation von Historikern dem gerade zu Ende gegangenen »deutschen Jahrhundert« zu. In 16 populär geschriebenen Bänden werfen sie einen unverstellten Blick auf Alltag, Kultur, Politik und Wirtschaft vom Kaiserreich bis zur Berliner Republik.

Jeder Band ca. 208 Seiten, ca. 20 Abb., 19,90 € [D] / 35,90 SFr / 20,50 € [A]

Bd. 1: Frank-Lothar Kroll
Jahrhundertwende. Politik, Kultur und Gesellschaft im deutschen Kaiserreich 1900–1917. *Erscheint ca. Herbst 2010*

Bd. 2: Jürgen Angelow
Der Weg in die Urkatastrophe. Der Zerfall des alten Europa 1900–1914.
Erscheint ca. Frühjahr 2010

Bd. 3: Sönke Neitzel
Weltkrieg und Revolution. 1914–1918/19. *Bereits erschienen*

Bd. 4: Hans-Christof Kraus
Versailles und die Folgen. Die Außenpolitik zwischen Revisionismus und Verständigung (1919–1933).
Erscheint ca. Herbst 2009

Bd. 5: Peter Hoeres
Die Kultur von Weimar. Durchbruch der Moderne. *Bereits erschienen*

Bd. 6: Hendrik Thoß
Demokratie ohne Demokraten? Die Innenpolitik der Weimarer Republik.
Bereits erschienen

Bd. 7: Riccardo Bavaj
»Machtergreifung« und »Gleichschaltung«. Die Diktatur des Nationalsozialismus. *Erscheint ca. Herbst 2010*

Bd. 8: Lars Lüdicke
Griff nach der Weltherrschaft. 1933–1945 *Erscheint ca. Herbst 2009*

Bd. 9: Alexander Brakel
Der Holocaust. Judenverfolgung und Völkermord. *Bereits erschienen*

Bd. 10: Rainer F. Schmidt
Der Zweite Weltkrieg. Die Zerstörung Europas. *Bereits erschienen*

Bd. 11: Matthias Uhl
Die Teilung Deutschlands. Niederlage, Ost-West-Spaltung und Wiederaufbau 1945–1949. *Bereits erschienen*

Bd. 12: Carsten Kretschmann
Zwischen Spaltung und Gemeinsamkeit. Kultur in Deutschland 1945–1989.
Erscheint ca. Herbst 2010

Bd. 13: Thomas Brechenmacher
Die Bonner Republik. Politisches System und innere Entwicklung der Bundesrepublik.
Erscheint ca. Frühjahr 2010

Bd. 14: Stefan Creuzberger
Westintegration und Neue Ostpolitik. Die Außenpolitik der Bundesrepublik.
Erscheint ca. Herbst 2009

Bd. 15: Winfrid Halder
Von Ulbricht zu Honecker. Die DDR 1949–1989. *Erscheint ca. Frühjahr 2010*

Bd. 16: Manfred Görtemaker
Die Berliner Republik. Wiedervereinigung und Neuorientierung.
Bereits erschienen